Berlin 1942. Lilly Wust, 29, verheiratet, vier Kinder, führt das Leben von Millionen deutscher Frauen. Doch dann lernt sie die 21jährige Felice Schragenheim kennen. Es ist Liebe – fast – auf den ersten Blick. »Aimée« und »Jaguar« schmieden Zukunftspläne, schreiben einander Gedichte und Liebesbriefe, schließen einen Ehevertrag. Als Jaguar-Felice ihrer Geliebten gesteht, daß sie Jüdin ist, bindet dieses gefährliche Geheimnis die beiden Frauen noch enger aneinander. Doch ihr Glück währt nur kurz. Am 21. August 1944 wird Felice verhaftet und deportiert.

Erica Fischer ließ sich von der 80jährigen Lilly Wust die Geschichte erzählen und verarbeitete sie zu einem eindringlichen Zeugnis. Nach Erscheinen des Buches 1994 meldeten sich weitere Zeitzeuginnen, und so konnte in der vorliegenden Ausgabe neues Material hinzugefügt werden, das die Geschichte von Aimée und Jaguar noch lebendiger werden läßt.

Erica Fischer, geboren 1943 in der englischen Emigration der Eltern, 1948 Rückkehr der Eltern nach Österreich, Studium am Dolmetschinstitut der Universität Wien, Feministin der ersten Stunde in Wien, seit Mitte der 70er Jahre publizistisch tätig, lebt seit 1988 als freie Journalistin, Schriftstellerin und Übersetzerin in Deutschland, seit 1994 in Berlin. Buchveröffentlichungen u.a: »Ohne uns ist kein Staat zu machen: DDR-Frauen nach der Wende« (1990, mit Petra Lux) und »Am Anfang war die Wut: Monika Hauser und Medica mondiale, Ein Frauenprojekt im Krieg« (1997).

Erica Fischer

Aimée & Jaguar

Eine Liebesgeschichte,
Berlin 1943

Deutscher Taschenbuch Verlag

Aus Gründen des Persönlichkeitsschutzes wurden
einige Namen von der Autorin geändert.

Ungekürzte Ausgabe
Mit einem Vorwort zur Taschenbuchausgabe
Juli 1998
3. Auflage April 1999
Deutscher Taschenbuch Verlag GmbH & Co. KG, München
© 1994, 1996 Kiepenheuer & Witsch, Köln
ISBN 3-462-02499-X
Umschlagkonzept: Balk & Brumshagen
Umschlagbild: Juliane Köhler (Aimée) und Maria Schrader (Jaguar)
in den Titelrollen des gleichnamigen Films
© Senator Film/JAT, München
Foto: Jürgen Olczyk, München
Die Fotos und Dokumente stellte freundlicherweise Lilly Wust
zum Abdruck zur Verfügung
Fotos S. 341, 356, 357, 358 und Reproduktionen aller Abbildungen:
Christel Becker-Rau, Köln
Satz: Kalle Giese Grafik, Overath
Druck und Bindung: C. H. Beck'sche Buchdruckerei, Nördlingen
Gedruckt auf säurefreiem, chlorfrei gebleichtem Papier
Printed in Germany · ISBN 3-423-08406-5

Für Felice

Ich danke

Ingrid Lottenburger, Margot Scherl, Sonja Wohlatz und Inge Keller, die mir ihre Wohnungen in Berlin zur Verfügung gestellt haben;

Gerd W. Ehrlich, der mir sein unveröffentlichtes Manuskript überlassen hat;

Annette Leo, die mir Material über Groß-Rosen besorgt hat;

Susanne Pollak, die meine Arbeit von Anfang an mit großer Anteilnahme verfolgt hat;

Christel Becker-Rau, die wunderschöne Fotos von Lilly gemacht und die Reproduktionen liebevoll bearbeitet hat;

Robert S. Mackay, der als Lillys Agent und Freund den Kontakt zu Kiepenheuer & Witsch hergestellt hat;

der Stiftung »Omina-Freundeshilfe« für ihre finanzielle Unterstützung;

dem Kultusministerium NRW für ein Arbeitsstipendium;

Mieczysław Mołdawa, der mir sein Buch über Groß-Rosen geschickt und mir wichtige Hinweise gegeben hat;

Stella Leibler, die mir einen Bericht über Peterswaldau geschrieben hat;

meiner Mutter Irena Fischer, die Stella Leiblers Briefe und Auszüge aus Mieczysław Mołdawas Buch für mich aus dem Polnischen übersetzt hat;

den Wiener Frauen, deren Zuspruch und Wärme bei meiner ersten Probelesung aus dem unvollendeten Manuskript mich ermuntert hat;

Erwin Buchwieser, Gerd W. Ehrlich, Siegfrid Gehrke, Elenai Pollak, Olga Selbach, Lola Sturmova, Inge Wolf und Dörthe

Zivier ebenso wie Lillys Söhnen Albrecht, Bernd und Eberhard Wust, die sich meinen Fragen ausgesetzt haben;

meiner Lektorin Erika Stegmann, die immer an das Gelingen des Buchs geglaubt und mich – nicht zum ersten Mal – mit liebevoller Strenge durch den Entstehungsprozeß begleitet hat;

und schließlich der Hauptperson Lilly Wust, die sich in endlosen und manchmal quälenden Gesprächen Erinnerungen aus der Vergangenheit hat entreißen lassen und das Vertrauen in mich nie verloren hat, auch dann nicht, wenn ich bisweilen ungeduldig und unbeherrscht war.

Die wichtigsten Personen der Handlung:

Elisabeth Wust, genannt Lilly und Aimée
Felice Schragenheim, genannt Lice, Fice, Putz und Jaguar
Albrecht, Bernd, Eberhard und Reinhard Wust, Lillys Söhne
Inge Wolf, Buchhändlerin und Lillys Pflichtjahrmädchen
Günther Wust, Lillys Ehemann
Günther und Margarethe Kappler, Lillys Eltern
Erwin Buchwieser, Albrechts Vater
Käthe Herrmann, Lillys beste Freundin
Dr. Albert und Erna Schragenheim, Felices Eltern
Irene Schragenheim, Felices Schwester
Käte Schragenheim, geb. Hammerschlag, Felices Stiefmutter
Hulda Karewski, Felices Großmutter
Dr. Walter Karewski (Karsten), Felices Onkel in Amerika
Felices Freundinnen: Elenai Pollak, Nora, Ilse Ploog, Christi-
ne Friedrichs, Luise Selbach, genannt Mutti, und Olga Sel-
bach, Muttis Tochter und Felices Schulfreundin
Hilli Frenkel, Felices beste Schulfreundin
Georg Zivier, genannt Gregor, Schriftsteller und einer von
Felices Freunden
Dörthe Zivier, Gregor Ziviers Frau
Gerd W. Ehrlich, ein Bekannter von Felice und Mitglied einer
jüdischen Untergrundgruppe
Fritz Sternberg, einer von Felices Freunden
Lola Sturmova, Lillys ausgebombte Untermieterin
Lucie Friedlaender, Dr. Rose Ollendorf, genannt Petel, Dr.
Katja Laserstein – Lillys »drei Hexen«
Willi Beimling, Lillys zweiter Ehemann
Liesl Reichler, Günther Wusts Verlobte

Vier Jahre sind seit dem Erscheinen von *Aimée & Jaguar* vergangen. Das Buch hat weite Kreise gezogen. Neben prominent aufgemachten Vorabdrucken und Besprechungen, der Übersetzung in elf Sprachen, etlichen in- und ausländischen TV-Dokumentationen und Hörfunk-Features sowie unzähligen Lesungen und Diskussionen wurden Felices Gedichte vertont, haben zwei Schauspielerinnen den Briefwechsel zwischen Aimée und Jaguar als szenische Lesung aufbereitet, hat eine niederländische Schauspieltruppe ein Theaterstück über Aimée und Jaguar mit großem Erfolg in Maastricht aufgeführt, hat eine junge Künstlerin Ölgemälde von Felice »Jaguar« Schragenheim gemalt und bietet ein Schauspieler eine Lesung aus den Büchern an, die Felice mit in die Vereinigten Staaten nehmen wollte.

Ich selbst habe zusammen mit der Fotografin Christel Becker-Rau und dem Grafiker Wolfgang Wittor eine umfangreiche Ausstellung mit dem Titel »Das kurze Leben der Jüdin Felice Schragenheim« gestaltet, die seit Anfang 1995 unter dem Dach des Deutschen Volkshochschulverbands in vielen Städten der Bundesrepublik gezeigt wird. Mit der grafischen Aufbereitung der außergewöhnlich großen Zahl von Fotos, Briefen, Gedichten und Dokumenten, die Lilly »Aimée« Wust für die Nachwelt aufbewahrt hat und die einen fast lückenlosen Einblick in Felices kurzes Leben bieten, konnten wir dem Buch eine eindrucksvolle visuelle Dimension hinzufügen und es vor allem jungen Menschen ermöglichen, sich anhand eines so eindringlichen Einzelschicksals mit der Zeit des Nationalsozialismus auseinanderzusetzen. Als Weiterführung der Ausstellung ist derzeit eine CD-Rom in Vorbereitung.

Und nun als Krönung der Kinofilm mit Maria Schrader und Juliane Köhler.

Für die nunmehr 85jährige Elisabeth Wust hat das Erscheinen des Buches das Ende ihrer Isolation bedeutet. Seit ihrem »Coming-out« in der Talk-Show »Boulevard Bio« hat sich ein großer Stapel von Briefen aus ganz Deutschland bei ihr angesammelt. Geschrieben haben Lilly offen lesbisch lebende Frauen, die sich mit ihr identifizieren, aber auch verheiratete Frauen, die das Bedürfnis haben, ihr über ihre geheime Liebe zu einer Frau zu erzählen. Lilly hat viele Freundinnen gewonnen, so viele, daß sie sich eine geheime Telefonnummer zulegen mußte, um ihr Privatleben zu schützen. Das Öffentlichmachen ihrer bisher verschwiegenen Liebe zu Felice Schragenheim hat der alten Frau viel Aufregung gebracht, es hat ihr Leben aber auch ungemein bereichert. Im Umgang mit Journalistinnen und Journalisten ist Lilly mittlerweile ein Profi geworden.

Auch ich habe durch *Aimée & Jaguar* neue Freundinnen und Freunde gefunden. Einige, die ich für das Buch interviewt habe, sind mir dauerhaft verbunden geblieben, viele haben mir geschrieben oder sind zu meinen Lesungen gekommen. Besonders glücklich bin ich darüber, daß ich durch die britische Ausgabe von *Aimée & Jaguar* die Bekanntschaft mit David Cahn machen konnte, dem Sohn von Felices Schwester Irene. David ist mit wenig Wissen über seinen familiären Hintergrund aufgewachsen. Seine verstorbenen Eltern, beide Berliner Juden, haben geschwiegen – wie so viele ihrer Generation – und haben nach ihrer erzwungenen Emigration nie wieder deutschen Boden betreten. Ihre beiden Söhne David und Oliver sprechen kein Deutsch und hatten bis zum Erscheinen von *Aimée & Jaguar* Deutschland noch nie besucht. Das Buch hat ihnen neue Einblicke in ihre Familiengeschichte eröffnet. Der Kontakt zu mir und die erwachte Neugierde haben den Bann gebrochen. David Cahn kam nach Berlin und besuchte die Orte, an denen seine Familienmitglieder gelebt und gelitten hatten. Ein besonderer Augenblick war für

ihn der Besuch am Grab seines Großvaters Dr. Albert Schragenheim auf dem Jüdischen Friedhof in Berlin-Weißen-
see. David Cahn wird vom Schicksal seiner Familie geprägt
bleiben, wie die meisten Jüdinnen und Juden der zweiten Generation, doch er hat mit seiner Reise nach Berlin den gerissenen Faden der Geschichte wiederaufgenommen, seiner eigenen und der so vieler Berliner Juden, die ermordet wurden
oder gerade noch davongekommen sind.

Während einige hundert Kilometer entfernt die »ethnischen
Säuberungen« in Bosnien ihren Lauf nahmen, hat auch mir
selbst das Schreiben von *Aimée & Jaguar* geholfen, meine eigene
Familiengeschichte nachzuvollziehen. Ich bin durch die Veröf-
fentlichung des Buches aber auch in schmerzhafte Erinnerungen anderer hineingezogen worden, habe bei Überlebenden
Wunden aufgerissen, die nur oberflächlich vernarbt waren.
Manche nehmen mir das übel. Die jüdischen Überlebenden
und Felices Freundinnen können und wollen keinen Frieden
schließen mit Lilly Wust, der Nazi-Mitläuferin von damals. Sie
geben ihr keine Chance, ihre Mittäterschaft wiedergutzu-
machen. Ich selbst stehe dazwischen, muß Lilly verteidigen, wo
das Urteil allzu harsch ausfällt, bin aber auch Beteiligte an der
Geschichte. Ich kann zwar Lillys allzu deutsches Schweigen
über die abgespaltenen Teile ihrer Vergangenheit psycholo-
gisch verstehen, nicht aber wirklich verzeihen.

Ich, die ich mich als Jüdin der Geschichte von Jaguars Seite
her nähere, kann nicht so nachsichtig sein wie viele junge
Frauen, die sich dagegen sperren, auch nur über eine mög-
liche Mitschuld von Aimée nachzudenken. Die Liste der Ent-
schuldigungen ist lang: Es hätten damals alle so gedacht und
geredet, die Menschen seien manipuliert worden, eine Frau
mit vier Kindern habe weder Zeit noch Gelegenheit gehabt,
sich zu informieren, sie habe sich bloß den Meinungen ihres
Mannes angepaßt, und außerdem habe man »das« damals ja
alles nicht gewußt.

»Mitgefühl und Einfühlungsvermögen verteilen sich nicht
zufällig«, schreibt Birgit Rommelspacher in ihrem Essayband

Dominanzkultur. »Verständnis wird zumeist sehr viel eher denen entgegengebracht, die zu ›uns‹ gehören, und denjenigen, die hier das Sagen haben. Gefühle werden zu Kollaborateuren der Macht.« Im Fall von Jaguar und Aimée habe ich den Eindruck, daß sich so manche junge Frau durch ihr Verständnis für Lilly Wust dagegen sträubt, sich mit der Mitschuld und dem Schweigen ihrer eigenen Großmutter auseinanderzusetzen. Mit der Empathie für das ermordete Opfer Felice und die unverheilten Wunden der Überlebenden der ersten und zweiten Generation tun sich viele Frauen hingegen schwer.

Der Erfolg des Buches ist darauf zurückzuführen, daß es von einer außergewöhnlichen Liebesgeschichte erzählt, die keine Chance hatte, sich im Alltag abzunützen, und die in ihrer Tragik daher zu Projektionen einlädt. Das Bedürfnis lesbischer Frauen nach Vorbildern und Heldinnen, die eine Kontinuität zur eigenen Lebensgeschichte herstellen, ist so groß, daß die kritische Distanz zu den Ereignisssen zwischen 1933 und 1945 häufig verlorengeht. Daß die eine als Jüdin und nicht als Lesbe umgebracht wurde und die andere wegen ihrer Liebe zu einer Frau im »Dritten Reich« nicht verfolgt wurde, will nicht in das herbeigesehnte Bild lesbischen Heldentums passen. Und doch war es so. Es ist in Deutschland leider schwer, Kontinuitäten herzustellen, sie werden immer gebrochen bleiben. Damit müssen noch ein paar Generationen weiterleben.

Möge dieses Vorwort helfen, die bittersüße Liebesgeschichte von Aimée und Jaguar mit all ihren Brechungen zu lesen, ohne daß dabei ihre zeitlose Schönheit und Romantik verlorengehen.

E. F.   Berlin, im September 1997

*Gestern überreichte Innensenator Lummer das vom Bundespräsiden-
ten verliehene Bundesverdienstkreuz am Bande an Elisabeth Wust
(68) aus Lichterfelde. Elisabeth Wust hatte in den Jahren von 1942 bis
1945 vier Jüdinnen in ihrer Schmargendorfer Wohnung versteckt und
versorgt. Eine der Frauen wurde 1944 von der Gestapo aufgespürt und
kam im KZ Auschwitz ums Leben. Drei der Frauen überlebten das
Nazi-Regime. Es ist das 21. Verdienstkreuz für »Unbesungene Helden« in Berlin. So werden Personen bezeichnet, die Verfolgten während
der Nazizeit Hilfe geleistet haben.*

Der Tagesspiegel, 22. September 1981

I

Die breite mit einem rostroten Läufer bespannte Holztreppe knarrt, als Inge Wolf, zwei Stufen auf einmal nehmend, in den vierten Stock des Hauses Friedrichshaller Straße 23 hochsteigt. Die bunten bleiverglasten Fenster an den Treppenabsätzen gehen hinaus auf den begrünten Hinterhof und das ans Vorderhaus anschließende Gartenhaus, eine schlichtere, niedrigere Ausgabe des Vorderhauses für die weniger Begüterten. Von Stock zu Stock weitet sich der Blick auf Schmargendorfer Dächer und herbstlich getönte Linden.

Es ist der erste Oktober, und Inge Wolf muß sich beeilen, eine geeignete Stelle zu finden. Wenn sie nicht bald ihr hauswirtschaftliches Pflichtjahr antritt, wird man sie zum Reichsarbeitsdienst einziehen. Die Friedrichshaller Straße ist an diesem Donnerstagvormittag schon ihr zweiter Versuch.

Bei »Wust« öffnet eine schlanke Rothaarige mit randloser Brille.

»Guten Tag.«

Inge Wolf atmet auf. Nach vier Hausfrauen in Kittelschürzen, die sie mit »Heil Hitler« empfangen haben und »Ach, ist das schön, daß Sie kommen!«, hat sie auf ein schlichtes »Guten Tag« schon gar nicht mehr zu hoffen gewagt. Die Anhäufung von Nazissen kommt wahrscheinlich daher, daß Inge mit ihren 21 Jahren das Pflichtjahr in einer Familie mit mindestens vier Kindern ableisten muß. Wäre sie erst sechzehn, würde auch ein Einzelkind genügen. Schlimm genug, daß eine wie sie, die wahrlich mehr im Kopf hat als Kochen und Putzen, sich in den Dienst anderer Leute stellen muß, aber Nazipack muß es nun wirklich nicht sein. Wenn eine schon in ihrer eigenen Wohnung den Führer anruft, ist leicht auszudenken, was alles noch kommen kann.

»Ach, wissen Sie, ich hab so viel Auswahl, ich muß mich erst umgucken«, sagte sie jeweils hastig und suchte das Weite.

Ist es die spindeldürre Person mit den abstehenden Ohren und dem struppigem Kurzhaarschnitt, die mit ihren prüfenden schwarzen Augen Elisabeth Wust veranlaßt, » Guten Tag« zu sagen, oder ist es der erste unüberhörbare Zweifel an den Überzeugungen ihres Gatten? Seit einiger Zeit ist Elisabeth Wust unzufrieden, ohne genau zu wissen warum. Äußeren Grund zur Klage hat sie nicht, ihre Söhne gedeihen prächtig, sollen eines Tages auf die Napola[1] gehen. Am 12. August ist sie Trägerin des Mutterkreuzes in Bronze geworden, ihr vierter Sohn wurde vor einem Jahr geboren. Günther Wust ist in Bernau bei Berlin Soldat, gottlob weitab von der Front. Im zivilen Leben ist er Beamter bei der Deutschen Bank, kurz vor der Prokura, ein fescher Kerl, groß, schlank, dunkelhaarig, immer auf gute Formen bedacht, der Typ von Mann, den sich jedes Mädchen erträumt. Als Elisabeth Wust ihn in einem Heim der Deutschen Bank 1932 kennenlernte, hat sie ihrem früheren Verlobten gleich den Laufpaß gegeben.

Inge Wolf steckt den Stapel weißer Karteikarten mit den Adressen vom Arbeitsamt mit einem Seufzer der Erleichterung in die Jackentasche und beschließt, die Sucherei zu beenden. Am säuberlich geschrubbten Küchentisch erledigen die beiden Frauen die Formalitäten. Arbeitszeit ist von acht bis fünf.

»Ich zeig Ihnen mal die Wohnung.«

Die geräumige Vierzimmerwohnung mit den stuckverzierten Decken hat einen größeren Balkon auf die schattige Friedrichshaller Straße und einen kleineren an der Küche mit dem Blick auf das Dach des Gartenhauses. Kaum hat sie das Wohnzimmer mit den weit geöffneten Flügeltüren betreten, erkennt Inge Wolf ihren fatalen Irrtum. Blankgeputzt und aus Bronze: das Relief des Führers! Was tun? Im Grunde genommen wäre es jetzt an der Zeit, ihr Sätzlein aufzusagen

1 Nationalpolitische Erziehungsanstalt, staatliche Eliteschule.

und zu flüchten. Doch die Papiere liegen ausgefüllt auf dem Küchentisch, ein Rückzug könnte Mißtrauen erwecken. Eine Denunziation hätte ihr gerade noch gefehlt. Auch macht sich angesichts dieser neuerlichen Enttäuschung in Inge eine traurige Mattigkeit breit. Wer weiß, wie oft sie noch durch Berlin wird fahren müssen, ehe sie eine Familie findet, die der braunen Brut widerstanden hat. Gibt es das überhaupt noch nach bald einem Jahrzehnt Hitlerdiktatur?

Sie beschließt, in den sauren Apfel zu beißen.

»Eins muß ich Ihnen aber gleich sagen«, sucht Inge nach einer letzten Möglichkeit, ihre Entscheidung zurückzunehmen, »im Haushalt bin ich eine absolute Niete.« Schließlich soll das 1938 eingeführte land- und hauswirtschaftliche Pflichtjahr für alle ledigen Frauen unter 25 »die Freude am hauswirtschaftlichen und sozialen Beruf erwecken«, wie es erst kürzlich in der Zeitung stand. Diesen Dienst wird Inge der Reichsfrauenführerin bestimmt nicht erweisen.

Doch die Wust ist angesichts der immer rarer werdenden Haushaltshilfen nicht abzuschrecken. »Ach Kindchen, haben Sie eine Ahnung, welche Niete ich erst bin. Gemeinsam werden wir es schon schaffen«, gluckt sie mit einem tiefen kehligen Lachen und schiebt Inge zur Tür hinaus.

»Bis Montag.«

Lilly

Es tut mir leid, wir haben nie ein Hitlerbild gehabt. Das hat Inge bestimmt erfunden. Sie hat mich eben als Nazi eingeordnet. Sicher, wir waren eine treudeutsche Familie, logisch. Geb ich ja zu. Mein Haushalt war ausgerichtet wie bei Millionen Deutschen, geb ich zu. Ich habe nie Hitler gewählt, aber ich war mit einem Nazi verheiratet. Mein Mann war ein Nazi, kein Parteigenosse, aber ein guter Deutscher und Nazi, das war er. So hat Inge mich kennengelernt. Er war ein richtiger Preuße, obwohl er eigentlich Sorbe war. Wir haben, glaube ich, *Mein Kampf* gehabt, ja das haben wir. Und wir haben den *Völkischen Beobachter* gehabt. Ich rede nicht gern darüber. Ich gebe ungern zu, daß mein Mann ein Nazi war und ein bißchen Antisemit, das lag in der Familie, der übliche Antisemitismus ohne viel Nachdenken. Meine Eltern haben immer gestichelt, mein Vater hat mich beschimpft, daß ich einen Nazi geheiratet hab. Und auch mein Bruder war überhaupt nicht damit einverstanden, solange er noch in Deutschland war. Doch dann hat er sich nicht weiter um mich gekümmert. Aber ich hätte mir ohnedies nicht dreinreden lassen. Ich hab damals gemacht, was ich wollte. Und ich wollte es unbedingt durchsetzen. Ich war dumm und dämlich, aber vor allen Dingen wollte ich aus dem Haus. Über was andres hab ich überhaupt nicht nachgedacht. Er war ein hübscher Kerl, er war überall gern gelitten, er hatte Aussicht, was zu werden. Ich hab doch den Günther geheiratet, nicht den Nazi! Und ich hab ohne meine Eltern geheiratet. Nicht einmal meine Schwiegereltern waren bei der Hochzeit, denen war ich zu jung und zu lebhaft. Meine ganze Lebensart paßte ihnen nicht. Mein Vater war zu meiner Hochzeit im Riesengebirge. Wir haben ihn ja gezwungen, die schriftliche Erlaubnis zu geben, weil ich noch nicht 21 war. Mein Vater war so furchtbar rechthaberisch. Ich hab ihn erst wieder gesehen, als Bernd geboren wurde. Durch das Enkelkind hat sich die Feindschaft aufgelöst. Und dann wurde ich eine kleine Hausfrau und bekam Kinder. Ich bin im Grunde genommen darauf dressiert worden, eine Familie zu haben, einen Haushalt zu führen und nu hat sich's. So hab ich die nächsten Jahre auch gelebt. Kinderkriegen, Windeln, Haushalt, Mann besorgen. Ich hab mich immer über meinen Mann geärgert, später dann erst recht. Wenigstens am Sonntag hätte er mich entlasten können, nein, es mußte immer alles pünktlich auf dem Tisch stehen. Oder er hätte mal mit den Kindern spazieren gehen können. Mit kleinen Kindern konnte er nichts anfangen. Auf seine Söhne war er zwar ungeheuer stolz, aber mir die Kinder einmal abnehmen, das kam ja gar nie in Frage. Es gab Tausende solcher Haushalte, die sich um nichts gekümmert haben als um ihre Nachkommenschaft. Wir Frauen haben uns gegenseitig Rezepte zugesteckt, das war für uns viel wichtiger als alles andere. Napola? Nee, da muß ich aber lachen. Da hätte mein Mann doch in der Partei sein müssen, nicht? Da kamen doch nur die Kinder von ganz strengen Parteigenossen rein. Nie, so ein Nazi war er wirklich nicht. Wie viele eben, wie Tausende. Deutschland sollte wieder was werden, so war es doch. Wieviele sind mitgelaufen und sind sogar Parteigenossen geworden, weil sie geglaubt haben, daß der Hitler was draus macht. Was nachher daraus wurde . . . Aber zuerst haben die Menschen sich das wirklich nicht so vorgestellt. Napola – seit zig Jahren höre ich das Wort zum ersten Mal wieder. Meine Güte, das ist bestimmt über 50 Jahre her! Nein, um Gottes willen, ein braver Bankbeamter war er, wäre seinen Weg gegangen. Die Kinder wären vielleicht auch in die Deutsche Bank gekommen oder sie hätten studiert. Der Weg war ja sozusagen vorgeschrieben. Er war eben ein guter Deutscher.

Am 5. Oktober 1942 spricht Reichsmarschall Hermann Göring in seiner Rede zum Erntedanktag vom »großen Rassenkrieg«: »Ob hier der Germane oder der Arier steht oder ob der Jude die Welt beherrscht, darum geht es letzten Endes, und darum kämpfen wir draußen.« Die Rede wird in den Zeitungen in voller Länge abgedruckt. Am selben Tag ergeht von Reichsführer-SS Heinrich Himmler die Order, alle Juden aus den Konzentrationslagern im Deutschen Reich nach Auschwitz zu deportieren.

Derweil beginnt Inge Wolf sich im Hause Wust einzuleben. Widerwillig muß sie lernen, den wachsenden Stapel des *Völkischen Beobachter* im Herrenzimmer so auszurichten, daß der gefaltete Mittelbug genau an der Kante des kleinen Glasschränkchens zu liegen kommt. Doch die niedlichen Kinder sind ihr schon nach wenigen Tagen ans Herz gewachsen. In schöner Regelmäßigkeit hat die neunundzwanzigjährige Wust alle zwei Jahre ein Kind geboren: Bernd ist sieben, Eberhard fünf, Reinhard drei und Albrecht ein Jahr alt.

Inges erste Aufgabe am Morgen ist es, Albrecht, den seine beiden Brüder mit randvoller Hose vom Kinderbunker heimbringen, von seiner stinkenden Last zu befreien. Ansonsten ist sie eher für die beiden mittleren Wust-Sprößlinge zuständig. Eberhard läuft der Tante Inge jeden Tag mit seinem Honigkuchenpferdgrinsen entgegen und legt dabei eine entzückende Reihe von Karies befallener Zahnstummel frei. Reinhard, der mit hellwachen ernsten Augen die Welt begutachtet, liegt ihr andauernd in den Ohren, ihn mit ins Kino zu nehmen, wo er dann glückselig und mucksmäuschenstill auf ihrem Schoß sitzt. Bernd, der hochgeschossene Älteste, nimmt wenig Kenntnis von Inge und verbringt seine Nachmittage lieber auf der Straße beim Kriegspielen.

Ihre Kinder versteht die Wust mit großem Geschick so zu organisieren, daß ihr genügend Zeit bleibt, ihrem für eine Nazisse bemerkenswerten Freizeitvergnügen nachzugehen. Mit entwaffnender Vertrauensseligkeit beteiligt sie ihr Pflichtjahrmädchen an den Vorkehrungen für ihre Herrenbesuche, so daß zwischen den beiden Frauen fast schon so etwas wie Komplizenschaft entsteht, gleichwohl Inge Wolf weder für die politischen noch für die sexuellen Vorlieben ihrer Arbeitgeberin Verständnis aufbringen kann und will. Arbeitskollegen von Günther Wust sind sie, die da nachmittags ihre Aufwartung machen, Herren mit guten Manieren, von gepflegtem Äußeren und stattlicher Erscheinung. »Sie ist die große Geliebte für kleine Beamten«, spöttelt Inge daheim und rächt sich so für die Schmach, Hitlers Bronzenase abstauben zu müssen. Wenn Herrenbesuch angesagt ist, richtet die Wust ihr Nachthemd mit der blaßgrünen Spitze am Ausschnitt her, und Inge muß das Bett frisch beziehen. Danach geht es ab mit den Kindern in den Zoo. Besonders wenn sie einen gewissen Patenheimer erwartet, wird die Wust von einer geröteten Aufgeregtheit erfaßt. Bankbeamter und Alter Kämpfer[2] ist er, mit einem Schatten auf der Lunge und deshalb von der Wehrmacht freigestellt. Dann rennt die Wust wie ein Backfisch durch die Wohnung, steckt sich in einem fort das Haar hoch, scheint andauernd etwas zu suchen, rückt Gegenstände zurecht. Mit Alten Kämpfern kann sie am besten, sagt sie.

[2] Personen, die vor 1933 in die NSDAP eingetreten sind.

Lilly

Das waren Männer aus unserem Bekanntenkreis, im Alter meines Mannes. Sie waren auf Urlaub oder auf irgendwelchen Posten in Berlin. Es mußte ja auch Männer geben, die die Betriebe aufrechterhielten. An Männermangel hab ich nie gelitten. Aber die meisten, naja, die konnten mehr oder weniger nicht, das war eine traurige Sache. Wenn ich es mir überlege, war Günther immer noch der Beste von allen. Ich kann mir das nur so erklären, daß ich gar keinen Anteil daran hatte. Orgasmus, wie man heute sagt, habe ich überhaupt nicht gekannt. Aber sie wollten mich, und ich hab nicht nein gesagt. Natürlich schmeichelt es einer jungen Frau, wenn die Männer hinter ihr her sind. Wenn die Männer eingezogen sind, dann lockern sich die Sitten. Niemand wußte, was morgen sein würde, also haben wir das Leben eben genossen so gut es ging. So haben's die Männer auch gemacht. Mein Mann hatte ja auch die Liesl.

Gern gehabt habe ich ihn schon, den Günther, sonst hätte ich ihn doch nicht geheiratet, ist doch Unsinn. Aber ich war viel zu jung und viel zu dämlich damals. Ich bin erst aufgewacht, als ich 26 Jahre alt war. Da hatte ich schon drei Kinder. Plötzlich wollte ich kein Hausmütterchen mehr sein. Ich wollte nicht nur gebändigte Mutternatur sein. Da gab's die ersten Unstimmigkeiten zwischen meinem Mann und mir. Da fing ich an, erwachsen zu werden und mich zu wehren. Er ging gerne mal alleine ein Bier trinken. Ich wollte zwar nie in die Kneipen mitgehen, aber ich wollte auch nicht bloß Kinder hüten, Himmelherrgottnochmal. Ich wollte ins Theater gehen, irgend etwas Nettes mit ihm gemeinsam unternehmen. Da wurde mir plötzlich klar: Wohin gehst du jetzt? Und da fing ich an, mich von meinem Mann zu entfremden. Wenn man's genau nimmt, hat das mit dem Krieg begonnen. Da hatten wir beschlossen, einige Tage mit den Herrmanns zu verbringen. Der Ewald war wie Günther bei der Deutschen Bank, die ältesten Kinder waren gleichaltrig, so haben wir uns kennengelernt. Und die Käthe war meine beste Freundin. Dann merkte ich, daß sich etwas abspielt. Als mein Mann 1940 eingezogen wurde, beschwerte er sich in einem Brief, daß die Käthe sich nicht meldet. Da bin ich wutschnaubend rausgefahren zu meiner Freundin. »Wenn Günther mir Briefe schreibt, soll er sie gefälligst an mich schreiben«, hab ich sie angefaucht. Da fing die Käthe an zu weinen. »Liebt ihr euch denn so sehr?« – »Ja«, hat sie gehaucht. Da hab ich sie in den Arm genommen und hab sie getröstet. »Dann liebt euch doch, aber laßt mich in Frieden.«

Eigentlich hab ich ihm das gar nicht übel genommen. Laß bloß die Familie nicht von der Leine, sonst mach, was du willst, war meine Devise. Ich wollte es bloß nicht wissen. Einmal hab ich ihm vorgeschlagen, fünf Jahre lang getrennt zu leben, in derselben Wohnung. Ich führe den Haushalt, ich mache das alles, aber bitte sonst nichts. Da hat sich mein Mann auf die Stirn getippt. Ich suchte einen Ausweg. Ich büchste aus. Früher hätte ich mir nie vorstellen können, meinem Mann untreu zu sein. Aber er übertrieb es ein bißchen. Ich hab es ihm dann später auch vorgeworfen. Als wir in irgendeinen Streit geraten waren – Albrecht, der vierte, war gerade ein dreiviertel Jahr alt –, da packte mich die Wut und ich hab ihm gesagt: Übrigens ist das nicht dein Kind. Das hat ihn schwer gewurmt. Vor allem, er kannte den Erwin, nicht wahr? Aber ich hab ihm dann gesagt, daß er selber schuld wäre. Warum hat er sich andauernd mit anderen Frauen rumgetrieben, ich fühlte mich eben alleine, zum Donnerwetter, da hab ich mal nachgegeben, nicht wahr? Mit dem Erwin hatte ich auch keine längere Beziehung, beim dritten Mal ist es wohl passiert. Das war sowieso ein wildes Jahr, er war ja nicht der einzige. Mein Mann wußte, wie sehr der Erwin hinter mir her war. Vor dem Traualtar hatte der mich noch beschworen, ihn zu heiraten und nicht meinen Mann. Wir hatten immer Kontakt. Wir sind doch kreuz und quer durch Berlin gezogen, und er ist uns immer gefolgt. Als er Beamter im Rathaus Wilmersdorf wurde, hat er uns dann die Wohnung in Schmargendorf verschafft.

Nein, so viele Kinder wollte ich nicht. Bernd und Eberhard waren gewollt, Bernd sollte ein Brüderchen haben. Aber der Reinhard war ein Versehen, da hab ich drei Tage nicht mit meinem Mann gesprochen. Ich hatte mich doch grade erst erholt. Mit drei Wochen hatte Eberhard einen Magenpförtnerkrampf, der ist mir unter den Händen fast weggestorben, der Junge. Über ein halbes Jahr mußte ich ihm alle zwei Stunden zu essen geben. Der war nur noch ein Strich. Und schon wieder ein Kind, das war mir zu viel. Aber dann hat meine Natur gesiegt. An Abtreibung hätte ich nie gedacht, auch nicht beim Albrecht. Ich hab's als Schicksal angenommen, und ich hab ja meine Kinder gerne bekommen. Nur die Machart, das ist eine andere Sache.

Erwin Buchwieser

Ich habe Lilly Anfang 1933 kennengelernt. Wir nahmen beide an einem Kursus für Steno und Schreibmaschine teil, den die Deutsche Bank eingerichtet hatte, um Arbeitslose von der Straße zu holen. Mein Vater war in der Depositenkasse der Deutschen Bank, Lillys Vater war in der Auslandsabteilung, aber sie kannten einander nicht. Ich war 21, hatte vorher Autoschlosser gelernt und war arbeitslos. Ich wäre gerne Ingenieur geworden, aber das scheiterte an den wirtschaftlichen Verhältnissen. Der Kursus war eine Geste, mit der sich die Bank mit den neuen Machthabern gut stellen wollte, so eine Art »Notopfer«. Es kostete sie ja nicht viel.

Lilly war für mich einfach genau das, was ich mir immer vorgestellt hatte. Rothaarig, das war der erste Eindruck, für mich immer ein meistens unerfüllter Traum. Ihre Lebhaftigkeit, ihre sichere Art und ihre guten Umgangsformen haben mich sehr beeindruckt. Die mir ja ganz abgingen. Ich war ein Wildwuchs. Ich war schüchtern und zurückhaltend, aber irgendwie war zwischen uns der Kontakt gleich da, ohne daß es groß ausgesprochen wurde. Aber sie war ja schon gebunden. Ich habe nie versucht, sie umzustimmen. Das hätte auch keinen Sinn gehabt. Es war ja alles so gut eingefädelt. Die Eltern von Lilly und Günther Wust waren ein bißchen gehoben gegenüber dem, was ich war. Ich war ja eigentlich nur ein Proletarier. Mein Vater war zwar auch Bankangestellter, aber wir haben gesellschaftlich gesehen in ganz kleinen Verhältnissen gelebt. Ich war nichts und ich hatte nichts. Später habe ich auch Günther Wust kennengelernt, als er Lilly vom Kursus abgeholt hat. Er hat einen sehr guten Eindruck auf mich gemacht. Ein bißchen vornehmes Getue, aber er hatte schon einen gehobeneren Posten in der Bank und mußte seinem Klientel gegenüber eine gewisse Haltung zeigen. Korrekt, höflich und gebildet war er. Lilly war natürlich auch gebildet. Sie hatte Abitur, ich nicht. Ich bin auch sicher vom Wust nicht ernstgenommen worden. Mein Vater war ein unbedeutender Angestellter, der von einer kleinen Stadt nach Berlin gekommen war und der Berlin eigentlich nie richtig verkraftet hat. Lilly war also in jeder Weise ein erstrebenswertes Ziel, aber an Heirat war gar nicht zu denken. Ich war arbeitslos, und der Günther Wust hatte eine feste Stellung. Die Deutsche Bank hat ja keinen entlassen, auch nicht in jenen Krisenzeiten, die stand immer gut da.

Ich habe dann im August 1938 eine andere Frau geheiratet, aber für Lilly habe ich weiter geschwärmt. Sie war etwas Kostbares für mich, eine Art Juwel, vielleicht auch zerbrechlich, ganz abgesehen von der erotischen Kraft, die von ihr ausging. Sie war alles, was ich je wollte, rothaarig, intelligenter als ich, gebildeter als ich. Sie war kurzsichtig und trug eine Brille. Ich habe ihr immer gesagt, sie soll sie abnehmen, damit sie meine Schwächen weniger sieht. Als wir dann endlich miteinander ins Bett gingen, war bei mir überhaupt kein Unrechtsbewußtsein da. Im Januar '41, nach dem Frankreichfeldzug, lagen wir südlich von Berlin in einem Dorf namens Schöneweide, wo wir sozusagen aufgefrischt worden sind, bevor wir nach Rußland gingen. Ich hatte damals eine ganze Menge Bewegungsfreiheit. Da muß es wohl geschehen sein.

An ein Hitlerbild im Wohnzimmer kann ich mich nicht erinnern. Aber das war ja die Regel damals, es wäre mir wahrscheinlich gar nicht aufgefallen. Oder vielleicht doch? Vielleicht hätte ich eine Bemerkung gemacht, wie »der liebe Adolf ist ja auch schon da« oder sowas. Ein Hitlerbild konnte damals aber auch eine Tarnung gewesen sein. Man mußte ja damit rechnen, daß der Blockwart, der kam, um für die NSV[3] zu kassieren oder fürs Winterhilfswerk, sich umschaute, ob Sie denn wenigstens ein Hitlerbild haben oder eine Fahne raushängen. Die Hälfte des Volkes bestand doch aus Spitzeln und Denunzianten. Aber ist das so wichtig? Ich hab bei Lilly nie irgendwelche Begeisterungsstürme für Hitler erlebt. Ich selbst war ja Nationalsozialist aus Überzeugung, bin 1931 in die Partei eingetreten, weil mir das Programm gefallen hat.

3   NS-Volkswohlfahrt.

Und im Programm stand von diesen Dingen nichts drinnen. Ich bin heute noch glücklich, daß ich Soldat wurde und die Dinge, die sich hier abgespielt haben, als Parteigenosse nicht mitmachen mußte. Daß man die Juden in KZs bringt und dort umbringt ... Nirgends war zu lesen, daß man sie vernichten wollte. Und wenn, dann habe ich gedacht wirtschaftlich. Es lief doch alles darauf hinaus, daß die Juden angeblich überall Einfluß hatten mit ihrem Kapital. Ja, das habe ich geglaubt, daß sie eine sehr überragende Rolle im Wirtschaftsleben spielten. Da wurden uns auch Beispiele gesagt: Bankiers waren grundsätzlich jüdisch und die Filmgewaltigen in Hollywood auch. Die sind eben tüchtiger, du lieber Gott, aber das haben wir damals nicht so gesehen. Ich habe keinem Juden was zuleide getan, nicht einmal verbal, aber das sagen ja alle von sich. Ich frage mich heute manchmal: Warum haben wir eigentlich so wenig gemerkt? Aber meinen Sie, das hat einer von den kleinen Leuten ernst genommen, wenn sie da blutrünstige Lieder sangen gegen die Juden? Dann mußten sie auch einen zweiten Vornamen annehmen, einen jüdisch klingenden. Ja, Gott, das waren Dinge ... Ob ich das damals so richtig empfunden habe, kann ich heute nicht mehr sagen. Es hat mich ein bißchen befremdet.

1933, als wir den Kurs der Deutschen Bank besuchten, wurde schon manchmal beiläufig gesagt »Es geht vorwärts!« und »Sieg!« Aber nur ganz allgemein, keiner hat Propaganda für irgendeine Partei gemacht. Da war ja auch Bob dabei, Lillys Bruder, der war Kommunist oder Sozialdemokrat. Ich hatte immer den Eindruck, daß Lillys Elternhaus konservativ eingestellt war, das, was man früher deutsch-national nannte. Die Konservativen waren doch heilfroh über die Nazibewegung. Die nationalsozialistischen und die kommunistischen Arbeiter haben sich gegenseitig den Kopf eingeschlagen, darauf haben die gesetzt. Es waren ja in der Regel Arbeiter, die sich die Köpfe einschlugen. Aber ich hatte ganz andere Ideen, wenn ich mit Lilly zusammen war, als mich mit ihr über politische Dinge zu unterhalten.

Elisabeth Wust merkt gleich, daß Inge ein intelligentes Mädel ist, ganz anders als das letzte, das ihr weggeheiratet wurde, ehe das Jahr um war. Inge Wolf hingegen findet die rothaarige

Gnädige mit ihrem durchsichtigen sommersprossigen Teint und den scharfkantigen hohen Backenknochen zwar nicht unhübsch, aber reichlich dämlich. In die Verlegenheit, einem Gespräch über Politik ausweichen zu müssen, kommt sie selten. Die Wust hat meistens anderes im Sinn. Nur manchmal plappert sie geistlos nach, was sie eben im *Völkischen Beobachter* gelesen hat. Und wenn vor dem Haus die Pimpfe in ihren schneidigen Uniformen mit Tschinderassabum vorbeimarschieren, öffnet sie das Fenster, hebt den Eberhard hoch und zeigt nach unten: »Schau, Eberhard, Hitlerjugend. Wenn du zehn bist, darfst du auch mitmarschieren.«

Einmal wöchentlich bekommt Günther Wust von seiner Bernauer Wachkompanie frei, um die Familie zu besuchen. Mit seinem kleinen Schnurrbärtchen sieht der schmal gebaute Sechsunddreißigjährige nicht übel aus und wenn er an seiner Pfeife saugt, verströmt er jene verträumte Gelassenheit, die Pfeifenrauchern eigen ist.

Richtig politisch wird es im Hause erst, wenn die Eltern der Wust, die Kapplers, zu Besuch kommen. Kaum ist die Wohnungstür hinter Vater Kappler ins Schloß gefallen, zieht es ihn schon zum Adolf hin, der alsbald mit dem Gesicht nach unten auf der Kommode zu liegen kommt. Dann faltet seine Frau die Hände über ihre korpulente Leibesmitte und lächelt zufrieden. Diese Eintracht ist ein seltenes Vorkommnis, denn üblicherweise herrscht Krieg zwischen Günther und Margarethe Kappler. Freunde der Familie berichten, daß im Januar regelmäßig eine neue Vase aus böhmischem Kristall angeschafft werden muß, die beim Streit während der Weihnachtsfeiertage zu Bruch gegangen ist. Mutter Kappler schmeißt bisweilen auch mit Glühbirnen und Meißener Porzellan um sich, ganz zu schweigen von ihrer leichtsinnigen Art, sich wegen eines hübschen Kleids mit einem Krägelchen aus Brüsseler Spitze bedenkenlos zu verschulden, eine Verantwortungslosigkeit, die ihren zum Geiz neigenden Ehemann zur Weißglut bringt. Besonders ärgerlich findet es die Wust, daß der Vater, zu Hause ein pedantischer Tyrann und Angeber, mit der Angewohnheit, an verschiedenen Stellen der Wohnung kleine Zettelchen mit der Aufforderung »Tu's gleich« an die Wand zu heften, bei Außenstehenden als amüsanter Alleinunterhalter gern gesehener Gast ist. Die Besuche der Eltern in der Friedrichshaller Straße enden denn auch nicht selten im Streit und lassen die Wust in Tränen aufgelöst zurück. Der Vater liebt es, seine Tochter durch Aufsagen schlüpfriger Gedichtchen in Verlegenheit zu bringen. Ein Luftikus ist er, sagt die Wust mit zusammengekniffenen Lippen und blickt errötend zu Boden.

Inge Wolf kann den schlanken Mann mit dem kleinen Oberlippenbärtchen gut leiden, schon allein wegen seiner politischen Haltung. Wie ihr Vater ist er bei der KPD gewesen, hat aber 1933 seiner ängstlichen Frau zuliebe das Mitgliedsbuch verbrannt. Zu Hitlerbildern hat er eine besondere Beziehung. Auch bei sich zu Hause hält er sich eins: Es liegt unter dem Läufer gleich bei der Eingangstür, und dem Kappler bereitet es ein diabolisches Vergnügen, zu beobachten, wie jeder, der in seine Wohnung in Berlin-Südende kommt, erst einmal auf den Hitler treten muß. Besonders freut er sich, wenn derjenige sein smarter Schwiegersohn Günther ist, dessen Versuch, der NSDAP beizutreten, an der vorübergehenden Aufnahmesperre des 1. Mai 1933 gescheitert ist. Daß Günther Wust es aus gekränktem Stolz dann später bleiben ließ, konnte am vernichtenden Urteil seines Schwiegervaters nichts mehr ändern.

Bernd Wust

Ich glaube nicht, daß wir daheim ein Hitlerbild gehabt haben, es kann aber auch sein, im nachhinein traue ich es meinem Vater ohne weiteres zu. Was es gegeben hat, waren diese Soldaten aus Pappmaché oder aus Ton – und da hat es eben auch den Führer gegeben, in Feldherrnpose. Ich hatte einen Haufen Soldatenspielzeug, ne ganze Kiste voll hatte ich, schießende Soldaten, Soldaten hinter Kanonen, marschierende Soldaten und so kleine Pferde, ähnlich wie Zinnsoldaten, nur ein bißchen größer und bemalt. Wir haben die als Kinder auch getauscht – wieviele Schützen hast du? Und dann hatte da einer schwarze SS, naja, die waren natürlich mehr wert. Diesen Führer hat's also gegeben. Und immer wenn mein Großvater da war, hat man ihn dann irgendwo umgedreht aufgehängt gefunden. Der stand breitbeinig da, zwischen den Beinen war also eine Lücke, wo man ihn irgendwie an einen Haken oder Schlüssel hängen konnte. Das war Aufhängen, ganz klar. Vati hat ja auch einen Haufen anderes Zeugs gehabt, zum Beispiel eine ganze Menge Hefte von der NSDAP, so Hefte für Funktionäre, das hat er regelmäßig bezogen, konnte man ja wohl auch kaufen. Und die hatte Mutti nicht weggeschmissen. Und als dann die Russen kamen – das war ja eindeutig, was das war, mit dem Adler drauf und so – haben wir das unter die Betten geschoben. Und als wir im Keller saßen und die Russen das Haus durchsuchten, haben wir ganz schön gezittert, daß die das finden.

In der Folge einer Unterschlagungsaffäre bei der Berliner Gestapo kommt der einstige Leiter der Wiener »Zentralstelle für jüdische Auswanderung« und persönlicher Sekretär Adolf Eichmanns, SS-Hauptsturmführer Alois Brunner, Mitte November 1942 nach Berlin. Der als »Schlächter von Wien« bekannte Österreicher hat Wien seit Mitte Oktober praktisch »judenrein« gemacht. Der kleine O-beinige Brunner sieht seinen Auftrag darin, »diesen verdammten preußischen Schweinen zu zeigen, wie man mit schweinehündischen Juden umspringt«. Brunner führt den in Wien erprobten Möbelwagen ein, mit dem Juden ohne großes Aufsehen von der Wohnung oder vom Arbeitsplatz abgeholt werden können. Sicherheitspolizisten und jüdische Helfer durchkämmen systematisch ganze Stadtviertel. Wie Hundefänger fahren sie mit den geschlossenen Wagen durch die Straßen und stoßen Menschen, die den gelben Stern tragen, hinein. Seit Brunners Ankunft ist Berlin voll von Gerüchten. Gerd Ehrlich, der Sohn eines wohlhabenden, 1940 an einem Herzanfall gestorbenen Berliner Rechtsanwalts, dessen Bekanntschaft Inge Wolf und Elisabeth Wust bald machen werden, wird nach Kriegsende im Schweizer Exil aufschreiben, wie er und seine Familie die »Brunner-Aktionen« erlebt haben.[4]

Gerd Ehrlich

Er brachte eine Tasche voll teuflischer Ideen mit. »Lassen wir doch die Juden sich selbst ausrotten.« Die Gemeinde sollte nunmehr selbst die Sammlung der Opfer für den Transport vornehmen. Nur in den ganz seltenen Fällen, wo die jüdischen »Ordner« auf Widerstand ihrer Glaubensgenossen stießen, sollten die Beamten der Stapo noch einschreiten. Diese gemeine Idee wurde dem Gemeindevorstand in einer außerordentlichen Sitzung am 19. November vorgelegt. Zur Ehre unserer Repräsentanten muß gesagt werden, daß sich ein guter Teil der anwesenden Vorstandsmitglieder weigerte, Henkerdienste zu leisten. Leider fingen die alten Herren ihren Widerstand gegen den Befehl der Burgstraße[5] falsch an. Sie konnten nur passiv resistieren und wagten nicht, zum Aufstand aufzufordern. Der Erfolg war, daß die anständigen Menschen sofort verhaftet und zum nächsten Transport eingeteilt wurden. Die Leitung unserer Gemeinde kam dadurch ganz in die Hände der willfährigen Werkzeuge der Nazis.

Unter den am 19. November '42 verhafteten Repräsentanten befand sich auch mein braver Stiefvater. Er kam von der Gemeindesitzung gar nicht mehr nach Hause, und ich habe ihn nie wiedergesehen. Ich hatte an diesem schwarzen Tage gerade in der Nachtschicht gearbeitet. Nach dem Mittagessen hatte ich mich nochmals in mein Bett gelegt, um zu schlafen. Gegen vier Uhr kam meine Mutter schreckensbleich in mein Zimmer mit der Hiobsbotschaft: »Benno ist verhaftet. Die ganze Familie muß sich heute abend im Sammellager einfinden.« Voll Entsetzen sprang ich aus meinem Bett und zog mich an. Der furchtbare Moment war gekommen. Gemäß der Vereinbarung mit meinen Eltern mußte ich mich von ihnen trennen, um solange wie irgend möglich in Berlin bleiben zu können. Ich half meiner armen Mutter und mei-

4 Gerd W. Ehrlich: Mein Leben in Nazideutschland, unveröffentlichtes Manuskript, aufgezeichnet im Winter 1945 in Genf.
5 Burgstraße 26, Dienststelle des Reichssicherheitshauptamts.

ner kleinen Schwester noch die letzten Sachen in die Rucksäcke verstauen. Diesen furchtbaren Nachmittag werde ich nie vergessen. Gott sei Dank waren wir viel zu sehr mit den Vorbereitungen für die »Reise« beschäftigt, um uns über die ganze Tragik des Augenblicks klar zu werden. Hilfreiche Nachbarhände halfen beim Verpacken des armseligen erlaubten Gepäcks. Gegen acht Uhr abends war alles verstaut, und der schwere Weg zum Bahnhof wurde angetreten. Ich begleitete Mutter und Schwester bis zum Sammellager, das sich in der Großen Hamburger Straße in einem ehemaligen jüdischen Altersheim befand. An der Tür des polizeilich bewachten Gebäudes mußte ich die liebsten Menschen, die ich habe, für immer verlassen. Ein letzter Kuß für meine kleine Schwester Marion, ein letzter Segen meiner guten Mutter für meine Zukunft, und das Tor des Gefängnisses schloß sich hinter den beiden. Eine Welt war untergegangen. – Mit dem Schließen des Tores war meine trotz allem Schweren noch verhältnismäßig wohlbehütete Jugend beendet. Von nun an hieß es auf eigenen Füßen stehen. [...]

Wenige Tage nach dem Transport meiner Angehörigen kamen die Stapobeamten, um die Zimmer zu versiegeln. Ich hatte gerade wieder Nachtschicht gearbeitet und machte ihnen persönlich die Wohnungstür auf. Sie sahen etwas verdutzt in die kahlen Zimmer. (Ich hatte alle transportablen Dinge an wohlgesinnte Nachbarn verkauft.) Boshaft fragten sie mich, wer denn die Sachen ausgeräumt habe. Ich spielte den Unwissenden und erklärte, ich sei lediglich Untermieter, arbeite meine 12 Stunden in der Fabrik und sei viel zu müde, mich um anderer Leute Dinge zu kümmern. Ich konnte den Kerlen ganz beruhigt erklären, mit »Familie Walter« nichts zu tun zu haben, da ich ja den Namen meines ersten Vaters trage. Die Zimmer wurden also brav versiegelt, und ich legte mich trotz der Drohung, daß die leeren Zimmer noch unangenehme Folgen für mich haben würden, wieder in mein Bett. Doch die »liebenswürdigen« Worte der beiden Beamten bestärkten mich noch mehr in dem schon gefaßten Entschluß, mich bald in die Illegalität zurückzuziehen.

Um nicht vorzeitig Verdacht zu erregen, ging ich vorerst weiter zur Arbeit in die Fabrik. Ich konnte mich mit meinem

Ablöser einigen, so daß ich immer in der Nacht- und er in der Tagschicht arbeitete. Geschlafen habe ich kaum während der ersten Dezemberwochen. Die letzten Vorbereitungen für die ungewisse Zukunft mußten getroffen werden. Koffer mit den letzten Sachen wurden heimlich aus der Wohnung geschafft, Wertgegenstände noch schnell verkauft, belastendes Material verbrannt. Mitte Dezember war ich endgültig bereit. Gerade im richtigen Moment.

Am 24. November 1942 hält der New Yorker Rabbiner Stephen Wise in Washington eine Pressekonferenz. Er teilt den Reportern mit, daß nach vom State Department bestätigten Quellen zwei Millionen Juden in einer »Vernichtungskampagne« ermordet wurden, mit dem Ziel, alle Juden Europas auszulöschen. Diese Information wird am selben Tag in Jerusalem bestätigt. Ein ausführlicher Bericht über den Bau von Gaskammern in Osteuropa und über Transporte, die jüdische Erwachsene und Kinder »zu riesigen Krematorien in Oświęcim, in der Nähe von Krakau« bringen, geht um die Welt. Obwohl der Massenmord an Juden in Auschwitz schon seit Mitte 1942 betrieben wird, ist dies der erste Hinweis, der die Außenwelt erreicht. Auch in Deutschland können BBC-Berichte über Vergasungen und Erschießungen von Juden empfangen werden.

Ende November wird der von Präsident Roosevelt eingebrachte *President's Third War Powers Bill* im amerikanischen Kongreß niedergestimmt. Der Entwurf fordert die kriegsbedingte Aufhebung von Gesetzen, die »die freie Bewegung von Personen, Eigentum und Informationen in die und aus den Vereinigten Staaten« behindern. »So wie ich diesen Gesetzesentwurf verstanden habe«, faßt ein republikanischer Abgeordneter die Mehrheitsstimmung zusammen, »wollen Sie die Einwanderungstür weit aufstoßen.« Die konservative Presse, allen voran der *Chicago Tribune,* zeigt sich »geschockt« darüber, daß Politiker versuchen, »diese Nation mit Flüchtlingseinwanderern aus Europa und anderen Nationen zu überfluten«. »Die häßliche

Wahrheit ist«, schreibt *Newsweek* am 30. November 1942, »daß der entscheidende Faktor bei der erbitterten Opposition gegen die Forderung des Präsidenten, ihm während seiner Amtszeit die Befugnis zur Aufhebung der Einwanderungsgesetze einzuräumen, Antisemitismus ist.«

2

Am 27. November sind Elisabeth Wust und Inge Wolf um drei Uhr nachmittags im Café Berlin neben dem Ufa-Palast am Bahnhof Zoo mit einer von Inges Freundinnen verabredet. Seit einiger Zeit schon erzählt Inge in einem fort von ihren Freundinnen. Elisabeth Wusts Verdacht, daß diese Mädchen anders sind, erhärtete sich, als Inge eines Tags beim Bettenmachen anfing, ihr den Arm zu streicheln und sie fragte, was sie dabei empfände. Auch mit Frauen könne es sehr schön sein, flötete sie und schaute der Gnädigen mit ihren leuchtenden schwarzen Augen schamlos ins Gesicht. Oh ja, das könne sie sich schon vorstellen, antwortete Elisabeth Wust verlegen und senkte den Blick. Ohne weiter darüber nachzudenken, nahm sie von da an zur Kenntnis, daß Inge andersrum sei. Eine von Inge hochgeschätzte Eigenschaft der Wust ist ihre Diskretion. Sie stellt einfach keine Fragen, was andererseits wieder den Nachteil hat, daß ihr Mitteilenswertes aufgedrängt werden muß.

Die sehr gepflegte brünette junge Frau im rostroten Kostüm aus feinem englischen Tuch, der Elisabeth Wust im Café Berlin vorgestellt wird, nennt sich Felice Schrader. Elisabeth Wust ist überrascht, hat sie doch eine Elenai erwartet, von der Inge öfter mal gesprochen hat. Mit ihren langen Beinen in glänzenden Seidenstrümpfen ist Felice Schrader um einiges größer als Inge. Sie scheint es darauf abgesehen zu haben, Elisabeth Wust zu imponieren. Was sie sagt, ist unerheblich, aber *wie* sie es sagt, ist bezaubernd. Immer wieder strahlt sie Elisabeth Wust mit einem breiten Lächeln an und zeigt dabei ihre makellosen Zähne.

Inge murmelt irgendwas von einem möblierten Zimmer, in dem ihre Freundin wohnt. Elisabeth Wust schweigt, wie es

ihre Art ist. Sie schaut nur fasziniert auf Felice Schraders fein-
gliedrige Hände mit den dezent lackierten Fingernägeln und
atmet den Duft ihres Parfums. Es entgeht ihr nicht, daß Inge
und Felice einander gar nicht so verstohlene schelmische Blik-
ke zuwerfen. Elisabeth Wust fühlt sich in einen magischen
Kreis hineingezogen und spürt, wie sich alle ihre Sinne wie aus
einem Tiefschlaf erwacht zu ungewöhnlicher Schärfe aufrich-
ten. Neben Felice Schrader kommt sie sich in ihrem für die Jah-
reszeit zu dünnen dunkelblauen Kunstseidenkleid, bestickt
mit weißen und hellblauen Röschen, peinlich hausbacken vor.

An der Tramhaltestelle vor dem Ufa-Palast, zu der sie die beiden Freundinnen nach einer allzu schnell vergangenen Stunde
begleitet, fröstelt sie. Da öffnet Felice Schrader ihre Mappe – es
ist Elisabeth Wust gar nicht aufgefallen, daß sie eine dabei hatte
– und schenkt ihr mit einem kleinen verlegenen Lächeln einen
Apfel, den Elisabeth Wust zitternd umklammert.

»Auf Wiedersehn«, sagt Felice Schrader, und Elisabeth
Wust ist, als hätte sie ihr zugeblinzelt.

Einige Tage darauf merkt Elisabeth Wust, daß Inge gegen Ende ihrer Arbeitszeit unruhig wird und immer wieder zum
Wohnzimmerfenster läuft. Unten auf dem Kopfsteinpflaster
der Friedrichshaller Straße steht Felice Schrader und traut
sich nicht hinauf.

»Kommen Sie herauf, Sie können doch nicht unten in der
Kälte stehenbleiben!« ruft die Wust hinunter in ihrem un-
nachahmlichen Ton, der keine Widerrede duldet.

»Inge, holen Sie Felice sofort herauf. Das kommt doch
überhaupt nicht in Frage, daß sie unten auf der Straße auf Sie
wartet.«

Immer häufiger steigt Felice nun um fünf Uhr nachmittags
zur gnädigen Frau in die vierte Etage und wird nicht selten gemeinsam mit Inge zum Abendbrot eingeladen.

»Sagen Sie doch Lilly zu mir, da komm ich mir weniger alt
vor«, kokettiert die Wust mit dem achtjährigen Altersunter-
schied.

Manchmal wird die Abendbrotrunde durch diesen oder jenen Herrn komplettiert. Obwohl die Berliner Hausfrauen zunehmend über Lebensmittelknappheit klagen und die Schlangen gereizter Menschen vor den Geschäften immer länger werden, ist Lilly dank der vier Kinderzuteilungen stets reichlich mit Essen versorgt. Zu Weihnachten gibt es überdies eine Sonderzuteilung: 50 Gramm Bohnenkaffee und 0,7 Liter Spirituosen für Erwachsene, ebenso wie Fleisch, Butter, Weizenmehl, Zucker, Hülsenfrüchte, Käse und Süßwaren.

Immer noch in der Rolle der Gnädigen beobachtet Lilly mit Vergnügen, wie sich ihre Wohnung allmählich füllt. An ein gastliches Haus ist sie gewöhnt. Bei den Gesellschaften ihrer Eltern ging es immer hoch her. Dann bestellte die Mutter die Zugehfrau, die bei Tisch servierte und den Abwasch besorgte, der Vater holte den Koblenzer Weißwein aus dem Keller, öffnete die Flügeltür zwischen Wohnzimmer und Herrenzimmer und stimmte das Klavier, um seine Gäste zu vorgerückter Stunde mit Improvisationen zu ergötzen. Zum Vergnügen der eingeladenen jungen Herren legte Lilly manchmal zu des Vaters Begleitung einen improvisierten Tanz aufs Parkett. Auch sonst wurde im Hause Kappler viel musiziert. Wenn der Vater im Sommer bei offenem Fenster auf dem Klavier Schubertlieder spielte, Lillys Bruder Bob dazu auf der Geige kratzte und die Mutter mit Lilly im Duett sang, klatschten die Leute draußen auf der Straße Applaus.

Richtig bunte Vögel sind diese scheinbar unbeschwerten jungen Frauen, die sich bald mehrmals wöchentlich bei Lilly einfinden. Die Schönste ist Elenai Pollak. Mit ihren tiefblauen Augen und dem dichten, langen, schwarzen Kraushaar sieht sie verstörend exotisch aus. Wenn Lilly aufgekratzt vor sich hinplappert, entzückt von der interessanten Wendung, die ihr Leben genommen hat, verfällt Elenai in brütendes Schweigen. Nur wenn sie im Gespräch jemand von ihrer Meinung überzeugen will, wird sie plötzlich überraschend laut und heftig, ihre Wangen röten sich, und die Augen blitzen angriffslustig.

Wer mit wem ein Verhältnis hat, vermag Lilly nur unklar zu erkennen. Inge und Felice bestimmt, Inge und Elenai ebenso. Die farblose blonde Nora scheint in Elenai verschossen zu sein. Diese wiederum spricht auch Männern zu. In den Gesprächen taucht bisweilen eine Christine auf. Und wenn Inge tagsüber nicht rechtzeitig zum Telefon stürzt, um Felices Anruf abzufangen, kommt Lilly in den Genuß einer Dame, die am anderen Ende der Leitung Süßholz raspelt was das Zeug hält. Lilly lächelt dann derartig versonnen, daß Inge ein gewisses Unbehagen nicht unterdrücken kann. Von der Wust soll Felice lieber die Finger lassen. Neulich kam sie mit einem Riesenstrauß roter Rosen angetanzt.

Sylvester 1942 wird ein ausgelassenes Fest. Felice hat einen Kofferplattenspieler, Lilly einen altmodischen Apparat mit Kurbelantrieb. Nach und nach hat Felice alle ihre Grammophonplatten angeschleppt und so Lillys Schlagersammlung von Zarah Leander über Marika Rökk und Hans Albers zurück zu Zarah Leander verbotenes französisches Liedgut hinzugefügt, *La mer* und *Germaine* zum Beispiel. »Kann denn Liebe Sünde sein?« und »Auf dem Dach der Welt, da ist ein Storchennest« gröhlen die Mädchen im Chor, und Lilly serviert beglückt belegte Brötchen mit Ei und Schnittlauch.

Ebenso beglückt ist der Wehrmachtsangehörige Günther Wust. Bei seinen Familienbesuchen fühlt er sich geschmeichelt durch die Anwesenheit der charmanten Damen in seinem Haus und freut sich, seine Lilly aufgeräumt wie schon lange nicht zu sehen. Seit der unglücklichen Geschichte mit der Käthe Herrmann hat es häufig Streit gegeben, und seit er mit der Liesl geht, ist die Entfremdung perfekt. Wenn es diese Freundinnen schon früher gegeben hätte, wäre vielleicht auch die dumme Sache mit dem Erwin nicht passiert.

Am 30. Januar 1943, dem 10. Jahrestag der Machtergreifung, muß die Berliner Bevölkerung über zwei Stunden auf den Beginn von Hermann Görings Rede warten, weil englische Auf-

klärer zum ersten Mal am hellichten Tag über der Stadt krei-
sen. Vier Tage nachdem Göring seiner unerschütterlichen Sie-
gesgewißheit Ausdruck verliehen hat, kapitulieren die Reste
der in Stalingrad eingeschlossenen deutschen Truppen. Unter
Trauermusik wird die Niederlage im Radio bekanntgegeben.
Am 18. Februar spornt Reichspropagandaminister Goebbels das deutsche Volk zu noch größeren Anstrengungen an.
In einer »Kundgebung des fanatischen Willens« im Berliner
Sportpalast kündigt er zur »Rettung Deutschlands und der
Zivilisation« den »totalen Krieg« an. Um der Opfer des Ruß-
landfeldzugs zu gedenken, wird eine dreiminütige Verkehrs-
stille angeordnet. Am Zoo stehen die Menschen wie versteinert da, ohne einander anzusehen. Obwohl den meisten klar
ist, daß der Krieg nunmehr endgültig verloren ist, wagt keiner,
es auszusprechen.

Die Propaganda stürzt sich verstärkt auf den »inneren
Feind«. Gauleiter Goebbels gelobt, Hitler zu seinem 54. Geburtstag am 20. April Berlin »judenfrei« zu übergeben. Die
Gestapo stürmt Häuser, knackt Türschlösser, durchsägt Stahl-
riegel, zertrümmert Türen mit Äxten, steigt durch die Fenster der Nebenwohnungen ein. Viele Juden tauchen unter.
Furchtbare Gerüchte über das Schicksal der »Evakuierten«
machen die Runde.

Am 20. Februar gibt das Reichssicherheitshauptamt Richt-
linien für die »technische Durchführung« der Deportationen
nach Auschwitz aus. Mitzunehmen sind: Marschverpflegung
für etwa 5 Tage, 1 Koffer oder Rucksack, 1 Paar derbe Arbeits-
stiefel, 2 Paar Socken, 2 Hemden, 2 Unterhosen, 1 Arbeitsan-
zug, 2 Wolldecken, 2 Garnituren Bettzeug, 1 Eßnapf, 1 Trinkbecher, 1 Löffel, 1 Pullover.

Ende Februar erweitert sich Lillys Freundeskreis um zwei
Personen: Die dunkelhaarige und leicht gehbehinderte Ilse
Ploog mit den traurigen schwarzen Augen im breitflächi-
gen Gesicht hat Felice das Fotografieren beigebracht. Felice
besitzt eine Leica und möchte Journalistin werden. In ihrem

Auftrag muß die immerfort um ihren Mann im Feld bangende Ilse Ploog Porträtfotos von Lilly und den Kindern machen. Die andere Bekanntschaft ist der 46jährige Schriftsteller Georg Zivier, genannt Gregor. Er ist zwar verheiratet, reißt sich aber vorerst nicht drum, der Hausfrau mit dem Kupferhaar und ihrer weiblichen Entourage seine Frau Dörthe vorzustellen.

Felices Werben um Lilly wird immer offensichtlicher. Täglich ruft sie an und bringt bei jedem Besuch Blumen mit. Ihre Komplimente werden von Mal zu Mal kesser. Lilly gefällt es, obwohl es ihr, mit Vernunft betrachtet, eigentlich nicht gefallen dürfte. Hat sie Felice, weil es ihr unerklärlicherweise gefallen hat, unbewußt zu dem ermuntert, was sich in der zweiten Februarhälfte zuträgt?

Günther Wust ist zu Besuch. Felice und Inge waren zum Abendbrot eingeladen. Während Lilly in der Küche das Geschirr spült, unterhält sich Inge im Wohnzimmer mit Günther, und Felice folgt Lilly in die Küche, um ihr beim Abtrocknen zu helfen. Als Lilly, die etwas vergessen hat, ins Wohnzimmer zurückkehrt, bleibt sie wie angewurzelt stehen: Inge läßt sich von ihrem Mann küssen! »Oh, Verzeihung«, stammelt sie und kehrt, ihre Überraschung über die plötzliche Hinwendung der notorisch männerfeindlichen Inge zum anderen Geschlecht mit Gleichgültigkeit überspielend, zur Spüle zurück. Als sie eben eine Kaffeetasse auf das zur Aufnahme der nassen Töpfe und Teller ausgebreitete Geschirrtuch abstellt, reißt Felice Lilly mit einem Ruck an sich und versucht sie zu küssen. Lilly wird dunkelrot und stößt sie weg, mit einer Heftigkeit, die sie selbst erschreckt, ja sie schlägt sogar mit Fäusten auf Felice ein.

»Sind Sie jetzt böse?« fragt diese, ebenso erschrocken, mit belegter Stimme.

»Nein, warum denn? Wir können doch Freunde bleiben.«

Unter betretenem Schweigen beenden sie den Abwasch.

In den folgenden Tagen tun sie, als wäre nichts geschehen, nur Lilly wendet den Blick ab, wenn Felice sie aus graubraunen Augen fragend und ein wenig belustigt ansieht.

Am frühen Morgen des 27. Februar, dem 10. Jahrestag des Reichstagsbrands, läuft in Berlin die »Judenschlußaktion« an, die später als »Fabrikaktion« bekannt wird. Alois Brunner bereitet sie vor, ehe er seinen Berlin-Auftrag abschließt, um sich in Frankreich und Griechenland neuen Beschleunigungsaufgaben zu widmen. Die Berliner Gestapo, die seine Wiener Methoden voll übernommen hat, will Goebbels' Geburtstagsversprechen an den Führer einhalten. Außerdem schrecken seit Stalingrad selbst nationalsozialistische Volksgenossen nicht mehr vor einer Kritik an den inneren Verhältnissen zurück. Die Zeit eilt.

Schon vor dem Morgengrauen rollen Wagenkolonnen mit Soldaten der Waffen-SS durch die Straßen. Die Einheit der SS-Panzergrenadierdivision »Leibstandarte Adolf Hitler« – Soldaten in Stahlhelm und feldgrauer Uniform mit gezückten Bajonetten und Maschinenpistolen – schwärmen aus, um die Frustration über die Niederlage auf die Juden umzulenken. Alle noch in Berlin verbliebenen zwangsverpflichteten jüdischen Arbeiterinnen und Arbeiter sollen in ihren Fabriken verhaftet werden. Die Männer von SS und Gestapo fallen über die Menschen an ihren Werkbänken her und pferchen sie in wartende Lkw. Mit Gewehrkolben werden sich Sträubende angetrieben, Schwangere und Alte wie Vieh auf die Wagen geworfen. Die etwa siebentausend Jüdinnen und Juden werden in behelfsmäßige Sammellager eingesperrt. Es spielen sich schreckliche Szenen ab. Die sich gewehrt haben, sind blutüberströmt, die Kleider zerrissen. Mütter schreien nach ihren Babys, die sie daheim zurückgelassen haben, Kinder, die von zu Hause geholt wurden, rufen nach den Eltern, Eheleute werden getrennt. Menschen flehen um Verlegung, um etwas zu trinken, um Stroh zum Sitzen. In der dünnen Arbeitskleidung zittern sie vor Kälte. Es gibt keine Toiletten. Menschen stürzen sich aus dem Fenster, werfen sich unter Autos, nehmen Gift.

In der »Umladestelle« in der Levetzowstraße steht in der Mitte des großen Raums ein Gestapo-Mann auf einer umgestürzten Kiste. Die Gefangenen müssen sich vor ihm aufstellen und ihren Namen, den Familienstand und die Judenkategorie nennen, der sie nach den Rassegesetzen zugeordnet wurden. Mit dem Daumen zeigt der Mann im Ledermantel nach links oder nach rechts. Links bedeutet Rosenstraße, rechts Bahnhof und Lager. »Privilegiert Verheiratete«, »Geltungsjuden« und »Mischlinge ersten Grades« werden auf Lastern in die Rosenstraße 2-4 in Berlin-Mitte gebracht. Zweitausend sind es schon, die hier ihr ungewisses Schicksal abwarten.

Vor den Toren des Gebäudes sammeln sich in den folgenden Tagen Hunderte von Frauen, die die Freilassung ihrer »arisch versippten« Männer fordern. »Gebt unsere Männer und Kinder frei!« und »Geht an die Front, wo ihr hingehört!«, rufen sie, erst zaghaft, dann immer bestimmter. Und als Maschinengewehre aufgebaut werden, schreien sie gar »Mörder! Auf Frauen schießen!«. Der Verkehr wird um die Rosenstraße umgeleitet, um zu verhindern, daß die Sache an die Öffentlichkeit dringt, der nahegelegene S-Bahnhof »Börse« wird geschlossen. Doch manche Frauen haben die ganze Nacht über ausgeharrt, die anderen lassen sich durch einen Fußmarsch nicht abschrecken. Als Wachposten und SS drohen, von der Schußwaffe Gebrauch zu machen, weicht die Menge zurück, um sich bald darauf wieder zu sammeln.

Am 1. März wird am Tag mit viel Brimborium der »Tag der Luftwaffe« gefeiert, in der Nacht fordert ein britischer »Terrorangriff« auf Berlin über siebenhundert Tote und fast 65.000 Obdachlose. In allen westlichen und südlichen Stadtteilen brennen die Häuser. Die Luft ist schwefelgelb. Durch die Straßen irren gehetzte Menschen mit Bündeln, Koffern und Hausrat. In Berlin-Mitte fallen die meisten Bomben, doch inmitten von rauchenden Trümmern bleibt das vierstöckige Haus der jüdischen Wohlfahrtsbehörde in der Rosenstraße mit den hilflos ausgelieferten Gefangenen unversehrt.

Eberhard, Reinhard und Albrecht verbringen die Nacht wie immer im Kinderbunker. Straßen, Häuser und Bäume sind von einer grauen Staubschicht überzogen. Einen großen Neubaukomplex ganz in der Nähe von Lillys Haus hat es erwischt. Die Kinder erzählen aufgeregt, daß die Mutter eines Freundes in der Nacht von einer Luftmine erschlagen wurde, als sie den Luftschutzraum verließ, um vor dem Haus eine Zigarette zu rauchen. Das Gerücht geht um, daß der Angriff die Antwort auf die Judenverschleppungen ist. Der *Völkische Beobachter* vom 3. März hetzt gegen den »jüdischen Luftterror«. Tags darauf erfahren die Leserinnen und Leser der Berliner Ausgabe »unsere Antwort«: »Unbeugsamer Wille zum Sieg über den feindlichen Bestialismus.« Jeden Tag steht in der Zeitung, von wann bis wann die Berlinerinnen und Berliner verdunkeln müssen. Am 3. März ist es von 18 Uhr 42 bis 6 Uhr 10.

»Wir schaffen die Juden endgültig aus Berlin heraus«, notiert Goebbels am 2. März zufrieden in sein Tagebuch. Doch am 6. März, nachdem im Rahmen der »Judenschlußaktion« 7031 Menschen nach Auschwitz und Theresienstadt deportiert wurden, gibt er den Befehl, die Männer arischer Frauen und deren Kinder freizulassen. In sein Tagebuch notiert er: »Es haben sich da leider etwas unliebsame Szenen vor einem jüdischen Altersheim abgespielt, wo die Bevölkerung sogar für die Juden etwas Partei ergriff.« Es wäre ein kritischer Zeitpunkt für die »Judenevakuierungen« gewesen, »wir wollen uns das lieber noch einige Wochen aufsparen; dann können wir es um so gründlicher durchführen«. Der Zwischenfall wird als »Versehen« und »Übergriff« heruntergespielt, der Einsatzleiter wird strafversetzt.

Während sich all dies außerhalb der Wahrnehmung der Mehrheit der Berliner Bevölkerung abspielt, reist Felice zu Freunden ins Altvatergebirge.

Die Anschrift will Felice Lilly nicht geben, doch sie verspricht zu schreiben. Außerdem vereinbaren sie, jeden Abend, wenn beide Rundfunkstationen um neun Uhr das Programm wechseln, ganz fest aneinander zu denken.

Felice hält Wort. Die erste Nachricht ist eine undatierte Postkarte:

Liebe, verehrte gnädige Frau,
zwar bin ich schrecklich schreibfaul, aber so doch nicht, daß
ich nicht meine täglichen Anrufe durch diese Karte hier er-
setzen möchte. Aber es wird beim Möchten bleiben, denn
was man zwar in Nebensätzen und in halber Lautstärke ge-
trost sagen darf, sieht geschrieben längst nicht so gut aus. Ich
hole alles nach –!

Daß es hier wunderschön ist, brauche ich wohl nicht zu be-
tonen, aber werden Sie mir trotzdem glauben, daß ich gar
nicht so gerne wie erwartet aus Berlin weggefahren bin? Sie
glauben es nicht nur – Sie wissen es sogar! Es ist erstaunlich,
was Frauen alles wissen, nicht wahr?

Was gibt es Neues? Fliegeralarm? Ärger mit Inge? Viel Liebe ganz im Allgemeinen? Weil ich das alles wissen möchte,
werde ich Ihnen morgen eventuell meine Adresse schreiben,
wir wollen nämlich weiter rauf ins Gebirge, und werden Sie
dann antworten??

Ich hoffe das, und ich hoffe noch manches andere und bis
dahin grüße ich Sie herzlichst in Freundschaft,

Ihre Felice.

Der Karte folgt ein Brief, geschrieben mit schwarzer Tinte:

Am Ende der Welt, 12. oder 13. 3. 43, Wochentag nicht festzustellen.
Liebe Eva (immer)-Dolorosa (manchmal),

[»Dolorosa« ist Lilly manchmal, wenn sie mit einem ihrer
Liebhaber Ärger gehabt hat. Dann kann es vorkommen, daß
die hereinstürmende Damenrunde die gnädige Frau in Tränen aufgelöst vorfindet.]

soeben habe ich einen Hermes gefunden, der sich verpflich-
tet hat, meine Post zu überbringen, da er morgen wieder in
Berlin die gleiche Luft atmen wird wie Sie – der Glückliche!
(Ich lege nämlich einen gewissen Wert darauf, daß meine
Post Sie am vielleicht etwas weniger als sonst bevölkerten
Sonntagmorgen erreicht.)

Nach dieser Vorrede bin ich in der glücklichen Lage, Ihnen

erzählen zu können, daß ich heute gegen Morgen wunderhübsch von Ihnen geträumt habe. Ich wußte ja gar nicht – aber lassen wir das. Und werde ich jemals – aber lassen wir das auch. Nur eins: Wie ist das mit dem versonnenen Blick beim Programmwechsel um 21 Uhr? Don't forget!

Meine grüne Tinte ist leider ausgegangen, und weil mein Füller sich nicht umstellen läßt, schreibe ich mit einem Geliehenen. Aber – wenn nicht alle Anzeichen trügen und mich nicht alles täuscht, werde ich wohl mindestens Wien auf dieser kurzen Reise noch besuchen müssen, bzw. dürfen natürlich. Dort kaufe ich Tinte oder einen Strick – beides zum selben Zweck! Ob man daran stirbt? Sicher leichter als am gebrochenen Herzen. Lächeln Sie jetzt? Bitte tun Sie es doch – es macht mir Spaß, es mir vorzustellen.

Sie werden meine göttliche Schrift vielleicht wirklich nicht lesen können. Wenn ich das genau wüßte, würde ich mutig sein wie in kaputten Telefonzellen – ! Aber Sie werden sich ja so bemühen, jedes Wort herauszubekommen, wenn Sie das wissen, daß ich Sie beruhigen muß. Auf den Zeilen steht nichts anderes als ein herzlicher Gruß von

Ihrer Felice.

Das dritte Mal schreibt Felice auf einer Ansichtskarte von Bad Karlsbrunn »am Fuße des Altvater«:

Wieder in Karlsbrunn, 17. 3. 43
Liebe Eva,
Sie werden hoffentlich nicht mehr dolorosa sein, wenn Sie hören, daß ich am Montag früh wieder zu allem – bezw. zum Telefonieren natürlich – bereit sein werde! Wann haben Sie Zeit?? Ich brauche jemanden, der über mein nun stark ergrautes Haar streicht – !

Wie Sie sehen, habe ich mich entschlossen – ich wechsle wie immer spontan das Thema –, diese Karte zu »diskretieren«, in ein Kuvert zu stecken; denn man schickt aus diesem gottverd. Nest die Post am besten durch Boten. Ich habe mir bereits einen geangelt.

Also ich hoffe, Sie halten innerhalb der nächsten sieben Tage einen langen Abend für mich frei – ! Übrigens komme ich als sittlich und gesellschaftlich total gewandelter Mensch zurück.

Hier ist die Karte zu Ende. Felice findet nur noch Platz für ein »Wie wäre denn Montag? Ich rufe an!« und fügt in winzigen Buchstaben in den weißen Rand der Kartenvorderseite hinzu: »Ich habe nämlich kein Briefpapier mehr, schon deswegen wäre es Zeit – u. nicht nur deswegen!«

Am 18. März, einem Freitag, bringen Inge und Vater Kappler die vor Schmerz weinende Lilly mit einer lang verschleppten und nun akut ausgebrochenen Kiefernvereiterung in das St.-Norbert-Krankenhaus in der Nähe vom Rathaus Schöneberg. Schon tags darauf wird sie operiert. Am Montag kehrt Felice wie versprochen nach Berlin zurück, ruft in der Friedrichshaller Straße an, wo sich Inge meldet, die während Lillys Abwesenheit die Kinder hütet, und macht sich unverzüglich auf den Weg ins Krankenhaus.

»Ach, Felice, ich bin ja so krank«, haucht Lilly, als diese mit einem Strauß roter Rosen atemlos das Krankenzimmer betritt. Felice sagt kein Wort und schließt sie nur in die Arme. Diesmal sträubt sich Lilly nicht, was nicht nur auf ihren körperlich geschwächten Zustand zurückzuführen ist. Felices Beharrlichkeit hat ihre Wirkung nicht verfehlt.

Von da an kommt Felice jeden Tag mit roten Rosen.

»Aha, der Rosenkavalier«, witzelt Dr. Schuchardt, der zackige Chefarzt der Zahnchirurgischen Abteilung und Goldfasan[6] erster Sorte, wenn er Felices schlanke Gestalt den Korridor entlangeilen sieht.

Am Dienstag wagt Lilly eine erste Annäherung ihrerseits. Sie steckt Felice einen kleinen Zettel zu, den sie aus ihrem Taschenkalender reißt, um mit einem Bleistiftstummel ihre Wünsche für den nächsten Tag zu notieren:

Creme
Dein Taschentuch
Briefkarten
Deine Liebe mal für mich allein
Faden und Nadel

6 Populäre Bezeichnung für einen hohen Nazifunktionär.

Am Donnerstag schenkt Felice Lilly ein Gedicht, geschrieben mit Bleistift auf einem aus einem Schulheft gerissenen Doppelblatt:

> Du –
> ich möchte Dir soviel schenken
> und immerzu
> nur das eine denken:
> Du!
> Ich möchte Sterne finden
> für Dich und mich – !
> Soll ich das begründen?
> Ich liebe Dich.

Lilly reißt das Blatt entzwei und antwortet auf der anderen Seite:

> Felice, wenn ich Deinen Namen denke, sehe ich Dich vor mir. Du siehst mich an – Felice, Du darfst mich nicht so ansehen – ich möchte dann schreien – aber bitte keine Angst, ich schreie – höchstens nur ganz leise – und dort, wo ich es kann!!
> Felice, wann werden wir alleine sein, wann ganz alleine? – – ! Du, ich bin jetzt nur auf dem Papier so mutig, wie Du in kaputten Telefonzellen! Und dabei habe ich eine irrsinnige Angst vor Dir. Auf meinen Armen stehen alle Härchen auf vor … ich weiß selbst nicht. Felice, bitte sei lieb mit mir. Du!

Lilly verbringt die Zeit im Krankenhaus mit fiebrigen Träumen und versucht, den Strudel der auf sie einstürzenden Gefühle in Worte zu fassen:

> St.-Norbert-Krankenhaus, 27. 3. 43
> Du!
> Felice, hilf! Sag Du mir, was ich denke, Du mußt es wissen! Du weißt es! Sage es bitte! Ich träume Tag und Nacht von Sommer, Sonne, Blumen, blauem Himmel, duftenden Nächten, ich träume ganz einfach von einem – wirklich unsagbaren – Glück. Aber ich will ja nicht nur träumen, ich will ja

leben – Felice – leben – leben mit Dir. Sag mir, daß Du leben willst mit mir, sag mir bitte das. Mein Herz schlägt Dir zu, weißt Du es nun?

Jetzt bin ich noch krank – aber dann – endlich – werden wir uns gegenseitig in die Arme stürzen können, und auf der Welt gibt es nur Dich und mich.

Der 29. März ist Lillys neunter Hochzeitstag. Nachmittags erscheint Günther mit Blumen.

»Muß man sich Sorgen machen um die Kinder?« fragt er in seiner gewohnt steifen Art.

»Aber nein doch, Inge ist da, und jeden zweiten Tag kommt Mutti. Ich hab's ja bald überstanden. Am 2. April bin ich erlöst.«

Die Minuten schleppen sich hin. Lilly ist erschrocken über die Distanz, die sich zwischen ihr und Günther aufgetan hat. Zwar ist alles Sexuelle zwischen ihnen schon lange abgestorben, doch die gemeinsame Verantwortung für die Kinder ließ sie nie an ihrer Verbindung zweifeln.

Allmächtiger Gott, laß ihn gehen, ist alles, was Lilly in diesem Augenblick zu ihrem Mann einfällt. Er soll sie bloß mit ihren Träumen allein lassen.

Felice hat sich wohlweislich erst für den Abend angesagt.

»Felice, endlich! Ich hatte solche Sehnsucht nach dir.«

»Aimée, mein Süßes, hast du deinen Hochzeitstag gut überstanden? Wie geht es dem Herrn Gemahl? Ich hoffe, du hast mir keine Schande gemacht.«

»Ach, Felice, ich hätte schreien können!«

Als Felice sich über die Kranke beugt und ihr Haar deren Wange streift, werden Lillys Knie zu Wasser, und heiß schießt es ihr direkt an jene Stelle, wo sich die Herrenbesuche vergeblich abgemüht haben. Lilly ist einer Ohnmacht nahe.

»Felice«, flüstert sie kaum hörbar.

Jetzt ist Felice so nah an ihrem Gesicht, daß Lillys Augen zu schwimmen beginnen. Sie spürt dieselbe brennende Röte den Hals hochkriechen wie damals an der Spüle. »Hier kann mir nichts geschehen«, dröhnt es unter ihrer Schädeldecke. Das Rasen in Kopf und Körper macht ein Getöse wie herabstürzende Steinmassen. Um nicht erschlagen zu werden, schließt Lilly die Augen und überläßt sich Felices weichen Lippen. Plötzlich wird es still, so still, als hätten auch ihre hämmernden Herzen aufgehört zu schlagen. Als Lilly ins Bewußtsein zurückkehrt und erfrischt in Felices seltsam erwachsene Augen schaut, steigen ihr Tränen hoch. Noch nie hat sie eine solche Zärtlichkeit empfunden.

»Es ist geschehen«, gellt es ihr durch den Kopf. Die Unbedingtheit, mit der sich das lautlose Ereignis vollzogen hat, läßt sie ahnen, daß diese Grenzüberschreitung unumkehrbar ist. Später weiß sie, daß sie zu diesem Zeitpunkt längst die andere Seite erreicht hat.

Die junge Frau im Nebenbett ist eingeschlafen. Wer weiß, was Felice noch getan hätte, hätte sie es eher gemerkt! Ab und zu dringt ein leises Seufzen zu ihnen herüber.

Am nächsten Tag schenkt Felice Lilly ihr zweites Gedicht:

Von Deinem Mund ...

Ich hatte es mir wirklich zugeschworen
und war zu sehr viel Haltung stumm bereit –
da hab ich mich an Deinen Mund verloren.
Tut Dir das leid?

Mit Plänen muß ich nun die Zeit verbringen,
mein Herz klopft dabei wie ein Xylophon,
mit Plänen von so manchen schönen Dingen,
die mehr sind als nur eine Illusion –

Wie kommt das bloß, ich habe keine Lust,
je wieder fortzugehn als Vagabund.
Nur etwas hätt ich furchtbar gern gewußt:
Wie träumt es sich an Deiner Brust
von Deinem Mund?

Drei Liebesbriefe schreibt Lilly in den folgenden Tagen auf lachsfarbene Feldpostkarten, die Felice ihr von zu Hause mitgebracht hat:

30. 3. 43

In mir ist Sturm – nein, kein Sturm, viel mehr. Ich werde jetzt schon schlafen, dann rückt vielleicht der Morgen schneller heran, vielleicht kann ich schlafen – vielleicht dann träumen: Du bist bei mir und . . .

Felice, wenn Du wüßtest, wie mir jetzt das Herz klopft! Ich habe es ja nicht anders gewollt! –– Ich hoffe, Du weißt doch nicht alle meine Gedanken, ich wage sie ja selbst nicht zu Ende zu denken. Ach diese verd. Verbände, das gräßliche Kranksein! Felice, ich möchte mit Dir alleine sein, halt! hier wird nicht weitergedacht! Und doch – willst Du es auch? Bitte, Du hast bis jetzt noch auf keine Frage geantwortet. Morgen werde ich unerbittlich sein, morgen. Ich möchte . . . nein! – das heißt, ich möchte doch! Felice, halte mir bitte – natürlich auf meinen eigenen Rat – mein Alter vor. Sag mir, daß ich mich vernünftiger betragen soll. Du – wann wird unser Hochzeitstag sein? Den meinen haben wir ja würdig genug gefeiert!! Ich habe manchmal das Gefühl, vollkommen gelähmt zu sein, wenn ich an Dich denke. Felice, verzeih meine Ausbrüche, ich bin zu viel alleine und durcheinander. – Ich Dich auch, Felice.

31. 3. 43

Felice, ich liebe Dich! Welch ein Gefühl, das sagen zu können! Ach Felice, das Schönste, was ich mir vom Schicksal erhoffe, ist ein anhaltendes Glück. Du, ich möchte lange, sehr lange mit Dir leben, hörst Du? Und das Leben ist so schön, so wundervoll. Felice, ohne Einschränkung – gehörst Du mir? Nur mir? Bitte wenigstens eine ziemlich lange Zeit, bitte! Liebst Du mich? Du, ich bin doch wohl erst 17? Oder?

Sei lieb mit mir, Felice, ja bitte? Aber trotzdem – bitte – nicht zurückhaltend. Ich wollte Dich aus Deiner Reserve locken. Ich habe wie ein Kind mit dem Feuer gespielt, werde ich daran verbrennen? Ein bißchen? Ganz? Halt mich, Felice! Ist es nicht ein ganz klein wenig Deine Schuld, wenn ich verrückt bin? Total verrückt.

Am Abend des 1. April telefoniert Lilly vom Krankenhaus aus mit Felice und bemüht sich redlich, artig Konversation zu betreiben, da Inge, Gregor und, wie sie meint, auch ihr Mann im Hintergrund lauschen. Felice hingegen, die es besser weiß, flirtet so unverhohlen, daß Lilly in arge Verlegenheit gerät. Erst am Ende des Gesprächs muß Lilly verdutzt feststellen, daß Günther gar nicht da war.

Du, man müßte Dich – also ich weiß nicht genau, was man müßte, aber Du bist furchtbar frech! Und wie mir das gefällt! Schade, daß heute Abend nicht noch der Herzallerliebste im Hintergrunde herumsaß. Das wäre eigentlich noch viel netter gewesen!

Um Gottes willen, Felice, mir fällt etwas Schreckliches auf und ein. Aber es *darf* nicht sein, es *darf nicht*!! Wenn er heute nicht kommt, kommt er vielleicht morgen, Felice, ich weiß dann nicht, was ich tue. Felice, ich will ja gar nichts, aber so gar nichts von ihm. Bitte, bitte, sei nicht böse über meine offenen Worte. Aber sag selbst, was will er zu Hause? Felice, diesen Zettel bekommst Du wohl doch nicht – ich bin zu offen. Ich gebe zu viel von mir weg, ich liebe Dich zu sehr, Felice, mein schönes schwarzes Mädchen. Wie schön Du in letzter Zeit geworden bist! Du weißt ja gar nicht, wie Deine Augen leuchten. Mir wird so schwer, wenn Du mich ansiehst, Felice. Du, ich habe das Gefühl, ich brenne. Was hast Du angerichtet, ich kann es Dir nicht verzeihen, Du hast mich vollständig verzaubert; ich atme nicht Luft, nur Liebe!

Am 2. April bringt Felice Lilly heim. Inge leuchtet ein, daß die Wust noch schonungsbedürftig ist, weshalb diese in den kommenden Nächten Felices Betreuung bedarf. Mit der Wohnung ist Felice bestens vertraut, hat sie doch die vergangenen Nächte mit Inge dort verbracht.

Nach Felices Verszeile »Wie träumt es sich an deiner Brust?« hat Lilly im Krankenhaus mit einer Mischung aus quälender Ungeduld und blankem Entsetzen der »Hochzeitsnacht« entgegengefiebert. Nun liegt sie in ihrem langen weißen Nachthemd mit dem blau umrandeten Krägelchen stocksteif und mit flatternden Magennerven im Bett und kann immer nur »Ich hab ja keine Ahnung« denken. Ihr Körper glüht.

In ihrem eleganten Schlafanzug aus gelber Seide kommt Felice mit einem unsicheren Lächeln aus dem Bad und legt sich auf Günthers Seite des ehelichen Betts. Eine Weile liegen sie schweigend nebeneinander und halten den Atem an.

»Kann ich noch ein wenig zu dir kommen?« fragt Felice schließlich mit einer Stimme, die um eine Spur zu forsch klingt, und schon ist sie unter Lillys Decke gekrochen.

Lilly starrt wie eine Feder gespannt mit pochenden Schläfen zur Zimmerdecke, als Felice über ihr dichtes rostrotes Haar streicht, von dessen Pracht sie schon im Café Berlin die Augen nicht lassen konnte. Lilly stockt der Atem. Mit einem matten Versuch, es doch noch zu verhindern, hält sie Felices Hand fest, die sich den Weg unter ihr Nachthemd bahnt. Doch schon schließt sie die Augen und überläßt sich dem Hitzestrom. Mit einem Willkommensseufzer begrüßt sie den weichen Druck von Felices vollen Brüsten. Was ist das nur für ein unglaubliches Gefühl von Frische und Unschuld? Fremd ist ihr dieses Geschöpf, das ihr selbst an Gestalt so gleicht. Doch als sie den harten Knochen von Felices Hüfte unter ihren Fingern spürt, die mit zartem Flaum überzogene Haut von Felices Wange an der ihren, ist ihr die Freundin vertraut, als hätte sie niemals einen anderen Menschen geliebt. Wie das schmeckt und wie das riecht und wie das zierlich und leicht ist!

Felice ist eine gute Lehrmeisterin, Lilly eine gelehrige Schülerin. Ohne den kleinen Ekel, den sie bei den Männern stets erst überwinden mußte, die Angst vor dem prallen Glied, das autoritär und bedrohlich auf rasche Entladung pocht, fallen ihre Hemmungen ab. Und ganz neue Wünsche entstehen. Schon in der nächsten Nacht will sie es Felice gleichtun. Endlich nicht mehr warten müssen, nicht befriedigt werden, sondern befriedigen, nicht aufnehmen, sondern geben! Lilly zeichnet mit der Zunge die Linie von Felices Brust nach, verweilt genußvoll am harten Nippel mit dem großen braunen Hof, rutscht tiefer und immer tiefer, bis ihre Lippen flaumiges Kraushaar streifen. Schamhaar. Was für ein seltsames Wort. Noch nie in ihrem Leben hat sich Lilly so schamlos gefühlt. Und wie gut das tut! Alles alles alles will sie machen, lernen, nachholen.

Felice gibt ein unwilliges Brummen von sich und versucht nun ihrerseits Lillys Kopf wegzuschieben. Irgendwie ist ihr der Lerneifer nicht geheuer. Erst gestern lag sie steif wie ein Brett unter der Decke! Ein kleiner Machtkampf bahnt sich an.

»Nein«, entgegnet Lilly so entschieden, daß Felice den Kopf hebt und sie mit ihren graubraunen Augen erstaunt mustert. »Ich will nicht alleine glücklich sein«, stößt Lilly hervor. Hat Felice die Wust unterschätzt? Keine Sekunde verschwendet Lilly an den Gedanken, was diese neue Verbindung für ihr weiteres Leben bedeuten mag. Es ist, als wäre sie immer schon »so« gewesen. Das Leben, das sie vor ihrer Begegnung mit Felice führte, ist nur noch undeutlich zu erkennen.

Lilly

Ich hatte bei meinen Männern überhaupt nichts davon. Die Männer hatten ihre Freude, und ich fühlte mich benutzt. Bei Felice war's eben total anders. Sie war mein Gegenüber, buchstäblich mein Widerschein. Ich fühlte mich Ich und gleichzeitig Felice. Wir waren ein Spiegelbild. Sie brauchte mich bloß zu berühren und ich … Wenn sie mich küßte, war ich ihr total ausgeliefert. Ich fand es auch ästhetisch schön, zum ersten Mal in meinem Leben. Ich hätte nie einen Mann schön gefunden. Ich war irgendwie verkehrt gebaut, aber ich hatte ja keine Ahnung. Bei Männern war ich immer die Unterlegene. Die Männer taten es mit mir. Eine Frau hat immer zu warten. So bin ich erzogen worden. Und bei Felice konnte ich selber lieben. Und dann dieses unbedingte Zueinandergehören. Es war komplett, Liebe und Sexualität, da gab es einfach keine Trennung. Darum habe ich sie in den ersten Wochen immer meinen »ersten Menschen« genannt, weil sie wirklich für mich der erste Mensch auf dieser ganzen Gottes Erde war. Da gab es nichts, gar nichts andres mehr. Ich fühlte mich wie neugeboren. Felice hat mich befreit. Ich wußte nun, wer ich war, wohin ich gehörte, zu wem ich gehörte, alles andre war mir völlig egal. Und Felice hat sehr gut verstanden, wie ich das gemeint habe. Natürlich hatten wir auch eine Rollenteilung. Sie hat immer gesagt »Ich bin Manns genug!« Aber mit ihr habe ich meine Rolle gern gespielt, weil sie es so wollte. Deshalb war ich ihr Kätzchen, das ab und zu die Krallen zeigte. Obwohl ich älter war, hatte ich immer das Gefühl, jünger zu sein. Sie hat mich absolut beherrscht. Das hat sie. Aber das war schön! Sie hat auch immer Hosen getragen. Ein einziges Mal an einem heißen Sommertag hat sie ein Kleid angezogen, sonst nie. Schließlich hat sie mich ja auch erobert!

In den folgenden Nächten schlafen Felice und Lilly wenig. »Liebst du mich?«, flüstert Lilly Felice immer dann ins Ohr, wenn Inge nicht in der Nähe ist. In einem fort will Lilly es hören: »Ich liebe dich.« Aber auch Felice ist von Zweifeln geplagt: »Bist du glücklich?« Eine Frau mit vier Kindern, wer hätte das gedacht! Zugegeben, anfangs ist es eher ihre allseits gefürchtete Tollkühnheit gewesen, die sie auf die Idee brachte, diese ungewöhnliche deutsche Hausfrau zu verführen. Man kann nicht sagen, daß Inge sie nicht gewarnt hätte. Ernsthaft haben aber beide nie angenommen, daß es Felice gelingen könnte, eine wie Lilly ans andere Ufer zu retten. Felice fühlt sich hin- und hergeschleudert zwischen Überraschung und Stolz auf den unerwarteten Erfolg ihrer Verführungskunst und der Angst, sich auf etwas eingelassen zu haben, das ihr über den Kopf wachsen könnte.

Irgendwie können es die beiden so einrichten, daß Felice die meiste Zeit in der Friedrichshaller Straße schläft. Nur gelegentlich verbringt sie eine Nacht auswärts. Lilly vermutet sie bei Inge, läßt sich aber nichts anmerken. Auch Felice schweigt und weiß, wie Inge, Lillys Diskretion zu schätzen. Um sie über eine versäumte gemeinsame Nacht hinwegzutrösten, läßt Felice sich von der Dichterin Mascha Kaléko inspirieren:

Ich will dir und deinen Händen
auf dem Bogen der Nacht
alles Liebe senden, was ich je gedacht.

Wer mir auch früher gefallen,
ich spüre seit es dich gibt,
vielleicht habe ich in allen nur dich geliebt.
Nun geht die Nacht zu Ende
allein, allein, allein, doch ich denke an deine Hände
und schließlich schlafe ich ein.

Acht Tage nach Lillys Entlassung aus dem Krankenhaus beginnen die beiden auszugehen, denn Felice will es sich auf keinen Fall nehmen lassen, mit ihrer neuen Liebe durch die Stadt zu promenieren. Sie gehen ins Bristol am Kurfürstendamm, wo sie sich mit Gregor Zivier verabreden. Der Schriftsteller genießt es, zwei so hübschen und eleganten jungen Damen in der Öffentlichkeit die Hand zu küssen, auch wenn sie zu seinem Bedauern nur füreinander Augen haben. Sie gehen in die Uhlandstraße in die Café-Konditorei Reimann und ins Hotel Fürstenhof am Potsdamer Bahnhof, wo es sich mit weniger Marken als anderswo vorzüglich essen läßt. Und einmal besteht Felice darauf, Lilly in den Kaiserhof einzuladen, eines der teuersten Hotels Berlins direkt gegenüber der Reichskanzlei. Dort strotzt es zwar vor SS-Uniformen, die auf ihren nägelbeschlagenen Stiefeln wichtigtuerisch hin- und herstolzieren, aber gerade das scheint Felice zu gefallen.

Wie aus dem Ei gepellt soll Lilly aussehen, damit Felice stolz sein kann auf ihre Aimée. Aus ihrer reichhaltigen Garderobe schenkt Felice Lilly Stück um Stück ihre Frauenkleider aus buntgemusterter zarter Foulardseide und feinem Leinen. Sie selbst zieht Hosen vor. Nur einmal, an einem besonders heißen Sommertag, kramt Felice eines ihrer duftigen Kleider hervor. »Huch, ein Mädchen!«, mokiert sich Lilly.

Unter den Kleidern, die Felice Lilly schenkt, ist auch ein fliederfarbenes Taftabendkleid mit Trägern und einem angeschnittenen Jäckchen. Lilly entschwindet ins Schlafzimmer, um sich in die Taftwolke zu zwängen. Als sie in dieser femininen Umhüllung ins Wohnzimmer tänzelt, stößt Felice einen entzückten Schrei aus. Mit ihrer hellen sommersprossigen Haut, den blassen Wimpern um die dunklen Augen und dem üppigen mit einem Bändchen zusammengehaltenen Rotschopf sieht Lilly, die Ältere, wie eine Teepuppe aus, die in Felice heftige Beschützerinstinkte weckt.

»Vorsicht, du zerdrückst das Kleid«, wehrt Lilly ab, als Felice auf sie losstürzt und sie umklammert, als gelte es Abschied zu nehmen.

Lilly ihrerseits hat Spaß daran, Felice ihrer langjährigen Freundin Käthe Herrmann vorzustellen, mit der Günther sie vor einigen Jahren betrogen hat. Sie wohnt in Eichwalde bei Grünau am östlichen Stadtrand von Berlin, in einer als Nazihochburg bekannten Siedlung. Der Ausflug mit der Dampfeisenbahn mißlingt gründlich, denn Felice kann der feisten Blondine im Dirndl aber schon gar nichts abgewinnen. Doch Käthes Vater, der in einem Häuschen in Königs Wusterhausen lebt, ist pensionierter Schneider. Bei ihm gibt Felice für die Geliebte ein königsblaues Kostüm mit einem feinen, kaum sichtbaren Karomuster in Auftrag. Dorthin begleitet sie Lilly mehrmals zur Anprobe, die Käthe aber will sie nicht mehr sehen. Auf einem Foto, das Käthes Mann Ewald aufgenommen hat, Günthers Arbeitskollege bei der Deutschen Bank, sieht Lilly nach ihrer Kieferoperation noch sehr gespitzt aus, und Felice an der Seite des »Bauerntrampels« hat einen grimmig entschlossenen Zug um den Mund.

Zu Adolfs Geburtstag – die ganze Stadt ist beflaggt – fahren Lilly und Felice, berauscht vom Sonnenschein des neuen Frühlings, nach Caputh bei Potsdam, wo Lilly im idyllisch gelegenen Heim der Deutschen Bank ihren Mann kennengelernt hat. Mit einer ihr selbst nicht erklärlichen Lust zieht es sie hin an den Ort, an dem sie, kaum der Schule entronnen, ihre Eroberungen zu zählen begann. Ein ganzer Tag abseits von Inges Blicken!

Felice pirscht sich von hinten an Lilly heran. »Wollen gnädige Frau die Großzügigkeit haben, mir einen Kuß zu gewähren?« fragt sie inmitten von Vogelgezwitscher und schlingt die Arme um Lillys Taille.

»Das Berühren der Figuren mit den Pfoten ist verboten!«

Lilly reißt sich los, rutscht auf dem Waldboden aus und stürzt Felice zu Füßen. Dabei verliert sie ihren Ehering, den sie in die Brusttasche des neuen Kostüms gesteckt hat. Niemals trägt sie den Ehering, wenn sie mit der Geliebten zusammen ist. Auf allen Vieren tasten die beiden das Waldstück ab, doch der Ring bleibt verschwunden. Seltsam nackt sieht der Finger der rechten Hand mit der kleinen Delle aus so ganz ohne Ring.

»Dein Rosenkavalier schenkt dir einen neuen«, verspricht Felice und küßt ihr die Hand.

Wieder zu Hause, unterhalten sie sich mit Inge, die freundlicherweise die Kinder gehütet hat, über die Trümmerhaufen, die sie auf dem Rückweg inmitten blühender Gärten gesehen haben und die nur ahnen lassen, daß dort einmal ein Haus gestanden hat. Wenn kein Alarm ist und der Himmel blau, könnte man glatt vergessen, daß Krieg ist.

»An all dem sind die Juden schuld«, entfährt es Lilly.

Außer sich vor Wut will Inge auf ihre Arbeitgeberin losstürzen.

»Inge, laß sie zufrieden! Sie weiß nicht, was sie sagt!« schreit Felice mit einer fremd klingenden schrillen Stimme und wirft sich dazwischen.

Wortlos nimmt Inge ihre Handtasche und geht, nicht ohne die Tür lautstark ins Schloß fallen zu lassen.

Am 30. April wird den Juden die deutsche Staatsbürgerschaft entzogen. Am 2. Mai leben noch ungefähr fünftausend U-Boote in der Stadt, von denen monatlich etwa 150 auf der Straße oder in Verstecken aufgegriffen und nach Auschwitz oder Theresienstadt »umgesiedelt« werden. Am 2. Mai zieht Felice mit einem Teil ihrer Sachen sozusagen offiziell bei Lilly ein.

Am 3. Mai spricht Lilly zum ersten Mal mit ihrem Mann über Scheidung: »Es ist doch sinnlos. Wir verstehn uns nicht mehr.«

Günther Wust ist wie vom Donner gerührt. Was ist nur in seine Frau gefahren? Daß Lilly bisweilen zu exzentrischen

Ausritten neigt, ist ihm zwar nicht neu, aber Scheidung mit vier Kindern! Eifersucht auf die Liesl kann es nicht sein. Lilly hat seine gelegentlichen Seitensprünge stets mit bemerkenswerter Liberalität toleriert. Und hat er sich seinerseits nicht mustergültig verhalten, als herauskam, daß Albrecht nicht sein Sohn ist? Das war eine Großzügigkeit, die schon an Weichheit grenzt. Vielleicht ist das sein Fehler gewesen, vielleicht fehlt ihr einfach die starke Hand? Und wie will sie sich, bitteschön, das Leben verdienen?

Das Gespräch versandet, ohne daß es zu einer Entscheidung kommt. Günther will von Scheidung nichts wissen, und schon gar nicht, wenn Lilly sich weigert, die volle Schuld auf sich zu nehmen. Das wiederum sieht Lilly nicht ein, sind doch Günthers Affären in ihren Augen Scheidungsgrund genug. Als einziges Zugeständnis könnte Lilly sich eine »Trennung von Tisch und Bett« vorstellen, bei aufrechtem Eheverhältnis, wenn dem Günther so sehr daran gelegen ist, den äußeren Schein zu wahren. Wobei sie durchaus bereit wäre, den Tisch mit ihm zu teilen, nie aber das Bett. Seit Felice in ihr Leben getreten ist, lebt sie in ständiger Angst, Günther könne bei einem seiner Besuche sein eheliches Nutzungsrecht einfordern. Dazu soll es nie wieder kommen!

Kaum ist Felice eingezogen, muß sie auch schon wieder fort. Das Ziel ihrer »Geschäftsreise« verrät sie nicht. Zwei Tage später ruft sie von irgendwoher an. Wie sehr hat Lilly diesen Anruf herbeigesehnt. Doch als sie Felices Honigstimme im Ohr hat, bringt sie kein Wort heraus. Was sie eigentlich sagen wollte, schreibt sie auf:

> Ein paar Tage alleine. Irrsinnig schwer ist so ein Abschied von Dir! Ach Felice, Du mein erster Mensch, ich liebe Dich. Ich sitze jetzt traurig in der 191 bei schlechtem Licht. In mir ist ein unbeschreibliches Gefühl. Augenblicklich sind wir am Ufa-Palast! An der Haltestelle war es wohl schon entschieden, unser Schicksal. Du hättest mir nie den Apfel schenken dürfen! Nie! – Nachher werde ich im Bett liegen und weinen.

Ich werde Dein Bild auf meinen Nachttisch stellen und Dich ansehen. Du wirst mich doch dann bewachen, nicht wahr? Und wenn Du dann schlafen gehst, denke daran, daß ich Dich küssen möchte, und dann bist Du nicht mehr so traurig. Und morgen – ! Morgen sind wir nicht mehr alleine!!!

Als Felice heimkommt, ist sie fröhlich und charmant wie immer. Lilly hingegen ist bekümmert. Daß Felice mehrere Tage verreist war, ohne ihr mitzuteilen, wo und bei wem sie gewesen ist, bedrückt sie sehr. Was ist, wenn Felice unterwegs etwas zustößt? Was ist, wenn sie in Berlin ausgebombt wird, und es gibt keine Möglichkeit, Felice zu benachrichtigen? Es ist viel zu tun an diesem Tag, und Reinhard ist besonders quengelig, so daß sich die beiden erst gegen neun Uhr ins Schlafzimmer zurückziehen können. Doch Lilly ist unruhig, geht nicht zu Bett. In ihrem blauen Schlafanzug mit weißen Nöppchen, den Felice ihr geschenkt hat, steht sie am Fußende des Betts und umklammert das Gestell aus heller Eiche.

»Felice, mit dir stimmt was nicht«, platzt sie heraus.

»Wieso denn?«

»Du fährst weg und sagst mir nicht wohin. Du rufst mich an, und ich weiß nicht, wo du bist. Was ist los mit dir?«

»Es ist alles in Ordnung, Schätzchen, wirklich. Komm doch ins Bett und laß dich verwöhnen. Du wirst dich noch erkälten.«

»Nein. Felice, wenn wir zusammenbleiben wollen – und das willst du doch, nicht wahr? –, müssen wir ehrlich zueinander sein.«

»Liebes, ich bin ein offenes Buch. Ich liebe dich, mehr gibt es nicht zu sagen.«

»Felice, ich meine es ernst. Entweder es besteht vollkommene Offenheit zwischen uns oder wir gehen auseinander.«

»Quäl mich nicht, Lilly, bitte. Ich kann es dir nicht sagen. Du hast auch ohne mich genügend am Hals.«

»Felice, ich flehe dich an. Wenn wir das Leben miteinander verbringen wollen, muß vollkommene Wahrheit zwischen uns sein. Ich liebe dich, aber so geht das auf keinen Fall.«

Lilly ist Felices Angst unbegreiflich. Es ist ihr, die Diskretion über alles schätzt, sehr unangenehm, der Freundin derart zuzusetzen, aber noch unerträglicher ist ihr die nunmehr zur Gewißheit gewordene Ahnung, daß es zwischen ihnen etwas gibt, das nicht ausgesprochen werden darf. Es dauert bis Mitternacht, ehe Felice, schon völlig erschöpft, Lilly mit weit aufgerissenen Augen ansieht.

»Versprich mir, daß du mich weiter lieben wirst.«

»Felice, du bist mein ein und alles. Es gibt auf der ganzen Welt nie mehr einen anderen Menschen als dich. Durch dich habe ich endlich zu mir selbst gefunden. Du bist mein erster Mensch. Das weißt du doch!«

»Also gut.« Felice holt tief Luft: »Lilly, ich bin Jüdin.«

Einen Augenblick lang starrt Lilly sie wie betäubt an. Mit einem Mal kann sie all die Ungereimtheiten entschlüsseln, nach denen sie nie gefragt hat. Als sich ihre Erstarrung löst, reißt sie Felice an sich und umschlingt sie in einer endlosen Umklammerung.

»Nun erst recht!« flüstert sie in einem fort.

»Und ich heiße Schragenheim«, schluchzt Felice in Lillys Hals hinein.

Lilly

Wir haben die ganze Nacht geweint. Natürlich war es für mich schrecklich, daß sie solche Angst hatte, es mir zu sagen. Aber sie hat sich mir doch völlig ausgeliefert. Und sie wollte mich nicht verlieren. Sekundenlang war ich wie gelähmt, aber im nächsten Moment nahm ich sie in die Arme, und damit hatte sich die ganze Sache. Natürlich wußte ich, was das bedeutet. Da rollte in rasender Geschwindigkeit ein Film ab, wie Felice in der ganzen Zeit gelebt hat ... Keine Sekunde habe ich daran gedacht, daß ich auch in Gefahr sein könnte. Im Gegenteil, jetzt wollte ich sie doch erst recht retten. Ein Mensch in Not – und das war sie! Sagen wir, es wäre ein Kommunist gewesen, da wär es ganz genauso gewesen, das kann ich schwören. Ich muß mir manchmal krampfhaft klarmachen – Felice war eine Jüdin! Das ist doch Wahnsinn, heller

Wahnsinn! Ich wäre nie auf die Idee gekommen, daß sie Jüdin war. Sie sah auch nicht jüdisch aus, nur wenn sie ihre Tage hatte, da sah sie jüdisch aus. Nun war Inge auch keine Jüdin, nur bei Elenai hätte man es vermuten können. Ja, auch Gregor sah jüdisch aus, aus dem konnte man zehn machen. Ich war doch öfter mit ihm im Keller, wenn Alarm war. Da muß ich mich schwer wundern, daß keiner der lieben Hausbewohner was gesagt hat. Daß Felice keine Lebensmittelkarten hatte, ist mir nicht aufgefallen. Ich habe doch ein gastfreundliches Haus gehabt. Wenn die Leute zu mir kamen, dann aßen sie bei mir. Und Inge aß bei mir, also aß auch Felice bei mir. Dann hatte sie Reisemarken, teuer gekaufte Reisemarken. Und ich nehme an, daß sie Marken von Inge und den andren bekommen hat. Früher, in der Schule, da gab es in meiner Klasse mehrere Jüdinnen, mit denen ich auch befreundet war, aber mit denen war ich ja dann nicht mehr zusammen. Von einer habe ich sehr spät erfahren, daß sie rechtzeitig auswandern konnte. In meiner Umgebung gab es also keine Juden mehr. Ich bin einfach nicht mehr damit konfrontiert worden. Daß Gregor zum Beispiel Jude war, habe ich erst in jener Nacht erfahren. Vorher kam mir das gar nicht in den Sinn. Ich weiß nur, daß ich mich in diesem Kreis wahnsinnig wohl gefühlt habe, von Anfang an, dieser ganze Umgang gefiel mir, das war eine andere Welt, eine schöne Welt. Ich kann das nur so erklären, daß ich ausschließlich nach meinem Gefühl gehandelt habe. Mit meinen Eltern habe ich viel darüber gesprochen. Ich weiß noch genau, wie mein Vater am 9. November '38 mit einem Stück Glas von einem zerschlagenen Schaufenster nach Hause kam ... und wir waren entsetzt. Er hat es viele Jahre in einem Kästchen aufbewahrt, ein Stück Schaufenster von Wertheim. Nein, eine Antisemitin war ich nie, so bin ich gar nicht erzogen worden. Ich hab mich nur nicht drum gekümmert, was die Naziideologie bewirkt. Wenn ich zurückdenke an diese ganze Zeit – ich habe jahrelang in einer Wolke gelebt und nur das getan, was mein Mann am liebsten hatte. Was ich damals erfahren habe, habe ich nur durch meine Eltern erfahren. Meine Mutter hat furchtbar viel Angst ausgestanden, weil mein Vater ja oft den Mund nicht hielt. Das wurde mir dann insofern schon verdammt klar. Ich weiß noch, wie furchtbar wir das empfunden hatten, diese Kristallnacht, doch, das weiß ich noch genau. Mit dem Günther haben sie nicht darüber geredet. Wenn wir zusammen waren bei Geburtstagen oder so, wurde grundsätzlich nicht über Politik gesprochen.

Später habe ich mich mit Felice über die Szene mit Inge unterhalten. »Du Dummchen«, hat sie gesagt, »so 'n Wahnsinn, so etwas zu sagen. Du hast die Zeitung gelesen, und dann hast du das gesagt.« Das war mir natürlich furchtbar peinlich – später –, aber Felice hat ja wunderbar reagiert. Ich kann mich erinnern, daß ich mir damals auch nach Inges Wutausbruch keiner Schuld bewußt war. Obwohl ich natürlich auch an meinen Bruder hätte denken können, ja ... Ich wußte doch, daß Bob einen jüdischen Vater hatte. Als ich meinen Eltern gesagt habe, wer Felice war, hat meine Mutter es mir dann endlich richtig gestanden: daß Bob der Sohn vom Kantor der Synagoge in der Levetzowstraße ist. Mein Vater hat es nie erfahren, da war meine Mutter eisern drin. Auch Bob gegenüber hat sie immer nur Andeutungen gemacht, aber nie richtig, weil sie sich nicht verraten wollte. Auch die Nazis wußten nicht, daß er jüdisch ist. Aber er sah wirklich jüdisch aus. Sie haben ihn oft genug verprügelt. Er war doch Kommunist, und da gab's natürlich Schlägereien hier in Berlin. Da haben sie immer gesagt: Verdammter Judenbengel. Er und mein Vater vertrugen sich überhaupt nicht, es war immer ein Hauen und Stechen zwischen den beiden. Ich werde nie vergessen, wie mein Bruder einmal weinend zu mir kam und sagte: Das kann mein Vater nicht sein. Aber wir Kinder haben es gewußt, denn manchmal wurden wir hübsch rausgeputzt und dann trafen wir uns mit einem fremden Mann. Da mußten wir immer furchtbar brav sein. Das war er, und er wollte sein Kind sehen.

Ich hab auch versucht, ihn anzurufen, während des Kriegs, als mir meine Mutter gestand, daß er bis zuletzt mit ihr Kontakt gehalten hat. Denn er hatte den Altarschmuck der Synagoge gerettet und wollte ihn zu ihr in Verwahrung geben. Aber sie hat sich nicht getraut. »Ich bin eben ein Hasenfuß«, hat sie mir gesagt. Er hat es trotzdem verstanden. Deshalb habe ich auch versucht, den Mann zu erreichen. Als ich anrief, wurde gesagt, es ist hier niemand des Namens. Das war sicher ein Fehler von mir, doch es war gut gemeint, ich dachte an den Altarschmuck. Seine Söhne hat er rechtzeitig nach Amerika geschickt. Er selbst ist hier geblieben, hat ein zweites Mal geheiratet und ist in einer Wäscherei in der Nähe vom Rathaus Wilmersdorf untergetaucht. Weiterer Verbleib unbekannt.

Am 11. Mai 1943 ist Felice wieder ausgeflogen. Auf eine grüne Kinokarte des Amor-Kinos in der Uhlandstraße, wo sie vor einigen Tagen die Spätvorstellung von »Pheline« mit Käthe Dorsch besucht hat, schreibt Lilly mit Felices grüner Tinte:

22 Uhr 18: Am 1. Abend ohne Dich! Sollte man tatsächlich Euch irgendwie – dann – – lebe ich nicht mehr lange.

3

Felice Rahel Schragenheim wurde am 9. März 1922 im Jüdischen Krankenhaus zu Berlin geboren. Viele Menschen hatten in diesem Jahr ihre gesamten Ersparnisse verloren. Den Juden wurde nachgesagt, sich an der Inflation bereichert zu haben, was zwar nicht stimmte, den Deklassierten aber den Antisemitismus als bequemes Ventil anbot. Wenige Monate nach Felices Geburt wird der jüdische Reichsaußenminister Walther Rathenau im Auftrag republikfeindlicher vaterländischer Kreise von Rechtsradikalen ermordet. Walther Rathenau, der sich immer stolz zu seinem Judentum bekannte, gehörte zu den kultiviertesten Männern seiner Zeit und war wohl auch ein Vorbild für Felices Eltern, die in der Flensburger Straße in Berlin-Tiergarten eine gemeinsame Zahnarztpraxis betrieben.

Felices Vater, Dr. Albert Schragenheim, 1887 in Berlin geboren, war im Ersten Weltkrieg Feldzahnarzt in Bulgarien und heiratete die Zahnärztin Erna Karewski während eines Fronturlaubs im Januar 1917.

»Wo habt ihr denn das blonde Kind her?« staunen Freunde der Familie Schragenheim über Felices helles Haar, das sich erst allmählich dunkler färbt, um sich zur Zeit ihrer Einschulung in die Kleist-Schule im April 1928 bei einem unauffälligen Mittelbraun zu stabilisieren. Bald darauf zieht die Familie in die stille von Linden gesäumte Auguste-Viktoria-Straße in Berlin-Schmargendorf, wo Felice in einem massigen Bürgerhaus mit einem üppigen Garten eine geborgene und mit Wohlstand gesegnete Kindheit verlebt, samt Auto und Motorboot. Sie wird von den Eltern und der Schwester Irene Lice, Fice oder Putz genannt und ist das Nesthäkchen der Familie. Die Eltern sind ein schönes Paar, die Mutter mit sorgsam onduliertem Bubikopf, der Vater schlank und schmalschultrig, mit den früh ergrauten Schläfen, der runden Nickelbrille und der unvermeidlichen Fliege unter dem Kinn eine Erscheinung von nachlässiger Eleganz.

Die Freunde der Familie sind liberale und sozialistisch orientierte Juden, die an Assimilation glauben und über die jiddisch sprechenden »Galizianer« in der Grenadierstraße die Nase rümpfen. Im Haus verkehren Anwälte, Ärzte und Künstler, unter ihnen der Schriftsteller Lion Feuchtwanger und seine Schwester Henny, väterlicherseits mit der Familie verwandt und von Felice »Onkel« und »Tante« genannt. Aber auch ein Rabbiner zählt zu den Freunden der Schragenheims, denn, ohne fromm zu sein, achten sie auf Tradition. Am Sabbat stehen die Sabbatkerzen auf dem festlich gedeckten Tisch, und am Abend vor dem Pessachfest müssen die Kinder durchs Haus laufen, um nach Spuren von Sauerteig zu fahnden, eine Verpflichtung, der sie wegen der von den Eltern an entlegenen Winkeln versteckten Süßigkeiten mit großem Eifer nachkommen. Um restlos glücklich zu sein, fehlt den Kindern bloß der Weihnachtsbaum. Die Mutter hätte nichts dagegen, denn die jüdischen Feste sind für sie leere Rituale, aber in diesem Punkt bleibt der Vater hart.

Die Zahnarztpraxis der Eltern ist unter Berliner Juden ein Begriff. »Ich kannte mal einen Zahnarzt«, werden sich viele noch ein Jahrzehnt später in der englischen Emigration erinnern, wenn der Name Schragenheim fällt. Die Hälfte aller 1933 in Berlin zur Kasse zugelassenen Ärzte und Zahnärzte sind Juden.

1930, Felice ist gerade acht Jahre alt, haben die Eltern während einer Urlaubsreise einen schweren Autounfall. Der offene Fiat mit dem Anhänger überschlägt sich auf einer Waldstraße und kommt mit den Rädern nach oben zu liegen. Putz und Irene verlieren ihre schöne 38jährige Mama. Später wird sich Felice erinnern, daß der geschockte Vater bei seiner Rückkehr nach Berlin schneeweiß geworden war. Doch schon zwei Jahre darauf heiratet er eine mondäne junge Dame mit schwarzen Mandelaugen und ebenmäßigem ovalen Gesicht. Käte Hammerschlag wird nicht nur Dr. Schragenheims Ehefrau, sondern auch seine Sprechstundenhilfe. Die Töchter sind alles andere als begeistert von der fünfundzwanzigjährigen Stiefmutter aus vermögendem Haus und können es dem Vater nie ganz verzeihen, daß er ihre Mama verraten hat. Doch Dr. Schragenheim hat bald noch ganz andere Sorgen.

1930 ist er Leiter der Fürsorge- und Versicherungsstelle des Reichsverbands der Zahnärzte Deutschlands, gleichzeitig aber auch Mitglied der zahnärztlichen Sektion des Vereins Sozialistischer Ärzte, was bei den Wahlen von 1931 zur Preußischen Zahnärztekammer für einige Unruhe sorgt. Doch Albert Schragenheims Funktionärstage sind ohnehin gezählt. Nach der »Machtergreifung« werden alle jüdischen Vorstandsmitglieder und deren Stellvertreter, insgesamt neunzehn, zur Niederlegung ihrer Mandate veranlaßt. Die »Verordnung über die Tätigkeit von Zahnärzten und Zahntechnikern bei den Krankenkassen« vom 2. Juni 1933 regelt den Ausschluß von Kommunisten und Juden aus der Kassenpraxis. Ehemalige Frontsoldaten wie Dr. Albert Schragenheim werden nach dem »Gesetz zur Wiederherstellung des Berufsbeamtentums« vorerst noch geschont.

Zwischen dem 1. April 1933 und Ende Juni 1934 werden im Reich 600 jüdische Zahnärzte »ausgeschaltet«, wobei die antisemitische Agitation der ärztlichen Standesvertreter selbst die NS-Propaganda noch übertrifft. Jeder, der früher in Berlin etwas auf sich hielt, ging zu einem jüdischen Arzt. Die zunehmenden Berufsverbote für jüdische Ärzte an Krankenhäusern machen nun Arbeitsplätze frei für nicht zum Zug gekommene »arische« Kollegen. Am 12. Mai fordert das *Groß-Berliner Ärzteblatt* den »Ausschluß aller Juden von der ärztlichen Behandlung deutscher Volksgenossen, weil der Jude die Inkarnation der Lüge und des Betruges ist«.

1934 wird die »Arisierung der Privatversicherung« in die Wege geleitet. »Persönlich unzuverlässige«, »nichtarische« und »politisch untragbare« Ärzte werden ausgeschlossen, indem ihre Rechnungen von den Privatversicherungen nicht erstattet werden. Listen von »nicht erstattungsfähigen« Ärzten und Zahnärzten werden veröffentlicht. Innerhalb der Reichsvertretung der Juden wird eine Hilfsorganisation für ausgeschaltete Zahnärzte gegründet, die Umschulungskurse zu Zahntechnikern organisiert und Auswanderungsberatung anbietet. England ist als Emigrationsland besonders beliebt, weil ausländische Zahnärzte dort ohne Zusatzexamen ihren Beruf ausüben dürfen. Doch die Nachfrage nach Arbeitserlaubnissen übersteigt bei weitem das Angebot.

In dieser Zeit, vielleicht aber auch schon früher, hat sich Dr. Schragenheim ein Haus auf dem Berg Carmel in Palästina gekauft, dann aber wieder verkauft, weil er das Klima nicht vertrug. Für seine Töchter sorgt er allerdings vor: Das Haavara-Abkommen ermöglicht es ihm im Jahre 1934, palästinensische Wertpapiere zu kaufen, die er für Felice und Irene in zwei Tel Aviver Banken deponiert. Das Abkommen erlaubt die Kooperation zwischen einer vom Reichsinnenministerium eingerichteten Palästina-Treuhand-Gesellschaft für den Export deutscher Industriegüter und der zionistischen *Jewish Agency for Palestine*.

Am 18. März 1935 – Felice und Irene sind dreizehn und fünfzehn Jahre alt – stirbt Albert Schragenheim im Alter von 48 Jahren. Bei einer seit 1933 als Vorbereitung auf den Luftkrieg üblich gewordenen Luftschutzübung mit Alarm, Verdunkelung und Gasmaske, fällt er tot um. Die Nürnberger Rassengesetze vom September bleiben ihm erspart. Er wird auf dem Friedhof Weißensee begraben. Postum erhält er 1937 anläßlich des Führergeburtstags »im Namen des Führers und Reichskanzlers« vom Berliner Polizeipräsidenten das »Ehrenkreuz für Kriegsteilnehmer«.

Die junge Witwe Käte Schragenheim bezieht mit ihren Stieftöchtern eine Wohnung in der Sybelstraße in Charlottenburg. Zum Leidwesen von Irene und Lice nimmt Käte, die die Mädchen »Mulle« nennen, ihre Stiefmutterpflichten sehr ernst. Rauchen ist nun nur noch nachts im Bett möglich, wenn Kätes wachsames Auge sich anderen Dingen zuwendet. Im übrigen halten die beiden Mädchen die elegante Frau für reichlich dämlich und beschränken den Kontakt mit ihr auf ein notwendiges Minimum.

Felice ist bis 1932 Schülerin der Kleist-Schule in der Levetzowstraße, gleich neben der Synagoge, die später als Sammellager dient. Mit elf Jahren wechselt sie in das im historistischen Stil des 19. Jahrhunderts erbaute Bismarck-Lyzeum im prächtigen Villenviertel von Grunewald, unweit der Königsallee, wo Walther Rathenau ermordet wurde.

Eine der ersten Maßnahmen im Schulwesen nach der Machtergreifung ist die Wiedereinführung der in der Weimarer Republik verbotenen Prügelstrafe und der »deutsche Gruß« zu Beginn jeder Schulstunde. Doch das Bismarck-Lyzeum in der Lassenstraße ist politisch zwar deutschnational, aber nicht nationalsozialistisch eingestellt. In den Klassen prangt das Bildnis der Königin Luise. Nur widerwillig unterwerfen sich die Lehrer der Anordnung, beim Betreten der Klasse mit »Heil Hitler« zu grüßen. Bei Schulfeiern wird, wie vor 1933 üblich, das Vaterunser gebetet und erst danach das Deutschlandlied und das Horst-Wessel-Lied gesungen.

Im April 1933 wird das »Gesetz gegen die Überfüllung deutscher Schulen und Hochschulen« erlassen. Die Zahl der »nichtarischen« Schüler und Studenten darf den Anteil der Nichtarier an der reichsdeutschen Bevölkerung nicht übersteigen, bei Neuaufnahmen höchstens 1,5 Prozent, beim »Restbestand« nicht mehr als fünf Prozent. Beide Bestimmungen treffen nicht auf Schülerinnen und Schüler zu, deren Väter im Ersten Weltkrieg gekämpft haben.

Am 4. September 1933 bekommt Felice das Dauerschwimmer-Zeugnis für 75 Minuten Schwimmen im Wellenbad am Lunapark in Berlin-Halensee. Nicht mehr lange ist es ihr erlaubt, in öffentlichen Bädern zu schwimmen. Im Sommer 1935 wird am Freibad Wannsee ein Schild mit dem Text »Juden ist das Baden und der Zutritt verboten!« angebracht, auf Wunsch des Auswärtigen Amts aus Rücksicht auf die Olympischen Spiele im kommenden Jahr jedoch wieder entfernt. Felice wird Mitglied des jüdischen Sportvereins *Bar Kochbar*.

Private Kontakte zwischen jüdischen und nichtjüdischen Schülerinnen sind nach dem Reichsbürgergesetz vom November 1935 kaum noch möglich. Nach einer Verschnaufpause vor und während der Olympiade verstärkt sich der Druck. »Felice macht zur Zeit nicht den Eindruck, daß sie körperlich gut bei Kräften ist; daher sind ihre Antworten mitunter fehlerhaft. Trotzdem hat sie sich im ganzen wieder ein günstiges Zeugnis erarbeitet«, schreibt der Klassenlehrer, Studienrat Walter Gerhardt, in Felices Zeugnis vom 8. Oktober 1936. Auf einem Klassenfoto vom Juni 1936 sieht Felice klein und zierlich aus. Von den Geschichtsstunden, in denen das »Weltjudentum« durchgenommen wird, ist sie befreit, im Rassenkunde-Unterricht wird ihr vielleicht der Schädel vermessen.

Und dennoch – – –

Es gibt Leute, die heute schrecklich schrein,
wie arm und von Pech verfolgt sie sein,
die mit dem Unglück kokettieren
und fast fürchten, es zu verlieren.
Ich meinerseits finde, auf dieser Welt
gibt es noch manches, was mir gefällt.
Ich liebe es, in die Stadt zu gehen
und von Sonne bestrahlt Prominente zu sehen;
ich freue mich über Platten und Bücher,
über Gedichte und Chiffontücher.
Ich liebe Theater, ich liebe Klabund,
und außerdem finde ich Lachen gesund.
Die andern Leute nennen tatsächlich
diese Einstellung oberflächlich;
ob das stimmt, das sei dahingestellt –
mich freut noch manches auf dieser Welt.
                                    [6. April ?]

Doch Felice hat es mit ihrer Schule gut getroffen. Der Klassenlehrer Walther Gerhardt, den die Schülerinnen liebevoll

»Bubi« nennen und der Geschichte und Latein unterrichtet, trägt zwar das goldene Parteiabzeichen am Revers, doch ist er ein herzensguter Mann, der sich innerlich wahrscheinlich längst vom Nationalsozialismus abgewandt hat. Pflichtgetreu trägt er dennoch die »Rasse« seiner Schülerinnen ins Klassenbuch ein: a., h.a., n. a. – arisch, halbarisch, nichtarisch. Im Bismarck-Lyzeum sind trotz umfangreicher Abgänge im Jahre 1937 noch 58 Jüdinnen unter den 343 Schülerinnen, weit mehr als die zugelassene Höchstquote, vielleicht auch deswegen, weil viele der Väter aus alteingesessenen jüdischen Familien Kriegsveteranen sind. Eine ehemalige Schülerin, die 1933 an der Schule im Grunewalder Villenviertel das Abitur machte, erinnert sich, daß in ihrem Jahrgang unter 23 Abiturientinnen nur sieben »Arier« waren. Der Direktor, Dr. Friedrich Abée, gilt als Geheimtip für Eltern, die ihrem Kind eine betont nationalsozialistische Erziehung ersparen wollen. Noch 1943, als im Sommer alle Schulen Berlins geschlossen werden, gibt es an Felices Schule »halb- und vierteljüdische« Schülerinnen. Ilse Kalden, Abiturientin des Jahrgangs 1943, schreibt in der Schulchronik:

> In jedem Schuljahr kamen neue Mitschülerinnen in unsere Klasse, aus anderen Teilen Berlins, ja sogar aus anderen, mitteldeutschen Städten. Sie schienen uns zuerst scheu und abwartend, bis sie Zutrauen faßten. Nach und nach erfuhren wir, daß sie fast ausnahmslos aus Glaubensgründen in Schwierigkeiten gekommen waren, daß sie aus anderen Schulen ausgewiesen wurden, weil sich irgendwo in ihrem Stammbaum ein jüdischer Vorfahre fand. Sie alle flüchteten zu Dr. Abée und wurden vorbehaltlos aufgenommen. Selbst in seinem eigenen Hause gab er solchen Schülerinnen ein Zuhause.

Offiziell allerdings ist die Schule 1939 »judenrein«. Die Säuberung von den Töchtern von Kaufleuten, Universitätsprofessoren, Chirurgen, Bankiers, Industriellen und Theaterdirektoren »wegen Fortzugs der Eltern« erfolgt in Etappen. Am

27. März 1936 bekommt Felices Schwester Irene ihr Abgangszeugnis, »um eine Schule im Ausland zu besuchen«. Mit ihr
verlassen weitere fünf Mädchen die Klasse mit derselben
Begründung. Ein Jahr darauf scheiden mindestens acht Schülerinnen aus, darunter Felices beste Freundin Hilli Frenkel. In
der Schulzeitung der Klasse U. II. r. g. aus dem Jahre 1937 findet sich ein Abschiedsgedicht von Felice an die Bankierstochter Marie-Anne Hartog:

In Marie-Annes Album

»Sag' beim Abschied leise servus« -
übermorgen ist's soweit,
Deiner Schulzeit großes M U S S
ist nur noch Vergangenheit.
Was wir taten, was wir trieben,
alles ist »es war einmal«.
Ich wünsch Dir, alleingeblieben,
erfüllt Dein »Frauenideal«.
[März 1937]

»Was ich aus mir machen möchte – mein Frauenideal« ist
ein Aufsatzthema, das der Klasse U. II. r. g. im Schuljahr 1936/
37 gestellt wurde. Im Vergleich zu Aufsatzthemen wie »Blut
ist ein ganz besonderer Saft«, »Luftschutz tut not« und »Das
Heldische in der altgermanischen Religion«, mit denen die
Schüler an manchen Berliner Schulen schon 1933 traktiert
wurden, zeichnet sich Felices Lyzeum durch Zurückhaltung
aus. Interessant ist eine Prüfungsarbeit in Mathematik der
Klasse U. II. L:

Ein Schiff, das sich im Mittelmeer auf dem Wege nach Jaffa:
$f_2 = 32°5'$, $\beta_2 = 34°45'$ befindet, hat soeben seinen Standort: $f_1 = 34°45'$ und $\beta_1 = 27°17'$ ermittelt. Welchen Kurs muß es nehmen?

Eine Interpretation fällt schwer. Ist es verschleierte Bezugnahme auf die Zukunftsperspektiven der jüdischen Schülerinnen, Zynismus oder vorauseilender Gehorsam, bildet doch »Judas raus, auf nach Palästina« vorerst noch die offizielle »Judenpolitik«?

Zu Ostern 1937 kommt die h.a. Schülerin Olga Selbach in Felices Klasse. Die rundliche, in einem fort an ihren Nägeln knabbernde Olga wird von Fice zu ihrer engen Vertrauten auserkoren. Im Sommer fahren sie gleich nach Schulschluß ins Schwimmbad im Reichssportfeld, im Winter besuchen sie einander gegenseitig, fläzen sich kichernd auf der Couch und reden über Sex. Da die fast zwei Jahre ältere Olga diesbezüglich völlig unbedarft ist, kann Fice mächtig auftrumpfen. Immer wieder kommt sie auf die lesbische Liebe zu sprechen. Als Olga sich schwer beeindruckt zeigt, legt Fice noch eins drauf: Sie sei als Kind operiert worden, irgendwas mit den Eierstöcken, und seither habe sie diese lesbischen Gefühle. Olga ist regelrecht überwältigt davon, der Freundschaft einer Nichte von Lion Feuchtwanger würdig zu sein. Schreiben wie ihr Onkel ist auch Felices Traumberuf, und so feilen die beiden an ihrem Stil, indem sie Liebesbriefe komponieren. »Wollen wir mal Gefühl kultivieren«, animiert Fice, und dann denken sie sich fiktive Personen aus, denen sie gefühlvolle Briefe schreiben. Olga hat einen Russen, den sie »Vasja« nennt.

Ostern 1938 wird das Bismarck-Lyzeum zu einer nach Bismarcks Frau, Johanna von Puttkamer, benannten Oberschule für Mädchen ausgebaut. Am 22. Juli werden für Juden Kennkarten mit einem J eingeführt. Im Herbst scheint es nur noch eine »Volljüdin« in der Klasse zu geben. Fice ist in der Tat allein geblieben.

Am 11. Oktober 1938 bekommt Fice ihr letztes reguläres Zeugnis. »Felice hat sich ihren günstigen Platz in der Klassengemeinschaft zu bewahren vermocht«, schreibt Studienrat Gerhardt in der verbalen Beurteilung. Ihr einziges »sehr gut« hat Felice im Fach Englisch.

Leider

Wir sprachen zwar von alten Sagen,
von Kolonien weit entfernt –
auf Englisch nach dem Weg zu fragen,
das haben wir bisher noch nicht gelernt.
Ich hab kein Recht, Kritik zu üben,
ich stell's nur fest so dann und wann
und denke zweifelnd dann an »drüben«,
was damit einmal aus uns werden kann.
Wie soll'n wir das denn mal verwerten?
Das wissen Sie doch selber nicht!
Verehrtes Fräulein Dr. Merten,
Ihr größter Fehler ist Ihr Unterricht!
[9. August 1938]

Doch um die Chancen, nach »drüben« zu kommen, steht es schlecht. Als sich die Lage der Juden durch den Anschluß Österreichs an Hitler-Deutschland im März 1938 verschärft und zunehmend klar wird, daß der Völkerbund nicht in der Lage sein wird, das wachsende Flüchtlingsproblem zu bewältigen, beruft US-Präsident Roosevelt eine Konferenz ein, mit dem Ziel, eine neue internationale Flüchtlingshilfsorganisation zu gründen. Abgeordnete aus 32 Nationen reisen im Juli 1938 in den französischen Badeort Evian-les-Bains. Die Konferenz wird von den USA mit dem Angebot eröffnet, die Quote für Flüchtlinge aus Deutschland und Österreich zur Gänze zu öffnen, eine Chance für 27.370 Menschen. Danach entschuldigt sich ein Delegierter nach dem anderen für die mangelnde Aufnahmekapazität seines Landes. Der britische Delegierte läßt keine Debatte über das britische Mandatsgebiet Palästina zu und gibt zu verstehen, daß das überbevölkerte und von Arbeitslosigkeit gebeutelte Großbritannien nicht in der Lage sei, jüdische Flüchtlinge einzulassen.

Als in der »Reichskristallnacht« im ganzen Deutschen Reich die Synagogen brennen und zehntausende Juden in Konzentrationslager verschleppt werden, reagiert die geschockte Welt kurzfristig mit Sympathie für die Juden. Die

Niederlande, Belgien, Frankreich und die Schweiz lassen Tausende ohne Pässe und Geld einreisen, und auch nach Schließung der Grenzen werden illegale Flüchtlinge nicht abgeschoben. »Ich kann gar nicht glauben«, empört sich US-Präsident Roosevelt, »daß solche Dinge sich in einem zivilisierten Land des 20. Jahrhunderts zutragen können.« Doch als er gefragt wird, ob er sich für eine Lockerung der Einwanderungsgesetze einsetzen werde, beruft er sich auf die Länderquoten, die im Einwanderungsgesetz von 1924 festgelegt wurden.

Seit der »Reichskristallnacht« ist selbst den heimattreuesten Juden klar geworden, daß sie gut daran täten, auf die Heimat vorerst zu verzichten. Wer irgendwie kann, versucht das Land zu verlassen. Doch nach dem 9. November wird das Haavara-Abkommen aufgekündigt, auf dessen Grundlage etwa 30.000 Juden nach Palästina auswandern konnten. Und während in früheren Jahren nach Abzug einer 25prozentigen Reichsfluchtsteuer der Rest des Kapitalvermögens ins Ausland mitgenommen werden konnte, ist seit Juni 1938 jegliche Kapitalausfuhr verboten.

1938 verlassen 140.000 Menschen das Reich. Zurück bleiben vor allem ältere Leute und alleinstehende Frauen. Die Hälfte der jüdischen Bevölkerung ist nun über fünfzig Jahre alt. Frauen zeigen zwar eine größere Bereitschaft als Männer, eine Emigration als Chance zu begreifen, doch den Weg ins Ausland finden wesentlich mehr Männer als Frauen. Die Frauen werden gebraucht, wo die Not am größten ist. Als Gemeindepflegerinnen, Krankenschwestern und Lehrerinnen finden sie Arbeit in den sozialen Wohlfahrtseinrichtungen der jüdischen Gemeinden, von denen immer mehr Menschen abhängig werden. In Gemeinschaftsküchen kochen Frauen für jene, die nicht mehr selbst kochen können. Und die Frauen bleiben, weil sie sich für ihre betagten Eltern verantwortlich fühlen. 1933 sind 52,3 Prozent der deutschen Juden Frauen, 1939 sind es schon 57,5 Prozent.

Am 15. November 1938 findet auch Felices Schulzeit ein jähes Ende. Für Jüdinnen und Juden wird ein Verbot des

Besuchs öffentlicher Schulen erlassen. »Nach der ruchlosen Mordtat in Paris kann es keinem deutschen Lehrer und keiner deutschen Lehrerin mehr zugemutet werden, an jüdische Schulkinder Unterricht zu erteilen«, heißt es im Erlaß des Reichserziehungsministers. »Auch versteht es sich von selbst, daß es für deutsche Schüler und Schülerinnen unerträglich ist, mit Juden in einem Klassenraum zu sitzen. Die Rassentrennung im Schulwesen ist zwar in den letzten Jahren im allgemeinen bereits durchgeführt, doch ist ein Restbestand jüdischer Schüler auf den deutschen Schulen übrig geblieben, dem der gemeinsame Schulbesuch mit deutschen Jungen und Mädeln nunmehr nicht weiter gestattet werden kann.«

Der Restbestand Felice erhält sein Abgangszeugnis »auf Anordnung des Herrn Reichserziehungsministers«, unterschrieben von Klassenleiter Gerhardt und Ober-Studiendirektor Dr. Friedrich Abée. Walther Gerhardt gibt eine letzte Einschätzung: »Felice war eine ruhige und freundliche, begabte und fleißige Schülerin.«

Die weiteren Seiten von Felices Zeugnisheft bleiben leer. Sie ist sechzehneinhalb Jahre alt. Das deutsch-englische Wörterbuch aus der Schulbibliothek läßt sie mitgehen. »Geklaut am 2. II. 38«, steht trotzig mit grüner Tinte auf der Innenseite des Buchdeckels.

Nachruf

Abgangszeugnis, sanft ruht die Karriere,
letzter Akt, der Eisenvorhang fällt . . .
Was ich wirklich mal geworden wäre, wenn –
das bleibt dahingestellt.
Noch ein Jahr, ich wär schon was gewesen,
denn das Abi hätt ich dann gehabt.
Jetzt kann ich in meinem Zeugnis lesen:
ich war ruhig, fleißig und begabt.

Ja, die schönen Tage sind vorüber,
wo ich sanft bei Schillers Glocke schlief,
bis mich Schefflers Glocke (mir viel lieber)
weckte und beglückt zur Pause rief.

Schwänzen, schwatzen, heimlich Briefe schreiben
inclusive Schülerschein – passé.
Abgebaut, verhindert muß ich bleiben
oder auch »Primanerin a. D.« –
[11. September 1939]

Den Mitschülerinnen wird am 16. November 1938 in knappen Worten mitgeteilt, daß Felice ab nun von der Schule fernbleiben wird. Niemand stellt Fragen, aber alle wissen Bescheid. Auch bei Olga stellt sich eine Schrecksekunde ein, die gleich mehrere Wochen dauert. Niemand besucht Felice. Zufällig trifft Olga sie eines Tages auf der Straße. Fice macht einen unglücklichen und verlorenen Eindruck. Olga lädt sie zu sich nach Hause ein. Als Luise Selbach das Leid der Welt im Blick des Teenagers erkennt, öffnet sich unverzüglich ihr mütterliches Herz. Die in »privilegierter Mischehe« lebende Jüdin führt ein strenges Regiment, in das Fice bald als vierte Tochter einbezogen wird. Sie ist kapriziös, witzig und neigt zu theatralischen Auftritten. Ihre Hausmacht stützt sich nicht so sehr auf die Lautstärke ihrer Stimme als auf ihre Fähigkeit zu seelischer Folter. Und sie ist völlig unberechenbar. Mitten im fröhlichen Gelächter kann sie unvermittelt auf irgendwelche alte Sünden zurückkommen, an die keine der Anwesenden sich mehr erinnert. Doch Muttis Friedenauer Wohnung ist auch ein Hort der Wärme und Gastfreundschaft. Mal diskutieren Fice und Olga mit der schönen Klassenkameradin Liesl Ptok tiefernst über die Zukunft der Welt, lesen Marx, Spinoza, Brecht und Tucholsky, mal spielen sie, verkehrt auf den Stühlen sitzend, zu Muttis Klavierbegleitung »Reise nach Jerusalem«. Fice hat ihre Familie wiedergefunden.

Die Johanna von Puttkamer-Oberschule für Mädchen heißt heute Hildegard-Wegscheider-Oberschule. Hildegard Wegscheider war bis 1933 preußische Landtagsabgeordnete der SPD. An die 58 jüdischen Schülerinnen, die 1937 die Schule besuchten, wird weder in der Schulchronik von 1989 noch mit einer Gedenktafel erinnert.

Kleine Anfrage

Steht Ihr manchmal noch im kalten Winter
übersetzend und in Angst und Qual
vor Lateinarbeit und Mathe hinter
einer Nische dicht beim Zeichensaal?

Schleicht Ihr noch so still und heimlich leise
in die Sonne zum Balkon hinauf?
Kriegt Ihr immer noch auf diese Weise
liebe kleine Strafarbeiten auf?

Rennt der Bubi auf den Schulausflügen
immer noch mit D-Zug Schnelligkeit?
Droht die Basche immer noch mit Rügen,
trägt sie noch das Sofadecken-Kleid?
Kommt die Inge Matthie noch zu spät,
wird die Schulordnung Euch noch verkündet?
Und zerreißt die Merten so diskret
immer noch die Zettel, die sie findet?
Schreibt Ihr noch – natürlich, wie es war,
ist es, und Ihr findet's gar nicht schön.
Nur Erinnerung läßt wunderbar
und vergoldet uns Vergangenes sehn.
[Februar 1939]

Auch die Schragenheims beginnen nun, ihre Auswanderung verstärkt zu betreiben. Am 22. Oktober 1938 wird Irene
durch Beschluß des Amtsgerichts Charlottenburg für volljäh-
rig erklärt, und ein »Erbauseinandersetzungsvertrag« zwischen ihr und der minderjährigen Felice wird abgeschlossen.
Mit Stichtag 31. Oktober 1938 sind aus dem Nachlaß des Vaters
folgende Vermögenswerte vorhanden, die je zur Hälfte Irene
und Felice zustehen:

1. Wertpapiere

a) im Depot der Preußischen Staatsbank Berlin im Kurswert
von 94.448,75 RM;

b) 1 Stück Hanotaiah Ltd. Pflanzungs- und Siedl.-Ges. Tel Aviv, Bodenscheine (5% Bodenanleihe von 1934) im Nennbetrag von 814.522 £P. Bei Umrechnung in deutsche Währung unter Annahme eines Mittelkurses für palästinensische Pfund ergibt das einen Betrag von 3.373,64 RM;

c) im Depot bei der Haavara Limited in Tel Aviv auf den Namen der Geschwister Schragenheim: 162 Stck. Kerem-Kajemeth-Leisrael-Debentures zum Nominalwert von 6 £ pro Stück, das sind 972 £P, was einem Wert von 7.916,60 RM entspricht.

2. Schmucksachen im Gesamtwert von 745 RM.

3. Forderungen im Gesamtwert von 2.339,09 RM.

Der Wert der Teilungsmasse beträgt mithin: 106.483,99 RM, also 54.411,54 RM für jede der beiden Geschwister.

Die 162 Debentures im Depot der Haavara Limited werden zugunsten von Felice ungleich geteilt (112:50), um ihr die Einreise nach Palästina zu ermöglichen. Gelingt es ihr, Deutschland zu verlassen, soll Irene der ihr zustehende Teil gutgeschrieben werden.

Zu dieser Zeit ist Irene nach einem zweijährigen Aufenthalt bei Verwandten in Stockholm wieder in Berlin, wo sie, vermutlich bis zur »Reichskristallnacht«, eine Handelsschule besucht. Das Bismarck-Lyzeum hat sie 1936 verlassen, um, so ihr Abgangszeugnis, »eine Schule im Ausland zu besuchen«. 1939 emigriert sie nach London und wird im Februar 1940 probeweise im St. Pancras Hospital als Krankenschwester angestellt. Ihre erste Nachricht aus England, die erhalten geblieben ist und Felice über das Rote Kreuz erreichen wird, ist mit 4. April 1942 datiert.

Am 6. Januar 1939 teilt Felices gerichtlicher Vormund, Rechtsanwalt Edgar von Fragstein und Niemsdorff, Käte Schragenheim mit, daß er mit einer Genehmigung des Teilungsplans

zwischen Irene und Felice durch Devisenstelle und Reichs-
bank rechnet, und listet die Wertpapiere auf, die Felice für eine
gemeinsame Auswanderung mit Käte zur Verfügung stehen.

Am 16. Januar bestätigt die Continental Illinois National
Bank and Trust Company von Chicago dem amerikanischen
Konsul, daß der Arzt Dr. Walter Karewski, Felices Onkel und
Bruder ihrer verstorbenen Mutter, zusammen mit seiner Frau
ein Sparguthaben in der Höhe von 2.091,04 US-Dollar unterhält. Dr. Karewski, der sich in seiner neuen Heimat Walter Karsten nennt, lebt seit Juni 1936 in den USA. Am 20. Januar unterschreibt er eine notariell beglaubigte Bürgschaft (Affidavit) für
Felice, von Beruf »Hausmädchen«, die wegen der »conditions
in Germany« ein Einwanderungsvisum für die Vereinigten
Staaten beantragt. Ein Zusatzaffidavit wird von Jennie L. Brann
unterschrieben, die ihr ganzes Leben in den USA zugebracht
hat und sich als Felices Cousine zweiten Grades in das gelbe
Formular einträgt. Am 18. Januar bestätigt die Treuhand- und
Transfer-Stelle Haavara Limited in Tel Aviv dem »British Passport Officer«, daß die oben genannten in der Anglo-Palestine
Bank Ltd. hinterlegten Debentures zum Gegenwert von 12.000
RM für die beiden Töchter des verstorbenen Dr. Albert Schra-
genheim von ihr treuhänderisch verwaltet werden.

Ab 6. Dezember 1938 dürfen Juden bestimmte Straßen der
Berliner Innenstadt nicht mehr betreten. Teile der Wilhelm-
straße und der Straße Unter den Linden werden mit einem
»Judenbann« belegt.

Gerd Ehrlich

Alles geht vorüber, und auch die Aufregungen im November
38 nahmen ein Ende. Das Leben ging wieder »normal« weiter. Es setzte zwar ein andauernder Massensturm auf die Konsulate ein, aber die Auswanderung wurde einem nicht leicht
gemacht. Man mußte außer der schon schwierig zu erlangen-
den Einreise-Erlaubnis in irgendein Land auch noch eine
Ausreise-Bewilligung der Gestapo haben. In der Kurfürsten-
straße wurde eine Paßstelle eingerichtet, von der man sich

wenig schöne Dinge erzählte. Ich persönlich bin immer
schon bei den Konsulaten stecken geblieben. [. . .] Es war
durchaus kein verzweifeltes Leben, das wir führten. Man hatte noch seine einigermaßen große Wohnung und konnte
sich auf der Straße noch verhältnismäßig sicher bewegen. Es
durfte einem allerdings nicht passieren, daß man schräg über
den Damm ging oder ein ähnliches »Verbrechen« beging.
Dann war man nämlich geliefert. Der Polizist hatte strenge
Anweisung, einen Juden, der sich eines solchen Fehlers schuldig machte, der im allgemeinen mit einer Buße von einer
Reichsmark belegt wurde, streng zu bestrafen. Ich kenne Fälle, wo Juden ins Gefängnis und danach ins KZ gekommen
sind, weil sie eine kleine Verkehrsregel nicht befolgt haben.
Ich selbst wurde einmal von einem Wachtmeister aufgeschrieben, weil ich mit dem Rade in einer verbotenen Straße
fuhr. Aus irgendwelchen undurchsichtigen Gründen hat der
Beamte aber keine Anzeige gemacht; jedenfalls habe ich nie
etwas von der Sache gehört.

Ab 1. Januar 1939 müssen Juden auf allen Ausweisen ihren
Familiennamen die Vornamen Sara oder Israel hinzufügen
lassen. Felice wird zu Felice Rahel Sara Schragenheim. Juden
ist es untersagt, öffentliche Theater, Kinos, Konzerte und Ka-
baretts zu besuchen. Das vom jüdischen Kulturbund betrie-
bene Theater und die Jüdischen Filmbühnen bleiben die letzten Orte, wo Juden sich von der Trostlosigkeit des Alltags
ablenken können. Am 9. Januar wird die von Albert Speer ent-
worfene »Neue Reichskanzlei« eröffnet, am 24. Januar die
»Reichszentrale für jüdische Auswanderung«.
   Die Berliner beschweren sich, daß der Kaffee zu Ende geht.
»Deutsche, trinkt Tee!« werben die Kaffeehändler. Da die An-
ordnungen für Juden bald nur noch im *Jüdischen Nachrichten-
blatt* veröffentlicht werden, wird es den »Ariern« leichter gemacht, die Augen vor dem zu verschließen, was sich vor ihrer
Haustür abspielt.
   »Wenn es dem internationalen Finanzjudentum in und
außerhalb Europas gelingen sollte, die Völker noch einmal in

einen Weltkrieg zu stürzen«, droht Hitler an die Adresse von Washington gerichtet am 30. Januar 1939 in seiner traditionellen Rede zum Jahrestag der Machtergreifung, »dann wird das Ergebnis nicht die Bolschewisierung der Erde und damit der Sieg des Judentums sein, sondern die Vernichtung der jüdischen Rasse in Europa.«

Am 4. Februar 1939 legt Felices Großmutter Hulda Karewski dem Amerikanischen Konsulat das Affidavit ihres Sohns Walter vor, zusammen mit einem Zusatzaffidavit des amerikanischen Staatsbürgers und Kaufmanns Sam Maling, dessen Frau Hazel eine Freundin von Hulda Karewski ist. Sam Maling bestätigt notariell beglaubigt, daß er ein Fünfzimmerapartment im Chicago Beach Hotel bewohnt, über ein monatliches Einkommen von 1.500 Dollar und über einen privaten Besitz im Werte von mehr als 50.000 Dollar verfügt. Er beteuert, immer ein gesetzestreuer Bürger gewesen und niemals wegen eines Verbrechens oder sonstigen Fehlverhaltens verhaftet worden zu sein. Auch gehöre er keiner Gruppe oder Organisation an, deren Ziel die Zerrüttung der staatlichen Ordnung sei. Dasselbe träfe, nach seinem besten Wissen und Gewissen, auch auf die Antragstellerin zu. Die 70jährige Hulda Karewski teilt dem Amerikanischen Konsulat mit, daß sie mit Einschreibbrief vom 22. Dezember 1938 um den Erhalt einer Wartenummer gebeten habe und bittet um Beschleunigung, da ihr Sohn im Besitz von »First Papers« sei und Hulda Karewski im Haushalt dringend benötigt werde.

Ab 21. Februar 1939 müssen Juden mit Ausnahme von Eheringen alle Gegenstände aus Gold, Silber, Platin sowie Perlen und Edelsteine abliefern. Ende April wird das Gesetz über Mietverhältnisse mit Juden erlassen. »Gliedern einer Hausgemeinschaft allein« ist es überlassen, festzustellen, »von welchem Zeitpunkt ab die Anwesenheit jüdischer Mieter von ihnen als Belästigung empfunden« wird. Juden, die ihre Wohnung räumen müssen, werden in »Judenhäuser« eingewiesen. Die Schragenheims müssen aus der Sybelstraße ausziehen und kommen bei Kätes Eltern, den Hammerschlags, unter,

in deren Zehnzimmerwohnung in Berlin-Halensee immer
mehr Juden einquartiert werden.

Umzug

Ultimo der Wohnung fremd und leer
stellt als Rumpelkammer sich nun dar
mit Papier und Fetzen rings umher,
was uns lange Zeit »Zuhause« war.

Scherben bringen Glück – die Chinavasen
glauben endlich auch dran, Gott sei Dank.
Hünenhafte Möbelmänner rasen
unterm Arm Klavier und Bücherschrank.

An der Wand statt Bildern helle Flecke,
Kisten nur als Sitzgelegenheit,
tote, schwarze Drähte an der Decke,
keine Taschenlampe weit und breit.
Möbelpacker gehn in die Destille,
wenn die Wohnung auf der Straße steht,
und dann ist es immer Gottes Wille,
daß ein Wolkenbruch herniedergeht.
Endlich ist es aber doch so weit,
schaukelnd fährt der Möbelwagen fort.
Spricht man später mal von dieser Zeit,
sagt man: »Damals wohnten wir noch dort – –«
                                    [12. Juni 1939]

In der zweiten Märzhälfte 1939 legt Felice an der privaten
jüdischen Waldschule Kaliski in Berlin-Dahlem die Cam-
bridge Proficiency Prüfung in Englisch ab und wartet auf den
Tag X.
    Die Emigrantinnen und Emigranten dürfen zehn Reichs-
mark in bar mitnehmen. Ein Verstoß gegen die Devisenvor-
schriften wird mit Konzentrationslager und Schlimmerem
geahndet. Arische Deutsche, die ins Ausland reisen dürfen,
überschreiten in immer eleganterer Aufmachung die Grenzen, um Pelze und Wertsachen ihrer jüdischen Freunde außer

Landes zu schaffen. In Kellern und Dachböden stapeln »Aufbewarier« jüdischen Besitz.

Die erklärte »Judenpolitik« des Deutschen Reichs ist bis weit in den Sommer 1941 hinein immer noch die Auswanderung aller in Deutschland lebenden Juden. Von den 140.000 im Jahre 1938 Geflohenen nehmen Südamerika 20.000 und Palästina 12.000 legale und eine unbekannte, aber nicht unerhebliche Zahl illegaler Flüchtlinge auf. Vielleicht 30.000 gelingt die Einwanderung in die Vereinigten Staaten. Der Rest bleibt in den westeuropäischen Transitländern stecken: in Frankreich, England, Belgien, den Niederlanden und in der Schweiz. Als klar wird, daß es in Übersee zu wenige Plätze für Flüchtlinge gibt, beginnen die Transitländer ihre Grenzen zu schließen. Zu Zehntausenden werden ausländische Konsulate belagert, doch die Wartelisten sind auf Jahre hinaus gefüllt. Mitte Mai 1939 beschränkt die britische Regierung die Zahl der Einwandererinnen und Einwanderer nach Palästina bis 1944 auf 10.000 jährlich, zuzüglich 25.000 Flüchtlinge, deren Verwandte für sie bürgen können.

Unter jenen, denen die Auswanderung in die Vereinigten Staaten gelingt, ist Felices beste Freundin Hilli Frenkel. In einer Packung Monatsbinden schmuggelt sie den Schmuck von Felices Mutter über die Grenze.

Auf Wiedersehen!!

Früher, wenn mal etwas Komisches war,
sei's witzig, sei's blöde, sei's wunderbar,
kleine nette pikante Geschichten
oder von Merten was zu berichten,
Micha Nußbaums herrlicher Baß
oder ein dämlicher Schulerlaß;
wenn ich irgendwo ganz großen Quatsch gemacht
oder mich mächtig mit sonstwem verkracht,
dann konnt eine innere Stimme befehlen:
das mußt Du sofort der Hilli erzählen!
Vorbei!

                              Jetzt sitz ich ganz allein,
keinen hör ich vor Beifall schrein,
hör nie mehr das alberne Gelach,
nie mehr der Herzensfreude Krach ...
doch dreimal am Tag, wenn was passiert,
wenn ich als Evelyne Corley fungiert
oder die schöne Tschechowa gesehn,
oder ich fand einen Schlager schön –
dann denk ich, das darf sie nicht verfehlen,
das mußt Du gleich der Hilli erzählen! –

Doch warte nur noch ein paar Jahr,
dann ist das alles nicht mehr wahr.
Dann werden wir uns wiedersehn,
und alles, was bis dahin geschehn,
was an kleinen Skandälchen gewesen,
was ich geschrieben, was ich gelesen,
wen ich anrief und wer mir gefällt,
und die besten Witze aus aller Welt,
Manna für unsere albernen Seelen ...
Hilli, das werd' ich Dir alles erzählen!!!

                        [März 1939]

Am 15. März 1939 bestätigt der »Hilfsverein der Juden in
Deutschland«, daß Felice im Februar 1937 vor dem Prüfungs-
ausschuß des Bismarck-Lyzeums die hauswirtschaftliche Prüfung bestanden hat und deshalb »durchaus geeignet [ist], eine
Haushaltsstellung in England anzunehmen«. Aus jener Zeit
im Kochkurs der Klasse U. II. r. g. hat Felices kleines liniertes
Schulheft die Jahrzehnte überdauert, mit Rezepten für Scho-
koladensuppe mit Makronen, gebratenes Kotelett paniert
und unpaniert, holländische Soße, Streuselkuchen, Mürbe-
teiggebäck, Griesflammerie, Kathreiner Malz-Kaffee, Brüh-
suppe mit Eierstich, Wildragout, Apfelbrotsuppe ...

Zukunftsbetrachtung

Ich träume so gerne von meiner Karriere,
von Autos, von Sonne, von Schönheit und Geld,
ich denke an ferne, sehr blaue Meere,
an Journalistik und große Welt.

Anhand des Atlas in fernen Ländern
darf man ja reisen. Ich tu es gern
und weiß, mein Leben wird sich wohl ändern,
und irgendwo steht auch mein kleiner Stern.

Ja, wenn ich nur erst weit draußen wäre –
dann werde ich auch nur weiter träumen,
dann werd ich sie machen, diese Karriere,
doch nur beim Kochen und Zimmeraufräumen.

Es ist gut, daß uns ein Hoffen gegeben,
ein Selbstbetrug, durch den man vergißt,
daß unser Gastspiel in diesem Leben
eine tragische Komödie ist. –

[Mai 1938]

Am 16. März 1939 bestätigt Dr. Israel Ernst Jacoby in englischer Sprache, daß Felice »weder geistig noch körperlich
defekt« sei und an keiner ansteckenden Krankheit leide. Am
1. April muß sie sich im Polizeipräsidium am Alexanderplatz
die Fingerabdrücke nehmen lassen. Am 18. April teilt der Vor-
stand der Jüdischen Gemeinde in der Oranienburger Straße
Felice Sara Schragenheim mit, daß ihre Auswanderer-Abgabe
endgültig auf 2.080 RM festgesetzt wurde, und fordert sie auf,
zur Deckung dieses Betrags ausreichende Wertpapiere in das
Sonderdepot der Jüdischen Gemeinde bei der Commerz-
und Privatbank AG einzuliefern.

Das Wort »verboten« wird uns großgeschrieben,
und was uns heute wirklich noch geblieben
sind gelbe Bänke und die Angst vor morgen.
Kein Baden, Tanzen, Kinovorstellung,
und weder Schmuck noch Gleichberechtigung
dürfen wir haben, höchstens unsre Sorgen.

So ist es also schön hier wegzukommen,
ich hab zu reisen stets mir vorgenommen.
Und trotzdem fahren weinend wir hier raus.
Weil wir den Lebensrhythmus h i e r verstehen,
weil wir für immer und als Fremde gehen,
weil uns die Brücke fehlt – der Weg nach Haus.

[23. Juni 1939]

Am 9. Mai 1939 verständigt das Amerikanische Generalkonsulat in der Hermann-Göring-Straße Irene und Felice,
daß sie auf der deutschen Warteliste unter den Nummern
43015-b und 43015-c eingetragen sind. »Es kann zur Zeit noch
nicht angegeben werden, wann Sie mit einer Berücksichti-
gung Ihrer Angelegenheit rechnen können, jedoch wird
Ihnen diesbezüglich rechtzeitig eine weitere Mitteilung zu-
gehen.«
Am 11. Mai beantragt Felice beim Oberfinanzpräsidenten
Berlin die devisenrechtliche Genehmigung zur Mitnahme
von zwei vierteiligen silbernen Eßbestecken, einem kleinen
Serviettenring, einem Armreifen, einem Salzfäßchen und
einem Nagelhautschieber. Dem Antrag ist eine Liste der Gegenstände beigefügt, die sie bei der Auswanderung im Handgepäck mitzunehmen gedenkt. Sie sind, samt Angabe des An-
schaffungsjahrs, durchlaufend numeriert.

2 Handtücher, 1 Doubléarmband, 1 Plätteisen, 1 kl. Plättbrett, 2
Badetücher, 1 Hut, 1 Regenmantel, 1 Wollweste, 5 Kleiderbügel,
1 Kleid, 4 Blusen, 1 Dtz. Taschentücher, 4 Pyjamas, 1 Regen-
schirm, 2 Kostüme, 2 Büstenhalter, 2 Höschen, 2 Hemdchen,

2 P. Schuhe, 1 P. Hausschuhe, 1 Mantel, 1 Kleiderbürste, 1 Nagel-necessaire, 1 Weckeruhr, 1 lg. Hose, 1 P. Handschuhe, 1 Kappe, 2 Blusenbinder, 1 Handspiegel, 2 Strumpfhaltergürtel, 2 Puder-dosen, 2 Taschenkämme, 1 Nähkasten, 4 Taschenspiegel, 4 Geldbörsen, 1 Handtasche, 1 P. Überschuhe, 1 Anhängeuhr, 2 Gürtel, 1 Morgenrock, 1 Büchschen Grammophonnadeln, 1 P. Laufschuhe, 1 Schreibmappe m. Zeugnissen, 5 Bänder, 2 P. Schuhbeutel, 2 Kragen, 1 Rasierapparat, 2 Pincetten, 1 kl. Pho-toalbum, 3 Lexika, 6 Bücher, 2 Coupéekoffer, 1 Suitcase, 1 Hut-koffer, 1 Aktentasche, 1 Badetuch, 1 Hut, 1 Reiseapotheke, 3 Mullbinden, 6 P. Strümpfe, 3 Stk. Seife, 2 P. Handschuhe, 1 Kappe, 4 Waschbeutel, 3 Waschlappen, 2 Schwämme, 2 Käm-me, 4 Bürsten, 5 Tuben Creme, 3 Tuben Zahnpaste, 4 Büchsen Creme, 4 Pakete Binden, 4 Pakete Waschmittel, 2 Schleier, 4 Päckchen Watte, 10 Lockenwickler, 3 Fläschchen Parfüm, 1 Fläschchen Fleckwasser, 20 Medikamente, 1 Kästchen Clips-nadeln, 4 Kästchen Puder, 2 Lippenstifte, 2 Taschenkämme, 4 Päckchen Klemmer, 3 Päckchen Haarshampoo, 1 Taschen-spiegel, 1 Geldtasche, 1 Flasche Tinte, 1 Bleistiftanspitzer, 4 Blei-stifte, 4 Büchschen Bleistiftminen, 2 Kästchen Briefpapier, 2 Füllhalter, 1 Füllhalteretui, 2 Ausweistaschen, 1 Stopfpilz, 3 Scheren, 3 Gürtel, 2 Kästchen Stopfgarn, 12 P. Armblätter, 2 P. Schuhbeutel, 5 Bänder, 5 Kästchen Sicherheitsnadeln, 2 Ta-schenkalender, 2 Farbbänder, 1 Strumpfbeutel, 1 Ring, 1 Fieber-thermometer, 1 Sonnenbrille, 2 Briefblöcke, 1 Schuhputzka-sten.

Auch die wenigen Bücher im Reisegepäck listet Felice pe-nibel auf:

Ringelnatz: Gedichte, Kaléko: Gedichte, Nelken: Ich an Dich, Klabund: Novellen, Tschechow: Geschichten, Sellar: 1066 and all that, Goetz: Menagerie, Spoerl: Mann kann ruhig darüber sprechen, Kaléko: Lesebuch, Anet: Frauen, Wildgans: Gedich-te, Reimann: Karl May, Wäscher: Gedanken, Guitry: Straße der Liebe, Finck: Kautschbrevier, Slezak: Wortbruch, Kisch: Re-porter, Zellwecker: Seine Tochter, Peter, Maupassant: Bel ami, Prinz: Geschichte, Weinschenk: Schauspieler, Schopenhauer: Bücher, Moissi: Leben, Landauer: Palästina, Wilde: Weishei-ten, Wilde: Stücke, Rilke: Vom lieben Gott, Schellenberg: Ara-bische Nächte, Knaurs Weltatlas, Munthe: Buch v. San Michele.

Nach dem Tod des Vaters haben die beiden Schwestern für ihre Auswanderung je einen Schrankkoffer mit einer Ausstattung für vier Jahre bekommen. Auf dünnem linierten Papier legt Felice Liste um Liste von Kleidungsstücken und Gebrauchsgegenständen an, die ihr für ihr neues Leben unentbehrlich erscheinen. Auf ihrer englischen Schreibmaschine mit dem grünen Farbband führt sie Buch über den Inhalt der »grauen Militär-Eisen-Kiste«, einer der drei Kisten Umzugsgut, die – bei einem monatlichen Lagergeld von RM 4,20 – im Lager der Hamburger Spedition Edmund Franzkowiak & Co. auf die große Reise warten.

Affe, Brotbeutel, 1 P. Socken, 1 P. Skistiefel, 2 P. Skihandschuhe, Skianzug, 1 P. Gummischuhe, 7 Sporthemden, 2 Skibänder, 1 Teufelskappe, 4 Kittel, 1 Schürze, 3 Turnhosen, 3 Turnhemden, 2 Badeanzüge, 1 P. Shorts, Spielhunde, 1 Wollbluse, 1 Strandhose, 6 P. Söckchen, 5 P. Kniestrümpfe, 10 P. Strümpfe, 4 Kästen Binden, 4 Pakete Watte, 8 Kleiderbügel, 1 Leinenkleid, 4 Farbbänder, 5 Tuben Zahnpasta, 1 Bindengürtel, 6 Stk. Seife, 4 Pakete Waschmittel, 2 Rollfilme, 1 P. Hausschuhe, 1 P. Holzpantinen, Schuhnecessaire, 2 Briefblöcke, 25 Kouverts, 1 Glas Eu-Med, 3 Badeschwämme, 6 Mullbinden, 1 FL. Spectrol, 1 FL. Inspirol, 1 Nagelbürste, 3 Pakete Watte, Wäsche, 1 Dtz. Taschentücher, 1 Dtz. Strümpfe, 1 Plätteisen, 1 Budko, 4 Haarshampons, 1 Wimpernwuchs, 2 Kästen Orden, 1 Abendtasche, 1 Pinzette, 1 weiße Handtasche, 5 Pyjamas, 1 P. weiße Shorts, 5 Wäschegarnituren, 2 Büstenhalter, 2 Strumpfhaltergürtel, 1 br. Winterkostüm, 2 P. Strümpfe, 3 Blusen, 1 Rolltuch, 9 Kleiderbügel, 5 Winterkleider, 1 Abendkleid.

Am 30. Mai 1939 wird Felice aufgefordert, beim British Passport Control Office zwecks Einwanderung nach Palästina vorzusprechen. Was dieses Gespräch ergeben hat, ist unbekannt. Am 3. Juni wird der »Schülerin« ohne Schule Felice Rahel Sara Schragenheim ein Paß mit einjähriger Gültigkeit ausgestellt, in den ein großes rotes »J« gestempelt ist. Am 9. Juni bestätigt die Bank J. L. Feuchtwanger in Tel Aviv dem Britischen Generalkonsulat die Hinterlegung der Debentures zu

Gunsten von Felice. Am 13. Juni bekommen Felice und ihre Stiefmutter ein auf ein Jahr begrenztes »Landing Permit« für Australien.

Die Zeiten ändern sich – – –

Früher hat man vom Reisen geträumt,
von sehr blauen Meeren mit Palmen umsäumt.
Heut ist der Blickpunkt ein völlig andrer:
Wir reisen nicht mehr, wir sind bestenfalls Wandrer.

Wer sich früher so manche Reise gönnte,
wünscht jetzt, daß er ruhig hierbleiben könnte
ohne Listen, Lifts und Sprachenlernen,
und wenn er schon reist – nur nach Baedecker-Sternen.

Schrankkoffer, die einst nach Biarritz fuhren,
die machen jetzt ganz andre Touren,
in Länder, die kaum erst entdeckt
und somit völlig unbeleckt
von übertünchter Höflichkeit,
die zwar nicht vornehm, aber weit.

Um das gelobte Land zu suchen,
muß man zunächst mal vorher buchen.
Und fährt, das ist das Ende vom Spiel,
auf Luxusdampfern ins Exil. –
[16. Juni 1939]

Am 7. August 1939 wird Felice das australische Visum in den Paß gestempelt. Am 9. August erteilt die Reichsbankstelle Berlin-Charlottenburg von Fragstein und Niemsdorff ihr Einverständnis, daß von Felices palästinensischen Papieren so viele verkauft werden dürfen, um 200 australische Pfund anzuschaffen, »damit Ihr Mündel das Einreisegeld der australischen Behörde nachweisen kann«. Am 14. August wird die Ausfuhrgenehmigung der von Felice im Mai angeführten Gegenstände um zwei Jahre verlängert. In Felices Nachlaß findet sich eine auf Käte Schragenheim ausgestellte Kopie einer

Passage-Anweisung des Mitteleuropäischen Reisebüros im Wert von 1.268,45 Reichsmark für den Dampfer Australia Star mit Kurs von London nach Melbourne, Abfahrt am 20. Dezember 1939.

Ende August überstürzen sich die Ereignisse. 23. August: Hitler-Stalin-Pakt, 25. August: Unterzeichnung des britisch-polnischen Bündnisvertrags, 26. August: erster Mobilmachungstag. Der Reichstag wird einberufen, die Kinder werden von der Schule heimgeschickt. Sonntag, 27. August: Einführung von Lebensmittelkarten. Jene, die die Schragenheims und Hammerschlags von der Portierfrau ausgehändigt bekommen, sind mit einem roten »J« gekennzeichnet. Es schließt sie von allen Sonderzuteilungen und vom Kauf nichtrationierter Lebensmittel aus. 1. September: Deutsche Truppen überschreiten die polnische Grenze. Frankreich und England machen mobil.

Gerd Ehrlich

> In Deutschland wurde der Krieg sehr ernst genommen, und ich habe nie etwas von dem Hurrapatriotismus gesehen, der im August 1914 geherrscht haben soll. [...] Auf mein persönliches Leben nahm der Kriegsausbruch einen entscheidenden Einfluß. Die Juden wurden in den ersten Kriegsmonaten beinahe wie vollwertige Menschen behandelt. Allerdings so ganz traute man ihnen ja nicht und sicherheitshalber nahm man ihnen, als man das Abhören ausländischer Radiostationen unter schwere Strafe stellte, die Radioapparate weg. Andererseits wurde ich aber zum Hausluftschutz hinzugezogen und bekam den ehrenvollen Posten des Hausfeuerwehrmanns. Die jüdischen Schulen bestanden weiter, mußten aber immer mehr zusammenrücken.

Nach Kriegsausbruch wird die Auswanderung in die USA immer schwerer, weil ausländische Schiffslinien kein deutsches Geld mehr annehmen. Als klar wird, daß die wenigsten Flüchtlinge Verwandte haben, die ihnen die Passage bezahlen

können, beginnen die amerikanischen Konsulate Zahlungs-
bestätigungen von Schiffslinien zu verlangen, ehe sie Visa ausgeben. Außerdem verschärft Washington die Affidavit-
Bestimmungen mit der Begründung des »Mißbrauchs«, so
daß nur zehn Prozent der Menschen auf den deutschen Wartelisten in der Lage sind, ausreichende Unterlagen für die
Erteilung eines Visums beizubringen, wenn ihre Nummer
endlich an der Reihe ist.

Zu Jahresende 1939 leben noch nahezu 80.000 Juden in Berlin. Gleich am 1. September wird für sie eine nächtliche Ausgangssperre verhängt, im Sommer von 21 Uhr, im Winter von
20 Uhr bis fünf Uhr morgens. Im Oktober lernt die Hausgemeinschaft im Luftschutzlehrgang, daß Rassenfremde im
Keller nicht geduldet werden dürfen. Ab Dezember gibt es
für Juden keinen Bohnenkaffee und keine Süßigkeiten. An allen Geschäften und Märkten werden große rote Schilder angebracht: »Juden ist der Einkauf erst nach 12 Uhr gestattet.«
Die Arier scheinen davon unberührt zu bleiben. Trotz Ver-
teuerung von Speisen und Getränken, Verschlechterung des
Biers und Ersatz-Mahlzeiten herrscht in den Cafés und Restaurants hektisches Treiben. Auch die nächtliche Dunkelheit
auf den Straßen, die den Berlinern einen ungewohnt schönen
Sternenhimmel beschert, hält die Menschen nicht davon ab,
allabendlich in die Kinos, Theater und Konzertsäle auszu-
schwärmen. Man sucht Ablenkung und will Geld ausgeben,
Sparen hat keinen Sinn. Frauen tun allerdings gut daran,
männliche Begleitung zu suchen, denn seit Kriegsausbruch
ist die Zahl der im Schutz der Dunkelheit verübten »Sittlich-
keitsverbrechen« drastisch angestiegen.

Am 24. Januar 1940 wird Felices Schwester zwanzig Jahre
alt.

> So ist das ...
> (Für Irene)
>
> Als wir uns selber nur sehr flüchtig kannten,
> da wollten wir in Worten und Gebärden,

so bald wie möglich wie die sogenannten
erwachsenen und großen Leute werden.

Das ließ sich mit der Zeit nicht ganz vermeiden,
wir wurden älter – jeder blieb allein,
und schließlich, ohne daß wir uns verkleiden,
sind wir von »Leuten« kaum zu unterscheiden.
Trotzdem ist das kein Grund so ernst zu sein!

Die Welt ist wie ein Stadtpark im April,
in dem nur frischgestrichene Bänke stehen ...
Man setzt sich öfter, ahnungslos und still,
und viel zu spät kommt einem das Gefühl,
von hinten etwas komisch auszusehen.

Ich gebe zu, so etwas kann sehr kränken,
aber ein Fehler ist, daß Du vergißt,
dann an die Sonne auf dem Weg zu denken,
die scheint, wenn Du von allzu vielen Bänken
auch wirklich schon ein bißchen fleckig bist ...

[24. Januar 1940]

Allmählich beginnt der Krieg das Leben zu beeinträchtigen.
Die Rationierung wird auch auf die Gaststätten ausgedehnt,
die Läden beginnen sich allmählich zu leeren, und der
Schwarzhandel blüht. Ab Februar 1940 werden an Juden
keine Kleiderkarten mehr ausgegeben. Am 28. Februar unterschreibt der Chirurg Walter J. Karsten aus Chicago noch einmal ein notariell beglaubigtes Affidavit für seine Nichte Felice. »Wir sind begierig, Fräulein F. Schragenheim in unserem
Heim zu beherbergen, damit sie uns in der Wohnung und in
unserer Praxis helfen kann.«
    Doch die deutsche Quote ist fast voll. Emigranten
deutscher Herkunft, die von den Transitländern Frankreich,
Belgien, den Niederlanden und England aus ihre Auswanderung in die Vereinigten Staaten betreiben, werden bevorzugt –
ein Entgegenkommen der Amerikaner an ihre Verbündeten.

Gerd Ehrlich

Im Frühjahr 1940 setzte in Berlin eine starke Wohnungsnot ein. Aus den Westgebieten kamen viele Menschen, die dort nicht unbedingt notwendig waren, nach Berlin. Auch zu uns zog eine alte Tante aus Karlsruhe. Einige kleine Luftangriffe, die uns damals schon sehr schwer vorkamen, zerstörten auch ein paar Häuser. Der Erfolg war »Zusammenrücken«. Bei den Juden wurde natürlich angefangen. Wir hatten eine 7-Zimmerwohnung, die wir zu viert mit einem Mädchen bewohnten. Nach und nach mußten wir immer mehr Personen, selbstverständlich alles Juden, aufnehmen. Als wir selbst ausziehen mußten, waren wir 14 Personen in der gleichen Wohnung gewesen. – Zuerst hieß es, daß Juden nur in sogenannten »Judenhäusern« wohnen dürften, und daß diese Häuser von den Ariern geräumt werden sollten. Dieser Plan ist aber nie eingehalten worden, sondern die Juden mußten auch aus den Judenhäusern gehen, wenn einem Parteibonzen die Wohnung gefiel.

Im März macht Olga das Abitur.

Das Zeugnis der Reife
(Für Olga)

Jetzt ist der Vorhang auch für Dich gefallen
mit Lampenfieber, Beifall und Kritik.
Mit Abitur erscheinst Du uns nun allen
gewachsen um ein ganz gewalt'ges Stück.

Student der Medizin – das ist ein Ziel!
Da muß man manchen guten Vorsatz fassen.
(Daß Dir das Zeugnis in den Dreck heut fiel,
das wollen wir als Rückfall gelten lassen.)

Olga, jetzt erwartet die Familie Taten,
die Schule war doch nur der erste Streich.–
Ganz unter uns möchte ich Dir verraten:
Auf alten Lorbeeren liegt man doch nicht weich ...

Mit gleichen Chancen wurden wir trainiert,
dann fing wer an, das Material zu sichten...
Ich hatte Pech und wurde wegradiert,
doch Du sollst mit Erfolg Bakterien züchten!

Du hast schon manches Hindernis genommen,
Lateinarbeiten, Melken einschließlich.
Jetzt bist Du durch das erste Ziel gekommen –
man sieht Dich an und ist sehr stolz auf Dich!–

[März 1940]

Kurz danach findet Olga eine Stelle als Hauslehrerin in Hinterpommern. »Bist du verrückt, was willst du denn dort?« mokiert sich Felice.

Am 10. Mai überschreiten die deutschen Truppen die belgische Grenze. »Der heute beginnende Kampf entscheidet das Schicksal der deutschen Nation für die nächsten tausend Jahre«, verkündet Hitler.

Nach der eher bedrückten Reaktion auf den Beginn der Westoffensive heben die raschen Siege die Stimmung wieder an. Von der Presse werden die Berlinerinnen und Berliner pausenlos aufgefordert, »ruhig wieder ins Theater, ins Kino, ins Konzert oder ins Varieté zu gehen«. Der Winter ist hart gewesen, die Versorgungsstörung so tiefgreifend, daß von Januar bis März die Schulen geschlossen werden mußten. Mit den warmen Temperaturen breitet sich eine leichtlebige Wurstigkeit aus, die vielleicht auch Felice erfaßt haben mag. Mit häufig wechselnden Liebesaffären kompensiert sie ihre blockierten Lebensperspektiven. Felice fühlt sich zu den »Prominenten« hingezogen, die das helle Licht verkörpern, das ihr selbst verwehrt ist. Die Schauspielerinnen, denen sie verfällt, meist erheblich älter als sie, lernt sie durch ihre Stiefmutter kennen, die in Filmkreisen verkehrt.

Irgendwann in der zweiten Hälfte 1940 muß sich Käte Schragenheim nach Palästina eingeschifft haben. Es scheint, als hätte sich Felice in letzter Minute entschieden, die Stiefmutter nicht zu begleiten. Die Aussicht, mit Mulle nach

Palästina zu reisen, dürfte Felice nicht überaus verlockend erschienen sein. Und da ihre Stieftochter ja zu Onkel Walter nach Amerika fahren wollte, mag Käte Schragenheim einigermaßen beruhigt abgereist sein. Es kann aber auch der Sog von Mutti gewesen sein, der Fice überzeugte zu bleiben. In Muttis Sommerhäuschen »Forst« im Riesengebirge hat sie im Kreis der Familie Selbach wunderbare Tage verbracht. Auch ihr weißer Scotchterrier Fips war immer dabei. Der Forst ist als Zufluchtsort vor den Nazis hervorragend geeignet, für Felice aber bedeutet er vor allem Geborgenheit unter Menschen, die ihr die so früh verlorene Wärme der eigenen Familie wiedergegeben haben.

Mutti ist für die Achtzehnjährige eine äußerst wichtige Bezugsperson, teils Mutter, teils unerreichbar Begehrte, von der Felice nachgerade besessen ist, stets voller Angst, sie zu verlieren. Felices Werben um Mutti bleibt zwar unerwidert, doch geschmeichelt fühlt diese sich schon, wenn Felice mit Blumen ankommt und hingerissen an ihren Lippen hängt. Wenn sie dann, wie bei ihren Töchtern auch, Felice zärtlich in den Arm nimmt, glaubt Felice stets aufs Neue, endlich am Ziel ihrer Träume angelangt zu sein. »Was denkst du dir eigentlich?« folgt unweigerlich die schroffe Zurückweisung.

»Muß das denn sein? Schlag dir das aus dem Kopf, du bist ja verrückt«, wird sie oft genug von Olga und ihren Schwestern gewarnt. Doch Felice kann es nicht lassen, fängt immer wieder damit an.

Ihr Brief

> Vielleicht war es nicht fair, den Brief zu lesen,
> doch sicher ist es vorbestimmt gewesen,
> daß ich ihn eines Tages finden sollte,
> um wie in einem bösen schweren Traum
> das schwarz auf weiß zu sehen, was ich kaum
> geahnt hab und auch gar nicht wissen wollte. –

96

Wer hoch steht, fällt nachher besonders tief –
Glauben Sie mir, ich bin durch diesen Brief hinabgestürzt –
man kann nicht ärmer sein ...
Was ich auch tue – zielloses Beginnen,
ich kann ja doch den Zeilen nicht entrinnen
und dem Refrain: Allein, allein, allein. –

Sehr deutlich haben Sie es ausgesprochen
und haben mir ein kleines Glück zerbrochen,
Sie mußten es doch fühlen, durch Verrat! –
Ich war bereit, zu dienen und zu lieben –
nun bin ich doch ein Vagabund geblieben,
der an der Türe stehnzubleiben hat ...

                    [3. August 1940]

Drei Tage später sieht alles wieder anders aus:

Fallende Sterne

Ein kleiner Stern fällt leuchtend durch die Nacht. –
Es muß schon sein, wie sie den Kindern sagen,
daß Sternschnuppen das Schicksal mit sich tragen.
Der kleine Stern hat manches gut gemacht.

Das Leben gibt und nimmt – das Leben schweigt.
Oft wird man nachts noch so am Fenster stehen,
wird fragen, zweifeln und den Weg nicht sehen.
Heut hat ihn mir der kleine Stern gezeigt.–

Ein heller Stern fällt leuchtend durch die Nacht.–
Da fühle ich, ich hab nach langen Stunden
doch aus dem Labyrinth herausgefunden –
Der kleine Stern hat Sie zurückgebracht! –

                    [6. August 1940]

Ist dieses Gedicht, das eine Versöhnung mit Mutti andeutet,
vielleicht ein Hinweis auf Felices wahnwitzigen Entschluß,
das ihr angebotene »Engagement« nicht anzunehmen, über
das sie ihrem Freund Fritz Sternberg schreibt? Der Journalist,

den manche für Felices Geliebten halten, antwortet am 31. August besorgt:

> Was mich keineswegs erfreut hat, ist Deine Behandlung des Engagements, das Dir großzügigerweise angeboten worden ist. Ich möchte sehr gern von Dir erfahren, wie Du Dich nun wirklich verhalten hast. Schließlich kann man darüber nicht so hinweggehen wie Du das in Deinem Brief getan hast.

Ist »Engagement« der Code für Käte Schragenheims Abreise nach Palästina? »Käte kann gar nicht verstehen, wieso Lice in Berlin bleiben wollte und wie alles gekommen ist«, wird Felices Schwester Irene 1949 aus London schreiben.

Im Sommer 1940, als am 13. August die »Luftschlacht um England« beginnt und die Menschen immer häufiger vom Geheul des Alarms aus den Betten gerissen werden, wird es für die Berliner Juden noch enger. Ab Juli dürfen sie nur noch zwischen 16 und 17 Uhr Lebensmittel einkaufen und Parkbänke »Nur für Juden« benutzen. Außerdem – der schwerste Schlag – werden ihnen die Telefonanschlüsse gekündigt. Bis Ende des Jahres müssen die Apparate abgeliefert sein. Am 15. September bereitet Fritz Sternberg Felice auf ihre Rückkehr nach Berlin vor:

> Du wirst, stelle ich mir vor, mit einem wahren Elan die Treppen Deines großväterlichen Hauses hinaufstürzen, die lieben Verwandten hammerschlagartig umarmen und dann selbstvergessen zum Telefon greifen. O rühre, rühre nicht daran, die Stelle, die liebste Stelle wird leer sein. Es ist zu Grabe getragen worden. Kein liebliches Geläute wird je ertönen und Du wirst es auch nicht mehr ertönen lassen können. Es wird still sein, erschütternd still. Während Dich dort Kühe, Ziegen, Hühner und die Ernte von denselben trotz Hagel, Schnee und Regen zu erheitern vermochten, wird hier dasselbe Getier, allerdings ohne Ernte, keinen fördernden Einfluß auf Deine Stimmung haben, weil eben das Wesentliche fehlt, das fünfmal am Tag benutzte Telefon.
>
> Es bilden sich darob eigenartige Verhältnisse heraus. Ich möchte das an einem eigenen Erlebnis schildern. Neulich

schrillt es bei mir in der Werkstatt. Ein elektrischer Funke sprang auf mich über. Fürwahr, ich war gemeint. Lupus am Apparat. Lupus lud mich ein, ihn nebst Frau zu besuchen. Ich sagte freudig zu, weil eben eine telefonische Einladung heute zu den Kostbarkeiten des Lebens gehört. Ich hämmerte also einen Plattfuß hoch, daß es eine Art hatte und rannte von dannen. Doch leider kam ich eine Viertelstunde später als im Überschwang der Gefühle verabredet worden war. Kein Lupus da, Tür verschlossen. Ich pfiff und zwar so, daß ich meinen letzten Milchzahn ins Wackeln brachte, aber nichts regte sich oben. Nach einer halben Stunde schlich ich traurig und beschämt von hinnen. Am nächsten Morgen erhielt ich – zusammen mit Deinem Brief, für den Du bedankt seist –, eine Karte folgenden Inhalts:

Lieber Fritz!
Gestern, Donnerstag, wartete ich von 9.15 bis gegen 9.40 vor der Tür. Meine Frau wäre gern ins Bett gegangen, wenn sie nicht in Erwartung Ihres Besuchs gewesen wäre. Ist es recht, einen alten Mann so lange vor der Tür stehen zu lassen? Ist es kaviermäßig, eine Lady warten zu lassen? Schaffen Sie sich einen Terminkalender an, bessern Sie sich und melden Sie sich.
       Besten Gruß,
           Wf.

Bei aller Objektivität wirst Du mir wohl in Anbetracht der tatsächlichen Verhältnisse zubilligen müssen, daß diese Vorwürfe geradezu die Dinge auf den Kopf stellen. Frau nicht im Bett, alter Mann vor der Tür, Terminkalender ... na, ich muß ja sagen, das geht nun doch etwas zu weit. Aber solche Geschichten können sich eben heutzutage ereignen. Und Du wirst das nun alles ohne Übergang erleben. Denn ich kann ja kaum damit rechnen, daß meine Einführung in die telefonlose Zeit Dir wirklich einen solchen Einblick zu verschaffen vermag, daß Du nicht selbst noch alle seelischen Beschwerden durchzumachen brauchst, die ich auch noch nicht hinter mir habe.

    Nach diesem besonders schwierigen Satz möchte ich schließen. Ende der Woche also bist Du hier. Du wirst mir dann schreiben, wann wir uns sehen können. Darauf wird sich eine ausgedehnte Korrespondenz entwickeln, da ja nicht anzunehmen ist, daß unsere gegenseitigen Termine nun durchaus aufeinander passen. (Frau im Bett, Frau nicht im Bett, alter Mann keine Zeit, alter Mann vor der Tür, Frau wiederum im Bett ... es nimmt kein Ende mehr.)

So werde ich Dich freudig begrüßen. Aber wann, aber wann???

Wohl auch unter dem Druck von Onkel Walter bemüht sich Felice weiter um eine Auswanderung in die USA. Aber seit dem deutsch-französischen Waffenstillstand vom 22. Juni 1940 ist dies noch schwerer geworden. US-Schiffe können nur noch in britischen und portugiesischen Häfen anlegen. Die meisten Emigranten passieren bis Ende 1941 den Hafen von Lissabon. Schiffspassagen über Lissabon werden bis zu neun Monate im voraus gebucht. Immer noch in der Absicht, das »Judenproblem« durch Auswanderung zu lösen, organisieren die Nazis versiegelte Flüchtlingszüge nach Lissabon und zu spanischen Häfen. Die größte Hürde, die es zu überwinden gilt, ist die Angst der Amerikaner vor einer als Flüchtlinge getarnten »Fünften Kolonne«. Ohne eine gesetzliche Grundlage für eine Verschärfung der Kontrollen bei der Visumsvergabe verlegen sie sich im Juni 1940 aufs Verschleppen:

> Wir können die Zahl der Einwanderer in die Vereinigten Staaten temporär verzögern und so gut wie zum Stillstand bringen. Dies ist möglich, wenn wir unsere Konsulate anweisen, den Antragstellern jedes nur mögliche Hindernis in den Weg zu legen, zusätzliche Informationen anzufordern und verschiedene administrative Maßnahmen zu setzen, die die Visumsgenehmigung verzögern und verzögern und verzögern. Allerdings ist dies nur vorübergehend möglich.

Am 29. Juni instruiert das State Department seine Konsularbeamten telegrafisch, alle Ansuchen um dauernden Aufenthalt in den Vereinigten Staaten äußerst genau zu prüfen und die Visumserteilung einzufrieren, wenn es auch nur den »geringsten Zweifel« gibt. »Die Telegramme, die die Einwanderung praktisch zum Erliegen bringen, sind abgeschickt worden«, notiert der zuständige Beamte des State Department zufrieden in sein Tagebuch.

Der US-amerikanische Historiker David S. Wyman schildert ein Beispiel für diese unmenschliche Verschleppungstaktik. Ähnlich mag es Felices Großmutter Hulda Karewski ergangen sein: Ein jüdischer Auswanderer, der in den Vereinigten Staaten als Arzt arbeitet, versucht seit 1939 seine in Wien lebende 70jährige Mutter zu sich zu holen. Nach eineinhalbjähriger Wartezeit auf ihr Visum ist sie im März 1940 an der Reihe. Doch ihr Paß befindet sich zu diesem Zeitpunkt bei den deutschen Behörden. Als sie ihn wiederbekommt, erfährt sie vom amerikanischen Konsulat, daß mit frei werdenden Quotennummern erst im neuen Budgetjahr ab Juli zu rechnen ist.

Im August wird die Frau davon in Kenntnis gesetzt, daß alles in Ordnung sei und es nur noch einer medizinischen Untersuchung bedarf, die für Ende des Monats angesetzt ist. Zum Entsetzen ihres Sohnes wird der Antragstellerin im September mitgeteilt, daß ihr Visum abgelehnt wurde, weil die von den Bürgen vorgelegten Unterlagen nicht ausreichten und ihr Gesundheitszustand zu wünschen übrig lasse. Schließlich gelingt es Freunden in den USA, eine erneute Prüfung der Papiere durchzusetzen, die im März 1941 gebilligt werden, diesmal ohne Erwähnung des Gesundheitszustands der Mutter. Sie erhält ihr Visum und kann ihrem Sohn nachreisen, eine positive Wendung, die Hulda Karewski nicht gegönnt war.

Am 15. Januar 1941 schickt Onkel Walter aus Chicago dem Amerikanischen Konsul in Berlin eine beglaubigte Kopie seiner Steuererklärung für 1940 und drängt auf eine Antwort, wann mit einer Visumserteilung für seine Nichte zu rechnen sei. Walter Karewski hat keine eigenen Kinder, und es ist sein sehnlichster Wunsch, seine beiden Nichten zu sich nach

Amerika zu holen. Onkel Walter mußte in Amerika sein Doktorexamen wiederholen und ist stolz, sich in so kurzer Zeit als Gynäkologe etabliert zu haben. Am 17. Januar kabelt er an Felice: DOLLARS 1000 BOND WIRELESS AT CONSULATE GO OVER IMMEDIATELY HOW ARE TRANSPORTATION TO AMERICA WHO PAYS TICKET = WALTER.

Am 11. Februar stellt American Express dem Amerikanischen Generalkonsulat in Berlin eine Buchungsbescheinigung für die *Marques de Comillas* der Compañia Transatlantica Española von Bilbao nach New York für den 10. Juni aus. Am 19. Februar unterschreibt Felice einen Antrag an den Bezirksbürgermeister von Berlin-Wilmersdorf und an das Finanzamt in Charlottenburg-West auf Ausstellung steuerlicher Unbedenklichkeitsbescheinigungen für Personen, die auszuwandern beabsichtigen. Sie werden ihr am 22. Februar – » Gültig bis auf Widerruf!« – erteilt. Am 20. Februar erklärt sich der Vormund von Fragstein und Niemsdorff damit einverstanden, »daß der meiner Pflegebefohlenen für Auswanderungszwecke ausgestellte Paß ihr direkt ausgehändigt wird«. Am 26. Februar wird Felices Paß um ein Jahr verlängert. Für den 28. Februar wird sie (immer noch Nummer 43015-c) zwischen 10 und 12 Uhr in die Konsular-Abteilung der Amerikanischen Botschaft geladen, um ihr Visum entgegenzunehmen. »Es liegt in Ihrem eigenen Interesse, keine definitiven Vorbereitungen, wie z. B. Haushaltsauflösung etc. zu treffen, bevor Sie nicht im Besitze des Einwanderungsvisums sind.«

Felice erhält das Quota Immigration Visum Nr. 23989 mit Gültigkeit bis 17. Juli 1941. Die schwarzen Abdrücke ihrer zehn Finger werden dem Visum beigefügt. Außerdem liegen bei: eine Einverständniserklärung des Vormunds, ein polizeiliches Führungszeugnis und zwei notariell beglaubigte Leumundszeugnisse, unterschrieben von Harry Israel Hammerschlag aus Berlin-Halensee, Vertreter, und Fritz Israel Hirschfeld aus Berlin-Charlottenburg, Fotograf. Felice, deren »Rasse« mit »Hebrew« angegeben wird, ist fünf Fuß drei Inches groß und wiegt 113 Pfund. Einschiffungshafen ist Bilbao. Am 26. Februar bestätigt American Express, daß das New Yorker Büro zu Gunsten von Felice 300 Dollar für Passagezwecke zur Verfügung hält.

Ab Juli werden die ersten Juden aus dem »Altreich« nach Łódź, Kowno, Minsk, Riga und in den Distrikt Lublin deportiert. Am 1. Juli erhält Felice vom spanischen Konsulat in Berlin ein Transitvisum mit Gültigkeit bis 26. Februar des nächsten Jahres für ihre Reise in die USA mit der *Navemar* am 15. Juli 1941. Am 12. Juli teilt Felice dem Amerikanischen Konsulat »ordnungsgemäß« mit,

> daß mein Einreisevisum nach USA am 18. d. M. ablaufen wird, ohne, daß ich bisher in der Lage war, es auszunutzen.
>
> Es wurde mir aufgrund einer Buchung für das Schiff »Marques de Comillas« erteilt, die ich bei der American Express Company vorgenommen hatte. Da dieses Schiff nicht auslief, buchte ich um und habe seitdem vier weitere Buchungen bei der American Express Company vorgenommen, die teils durch vorübergehende Portugal-Sperre, teils durch Ausfall der Schiffe nicht realisiert werden konnten.
>
> Zuletzt hatte ich auf dem Schiff »Navemar« gebucht, das aber ebenfalls verschoben worden ist, und dessen Abfahrtstermin bis heute noch nicht festliegt, so daß ich es nicht mehr benutzen kann.
>
> Ich wäre Ihnen sehr dankbar, wenn Sie mir mitteilen würden, welche Aussichten auf eine eventuelle Verlängerung des Visums bestehen.

Die Antwort trifft umgehend ein: »Bezüglich Ihrer Anfrage wird mitgeteilt, daß die Bearbeitung von Visumangelegenheiten bis auf weiteres eingestellt worden ist.«

Die deutsch-amerikanischen Beziehungen sind beendet. Am 10. Juli wurden die deutschen Konsulate geschlossen. Drei Tage darauf antwortet Deutschland mit der Aufforderung, alle amerikanischen Konsularbehörden aus den von den Nazis kontrollierten Gebieten Europas zu räumen. Die Hoffnungen tausender Flüchtlinge zerschellen. Zwischen

Juli 1940 und Juli 1941 sind von den 13.000 Deutschen, die in die USA emigrieren, nur 4.000 aus Deutschland selbst. Somit ist die Auswanderungsquote im Vergleich zum vergangenen Budgetjahr um 81 Prozent gesunken.

Für Felice gibt es noch am 21. August einen Hoffnungsschimmer. Die »Abteilung Wanderung« der Reichsvereinigung der Juden in Deutschland teilt ihr mit, daß sie »an dem von den zuständigen Stellen genehmigten 22. Sondertransport jüdischer Auswanderer« von Berlin nach Barcelona am 26. August teilnehmen wird: »Wir bitten Sie, sich den Ausreise-Sichtvermerk über Neuburg/Mosel zu beschaffen.« Doch schon tags darauf kommt die Absage: »Wir bedauern, Ihnen mitteilen zu müssen, daß Ihre geplante Ausreise nicht durchgeführt werden kann, weil die Auswanderung von Frauen und Männern im Alter vom 18. bis zum 46. Lebensjahr verboten ist. Wir stellen Ihnen anheim, dieserhalb bei uns vorzusprechen.«

Zu dieser Zeit mag sich Felice gar nicht in Berlin aufgehalten haben. Denn am 24. August schreibt ihr ein Freund, Hans-Werner Mühsam, auf den Forst:

Meine liebe Lice Fice,
ich war tatsächlich der mich deprimierenden Überzeugung, daß Du mich, betört von dem rauschenden Bächlein oder berauscht von einem menschlichen Toren, vergessen hast, als heute – wie der sattsam bekannte, bei allen Konsulaten, wo ich meine Austreibung bewandere, herumspringende deus ex machina – – Dein freundliches Kärtchen eintraf. Ich kann nur sagen, daß ich Dir gegenüber ein ausgesprochener Individua-list (individua, envie, envy) bin. Wie gern möchte ich mit Dir Holz sägen und schlafen, welch erstere Leidenschaft ich von weiland unserem Kaiser geerbt zu haben scheine, vom Blaubeer-Pflücken und etwas Schärferem-Trinken gar-nicht zu reden! Hast du nicht ein Plätzchen für mich, auch auf die Gefahr hin, daß es an Deinem jungfräulichen Busen ist, im Krieg muß man alles hinnehmen, und so werde ich auch fern von der Zivilisation mit Dir happy sein können und

die Segnungen des H. V. und der Fontanepromenade[7] vergessen. Abgesehen davon, daß ich eine Haussuchung mit stundenlangem Verhör (auf Denunziation hin) hatte, meine sämtlichen Auswanderungsvorbereitungen infolge Schließung der Konsulate der mittelamerikanischen Duodez-Staaten zusammenbrachen, die Rosenstraße sich für mich interessierte (ohne Gegenliebe), mein Magen infolge zu viel Karten-Obstes revoltierte, geht es mir ganz hervorragend und jedenfalls viel besser als im vierten Kriegsjahr 1943.

Auch Fritz Sternberg schreibt Felice, die im Freundeskreis wegen des Fotounterrichts, den ihr Ilse Ploog erteilt, »Stift« genannt wird, einen undatierten Brief, offensichtlich eine Antwort auf ihre Frage, ob ein weiterer Verbleib auf dem Forst ratsam sei:

Stift,
wie ich Dich kenne, willst Du doch von mir bloß eine Bestätigung eines bereits von Dir gefaßten Be- und Entschlusses haben: Du möchtest von mir hören: Bleibe da, trinke weiter Milch direkt von der Kuh, lache ohne Zivilisation und schlafe ohne Rechtschreibung. Wie, so ist es doch? Mehr als eine kleine Rükkenstärkung brauchst Du nicht. Wenn ich wüßte, daß Deine Großeltern stiefmütterlicherseits keinen Besuch hatten und wenn ich genau wüßte, daß sie in absehbarer Zeit auch keinen bekämen, dann würde ich Dir gern diesen Gefallen tun. Aber leider verlieh mir Gott keine prophetischen Gaben und so kann ich nur sagen, daß natürlich ein gewisses Risiko besteht. Ich setze voraus, Du hast Dich abgemeldet – dann ist das Risiko sehr klein oder vielleicht auch gar nicht vorhanden. (Jedenfalls würde ich dann ohne das leiseste Bedenken einer Verlängerung zustimmen.) Aber ist das nicht der Fall, dann könnte, falls es doch noch Besuch gibt – womit man rechnen kann, was aber andererseits wiederum nicht feststeht, was möglich, aber noch keineswegs wahrscheinlich ist – die Sache für Dich und Deine Pflegeeltern unangenehm werden. Ich kann Dir demnach auf Deine präzise Frage nur eine höchst unbestimmte Antwort geben: Hm, tja, ei, ei, na? [...]

7 Arbeitsamt für Juden.

Nachdem ich nun zur Genüge um das mir gestellte Thema herumgeredet habe, komme ich zu dem zweiten Teil Deines Briefes. Da mußt Du mir erst einmal ein paar Erklärungen geben. Was heißt auf gut Deutsch, daß Du es nicht sehr schätzst, über Dich selbst zu grübeln und zu denken??? Und was heißt ebenfalls auf gut Deutsch, daß Du in diesem Jahr ähnliche Gedanken hast wie im vergangenen Jahr? Was ist das wenig Erfreuliche, das Dich in Berlin erwartet? Steht das alles in einem inneren Zusammenhang? Was plagt Dich und was »umwölkt« Dein Gehirn? Du bist, scheint mir, in außerordentlich dunklen Formulierungen hängen geblieben. Mit mir kannst Du doch reden, wenn Du etwas auf dem Herzen oder sonstwo hast. Ich hatte hier schon manchmal den – vielleicht falschen – Eindruck, daß Du mit mir über irgend etwas sprechen wolltest. Also wenn Du willst und magst, so schieße los. Ich bin schließlich – Du merkst hoffentlich, wie meine Brust schwillt – in einem abgeklärten Alter, in dem einen entweder die Weisheit überkommt oder nicht überkommt. Ich stelle anheim, die Probe aufs Exempel zu machen.

Im März 1941 werden 21.000 Berliner Juden ab dem 14. Lebensjahr zur Zwangsarbeit verpflichtet. Nach dem Angriff auf die Sowjetunion am 21. Juni werden an Juden keine Zusatzscheine mehr für Seife ausgehändigt, und die »entrahmte Frischmilch« wird kartenpflichtig. Die Berliner nennen sie »arische Magermilch«, weil »Nichtarier« vom Bezug dieser Köstlichkeit ausgeschlossen sind.

Im Juli beschließt die NSDAP-Führung, die »sachlichen, materiellen und organisatorischen« Voraussetzungen für eine »Gesamtlösung der Judenfrage« vorzubereiten. Im Reichsgesetzblatt wird die Verordnung veröffentlicht, daß alle Juden ab dem sechsten Lebensjahr ab 17. September den »Judenstern« zu tragen haben.

Gerd Ehrlich

Diese Hiobsbotschaft, die mein späterer Stiefvater eines Sonntagmorgens mitbrachte, wurde zuerst ungläubig belächelt. Als Benno dann das Gesetz im Wortlaut vorlegte, sprach meine Mutter sofort von »Lebennehmen« und war nur sehr schwer wieder zu beruhigen. In der Tat hat sich ein Klassenkamerad an diesem Tage vergiftet, und er war nicht der einzige, der zur Verzweiflung getrieben worden war. Unser Kennzeichen, das bald den traurigen Spitznamen »pour le Semite« bekam, bestand aus einem gelben Magendavid mit der Inschrift »Jude«. Dieser »Orden« mußte sichtbar auf der linken Brusthälfte getragen werden und fest am Kleid angenäht sein.

Im Gegensatz zu meinem Freund Ernst, der den Stern nur zur Arbeit anlegte, habe ich ihn bis zur Deportation meiner Eltern immer getragen, da jeder, der bei der Übertretung dieses Gesetzes betroffen wurde, mit sofortiger »Umsiedlung« seiner ganzen Familie zu rechnen hatte. Allerdings hatte der Stern nicht den von den Nazis erwünschten Erfolg. Ich bin nie deshalb angepöbelt worden, und im Gegenteil kam es häufig vor, daß man Juden in den Verkehrsmitteln Platz machte. Die Gestapo sah sich später dazu veranlaßt, derartigen Sympathiekundgebungen durch ein generelles Sitzverbot in Verkehrsmitteln zuvorzukommen. Immerhin war nun ein Untertauchen in der Masse ungeheuer erschwert. Es war nicht mehr möglich, die kleineren Verbote und Verordnungen ohne allzu großes Risiko zu umgehen. Man konnte nicht mehr außerhalb der vorgeschriebenen Zeit in einer fremden Gegend einkaufen gehen, nicht mehr schnell in eine Telefonzelle schlüpfen, schon gar nicht mehr einen arischen Freund aufsuchen.

Auf der Straße kontrollieren Gestapo-Leute mit einem Bleistift, ob der Stern auch fest genug angenäht ist, und warten vor jüdischen Wohnungen, um zu sehen, ob jemand gegen die Ausgangssperre verstößt. Wer fünf Minuten später nach Hause kommt, muß mit einer Verhaftung rechnen. Das Gesetz, das nirgends veröffentlicht ist, wird anfangs von den wenigsten ernst genommen, zumal es sogar an den Polizeirevieren geleugnet wird. Ein Mann, der es wagt, sich nach der Richtigkeit des »Gerüchts« zu erkundigen, wird wegen der Verbreitung von »Greuelmärchen« zu vierzehn Tagen Gefängnis verurteilt.

Seit dem 13. September dürfen Juden öffentliche Verkehrsmittel nur auf dem Weg zur Arbeitsstelle benutzen. Im April
1942 wird ihnen auch das untersagt.

Bald nach Einführung des Sterns hält sich Inge Wolf in Luise Selbachs Wohnung auf. Sie ist mit deren Tochter Renate befreundet, die in der Buchhandlung Collignon in Berlin-Mitte,
wo auch Inge beschäftigt ist, als Sekretärin arbeitet. Es schellt
an der Tür, und Felice wird hereingelassen. Nach kurzem Gespräch klappt sie den Kragen ihres Staubmantels hoch und
zeigt Inge mit einem kleinen unsicheren Lächeln das gelbe
Mal.

»Schön, nicht?«

»Was hast du heute Nacht getrieben?« fragt Inge ihre Freundin Elenai scheinheilig.

Elenai bricht in schallendes Gelächter aus. »Und selbst?
Deine Nasenspitze ist so seltsam gefärbt. Gestehe! Du hast
schon wieder eine neue Braut.«

Inge zieht entschuldigend den Kopf zwischen ihre hochge-
zogenen Schultern und macht große schwarze Kulleraugen.
»Ich gestehe.«

Immer öfter verbringt Felice nun die Nächte bei Inge und
ihren Eltern in der Kulmer Straße in Berlin-Schöneberg.

Wenn Felice sich nicht in ihrer unmittelbaren Wohngegend aufhält, schlägt sie den Kragen ihres Mantels so um,
daß der Stern verdeckt ist, oder sie hält sich eine Mappe vor,
was natürlich beides verboten ist. Das Gefühl, als Gezeich-
nete der öffentlichen Schaulust ausgeliefert zu sein, macht
unsicher, auch wenn sie sich vorgenommen hat, den gelben
Fleck mit Stolz zu tragen. Es gibt Menschen, die sie auf der
Straße anstarren, vielleicht haben sie noch nie bewußt eine
Jüdin gesehen, viel häufiger jedoch schauen die Leute beschämt weg.

Anfang Oktober wird Felice vom Arbeitsamt für Juden in
der Neuköllner Fontanepromenade als Drahtarbeiterin in
der Flaschenverschluß-Fabrik C. Sommerfeld & Co., Strom-

straße 47, Berlin-Moabit, zwangsverpflichtet. Sie muß die Porzellanverschlüsse von Flaschen mit einem starren Draht umwickeln, eine Rackerei, die der an keine körperliche Arbeit gewohnten sicher nicht leicht fällt. Doch Inge hat sie nie klagen hören. In ständiger Lebensgefahr werden Unannehmlichkeiten dieser Art nebensächlich. Die Eintragungen in Felices Arbeitsheft beginnen mit der Woche vom 9. Oktober 1941 und enden genau ein Jahr später. Woche für Woche notiert sie mit Bleistift die geleistete Arbeitszeit und multipliziert sie mit dem Stundenlohn von 46,50 Pfennigen. Nach Abzug von Lohnsteuer, Krankenkasse, Arbeitslosen- und Invalidenversicherung kommt sie in einer 48-Stunden-Woche auf einen Lohn von 16,13 Reichsmark. Am 10. Oktober bescheinigt die Firma:

> Zum Zweck des Einkaufs von Lebensmitteln bescheinigen wir der bei uns als Arbeiterin tätigen Felice Sara Schragenheim, geb. 9. 3. 1922 in Berlin, wohnhaft Berlin-Halensee, Kurfürstendamm 102, daß dieselbe bei uns von 7 – 16 Uhr beschäftigt ist, also die für Nichtarier vorgesehene Einkaufszeit nicht ausnutzen kann.
> Die von uns durchgeführte Überprüfung ihrer Hausgemeinschaft ergab, daß andere Personen, die diesen Einkauf für dieselbe besorgen könnten, nicht vorhanden sind.
> Als Einkaufszeit für Obengenannte ist die Zeit von 17 – 18 Uhr festgesetzt.
> Diese Bescheinigung ist bei Eintritt anderer Verhältnisse oder Abgang vom Betrieb diesem sofort zurückzugeben.

Ende September 1941 wird die Jüdische Gemeinde von der Gestapo aufgefordert, die nach dem Brand in der »Reichskristallnacht« nur angeschwärzte Synagoge in der Levetzowstraße zu einem Sammellager für tausend Personen einzurichten, da zwecks Wohnraumbeschaffung für die arische Bevölkerung die »Umsiedlung« der Berliner Juden unmittelbar bevorstünde. Die Jüdische Gemeinde solle mitwirken, andernfalls würden die Evakuierungen von SA und SS durchgeführt, und man wisse ja, »wie das dann werden würde«. Es leben ungefähr 73.000 Juden in Berlin, mehr als vierzig Prozent aller Juden des »Altreichs«.

Am 18. Oktober verläßt der erste Transport mit über tausend Berliner Juden den Güterbahnhof Grunewald in Richtung Łódź.

Anfangs machen die Deportationen den Eindruck einer geordneten Ausreise. Etwa zwei Wochen vor dem Termin erhalten die Betroffenen die »Listen«: In einem Anschreiben wird ihnen mitgeteilt, an welchem Tag die »Abwanderung« erfolgen wird. Der Aufforderung, sich zu einer bestimmten Zeit im Sammellager einzufinden, liegt ein ausführliches Merkblatt bei, eine Liste von Gegenständen, die mitgenommen werden dürfen und eine Anweisung, wie die Wohnung zu hinterlassen ist. Auch alle in der Wohnung zurückbleibenden Sachen sind in Listen einzutragen. Im Sammellager müssen die Menschen oft tagelang warten, bis tausend Personen zusammengekommen sind. Es gibt Decken, Strohsäcke und einige Matratzen, und die Angestellten der Gemeinde verteilen Suppe und Brot. Wenn die Laster-Kolonnen von der Levetzowstraße zum Bahnhof Grunewald fahren, wartet auf die menschliche Fracht ein leerer Zug, anfangs mit alten Personenwagen, später mit unbeheizten Güterwagen oder Viehwaggons. Oft dauert es Stunden, bis der Zug abfährt. Im Melderegister werden die Menschen als »Unbekannt verzogen« abgemeldet.

Gerd Ehrlich

> Anfang Oktober erhielt ich einen eingeschriebenen Brief: »Ihre Wohnung ist zur Räumung bestimmt. Bitte wollen Sie sofort im Gebäude der jüdischen Gemeinde Zimmer 26 vorsprechen.« Ein gleichlautendes Schreiben hatte unser Untermieter, der mit mir zusammen verhaftet gewesen war, erhalten. Da meine Mutter mit einer schweren Magenoperation im Krankenhaus war, begab ich mich also am folgenden Morgen in die Oranienburger Straße, wo man mir einen seiten-

langen Fragebogen zum Ausfüllen in die Hand drückte. Jedes einzelne Stück des Wohnungsinventars war anzugeben, und eine Reihe von anscheinend zur Umsiedlung bestimmte Fragen war zu beantworten. Ich erklärte der mit mir verhandelnden Dame, daß ich mich durch die Krankheit meiner Mutter außerstande sehe, so ein wichtiges Dokument auszufüllen, und bat meinen Rechtsvertreter, Benno W., zu benachrichtigen. Benno arbeitete als Mitglied des Gemeindevorstandes gerade im Gebäude, und ich wurde zu ihm geführt. Er war furchtbar entsetzt, daß wir auch diesen Wisch bekommen hatten, und von ihm hörte ich zum ersten Mal unter dem Siegel der tiefsten Verschwiegenheit, daß es sich um eine von der Gestapo verordnete Maßnahme handele, die wahrscheinlich mit einer sofortigen Verschickung gen Osten verbunden sein würde. Er sprach mit der meinen Fall behandelnden Dame und erfuhr, daß bei uns wahrscheinlich jede Hoffnung vergebens sei, da ich auf einer von der Burgstraße gekommenen Liste mit dem Vermerk »asozial« stände, d. h. daß ich politisch verdächtig sei. Nach einigen angstvollen Tagen, während denen ich mich immer abwechselnd hinter die Krankheit meiner Mutter und die hohe Stellung meines zukünftigen Stiefvaters versteckte, erreichten wir dann eine Streichung von den schon zusammengestellten Transportlisten. Der Untermieter, Herr Schwalbe, wurde eines Abends von zwei Beamten mitsamt seiner ganzen Familie abgeholt und in das Sammellager Synagoge Levetzowstraße gebracht. Von dort ging dann der Transport, etwa 1000 unglückliche Menschen, weiter nach Łódź, von wo wir die letzte Nachricht hatten. Schon nach sechs Wochen kamen Pakete mit dem Vermerk »verstorben« zurück. Diesmal war ich noch einmal davongekommen, aber seit Oktober '41 schwebte jede jüdische Familie in Deutschland in ständiger Angst vor einer »Kündigung«.

Ab dem ersten Transport am 18. Oktober geht eine Zeit lang jede Woche ein Transport mit unbekanntem Ziel in den Osten. Das mit Felice befreundete Ehepaar Zivier wohnte in der obersten Etage eines prachtvollen Hauses in der Trabener Straße, mit dem Blick direkt auf den Bahnhof Grunewald.

> Es muß so um 11 oder 12 Uhr vormittags gewesen sein. Ich kam
> vom Kaufmann am Bahnhof, und da kam mir dieser Zug mit
> Frauen und Kindern entgegen. Das war sehr traurig. Die muß-
> ten an der Erdener Straße aus den Lkws aussteigen und liefen
> die Straße entlang auf dem Damm. Sie gingen in Achter- oder
> Zehnerreihen, Frauen mit ihren Kindern, die sie an der Hand
> hielten. Sie wurden hier zum Bahnhof Grunewald gebracht und
> kamen dann in die Züge. Das war das einzige Mal, daß ich das
> gesehen habe, sonst haben sie sie ja immer bis in den Bahnhof
> hineingefahren. Ein ganz langer Zug war das. Die Leute auf der
> Straße, die das gesehen haben, haben sich eigentlich geschämt.
> Aber man konnte ja nichts machen, da waren ja Leute mit Ge-
> wehren daneben. Aber ich bin zu der einen hin und hab ihr die
> Hand gedrückt. Man guckte sich um, und wenn die Bewachung
> ein bißchen weiter weg war, dann konnte man das schon. Ich
> bin dann schnell raufgelaufen und hab nochmal von meinem
> Fenster aus runtergeguckt. Und dann sah ich, wie die reinge-
> schubst wurden in die Güterzüge. Die mußten sehr schnell rein.
> Ich hörte die Bewacher, wie die geschrien haben. Das war nicht
> schön.

Vergeblich versuchen viele, mit Hilfe ihres Arbeitgebers
eine Streichung von der Liste zu erwirken. Erst Ende Januar
1942 setzt die »Reklamation« ein. Firmen bescheinigen ihren
jüdischen Arbeitern, daß sie in einem wehrwirtschaftlich
wichtigen Betrieb beschäftigt und deshalb vorläufig von der
»Umsiedlung« auszunehmen sind. Nicht immer läßt sich die
Gestapo davon beeindrucken, und es vergehen angstvolle
Stunden des Wartens im Sammellager, ehe es dem einen oder
anderen Betriebsleiter mit ausreichend Einfluß gelingt, seine
billige Arbeitskraft zurückzubekommen.

Auch Felice erhält am 25. August 1942 von ihrer Firma
C. Sommerfeld & Co. eine solche Bescheinigung.

> Wir bescheinigen hiermit, daß Fräulein Felice Sara Schragen-
> heim, Berlin NW 87, Claudiusstraße 14, bei uns als Drahtar-
> beiterin beschäftigt ist.

Unser Artikel »Flaschenverschlüsse« ist aufgrund der Ziffer F 5 der Ausführungsbestimmungen vom 21. 10. 40 zu dem Erlaß des Vorsitzenden des Reichsverteidigungsrates über Dringlichkeit der Fertigungsprogramme (ADFW) als kriegswichtig anerkannt. Ein Entzug von Arbeitskräften, die für die Herstellung des gesicherten Erzeugnisses benötigt werden, soll möglichst nicht erfolgen.

Außerdem haben wir neben mittelbarem Heeresbedarf und Exportauftrag für Wehrmachtsteile nach Griechenland z. Zt. eine Sonderauflage des OKH erhalten.

Die obengenannte Facharbeiterin ist an der Herstellung der Flaschenverschlüsse maßgeblich beschäftigt.

gez. R. Preiß

Aufgrund von Verhandlungen am 25. 8. 42 mit dem Arbeitsamt Berlin, Einsatzstelle für Juden, Berlin SW 29, Fontanepromenade 15, wurden obige Gründe anerkannt, und sollen die bei uns beschäftigten jüdischen Arbeitskräfte von der Evakuierung vorläufig zurückgestellt werden.

gez. R. Preiß

Ab 21. Dezember 1941 dürfen Juden keine öffentlichen Fernsprecher benutzen, ab 17. Februar 1942 keine Zeitungen und Zeitschriften kaufen, ab 22. April keine »arischen« Friseure aufsuchen.

Gerd Ehrlich

Neben den ständig weitergehenden Deportationen, die große Lücken in den Freundeskreis rissen, wußten die Nazis uns durch kleine Nadelstiche das Leben schwer zu machen. Friseurverbot, Fleischkartenentzug, Kuchenentzug etc. etc. sind diese unangenehmen Verordnungen. Die einschneidendste Maßnahme war das Fahrverbot, das im Mai ’42 erlassen wurde. Kein Jude durfte mehr mit einem Berliner Verkehrsmittel zirkulieren, es sei denn mit einer besonderen gelben Ausweiskarte. Diese Karten bekamen nur Rüstungsarbeiter, die mehr als sieben Kilometer, d. h. eineinhalb Fußstunden, vom Arbeitsplatz entfernt wohnten. Wehe dem armen Teufel, der bei einer mißbräuchlichen Benutzung der Erlaubnis betroffen wurde. Jeder, der sich erwischen ließ, einen anderen Gebrauch dieser gelben Karte, die dem Konduktor beim Lösen des Billets vorzuweisen war, gemacht zu haben, war mit sofortiger Deportation, was ja der Todesstrafe gleichkam, bedroht. Stundenlange Wege habe ich an freien Sonntagen gemacht, um einen Freund oder ein nettes Mädchen zu besuchen.

Unter all diesen Umständen ist es kaum verwunderlich, daß selbst einem jungen Menschen das Leben nicht mehr lebenswert erschien, und die Selbstmorde stiegen in erschreckendem Maße. Niemand war sicher, seine Lieben beim Nachhausekommen von der Arbeit noch vorzufinden. Die Mahlzeiten, die den schwer arbeitenden Mann oder die 10-12 Stunden an der Maschine stehende Frau erwarteten, bestanden aus Kohl und Kartoffeln. Jedes andere Gemüse oder gar Fleisch und Eier waren nur durch Freunde oder auf dem schwarzen Markt für uns zu haben. Selbst ein junger, lebenslustiger Dachs wie ich sehnte ein Ende dieser Schrecken ohne Ausweg herbei. Später habe ich mich oft gefragt, warum wir so lange passiv zugesehen haben, wie man Woche für Woche 1000 und mehr Menschen mit unbekanntem Ziel in Viehwagen verlud; wie uns trotz schwerster Arbeit noch das Leben durch kleine Schikanen vergällt wurde. Ich glaube, es war die ungeheuer geschickte Taktik der Gestapo-Bestien (die in einem langsamen Abdrosseln bestand, und uns gewissermaßen auf immer noch Schlimmeres vorbereitete, so daß jede vorübergehende Verordnung noch als leicht tragbar erschien), die uns von einem offenen Aufstand abhielt. Jeder hegte in sich die Hoffnung, daß er zu den wenigen Überlebenden gehören möge. Außerdem war uns ja jede Möglichkeit zu einer offenen Aussprache, die vielleicht mit der Gründung einer Art Widerstandsbewegung geendet hätte, genommen. Auch in unseren Reihen befanden sich zahlreiche Verräter, die hofften, durch Denunziationen ihre eigene Haut zu retten. Kurz, es gab vorläufig kaum jemanden, der zu revoltieren wagte.

Gleich nachdem meine Klasse das Abitur bestanden hatte, waren wir Jungen übereingekommen, uns auch noch weiter jede Woche einmal zu sehen. Unser ehemaliger Deutschprofessor hatte sich erboten, uns jeden Sonntagvormittag Philosophie-Unterricht zu erteilen. Das war der Ursprung unserer kleinen Widerstandsgruppe, die aber erst Mitte 1942 sich richtig zu diesem Ziel zusammenfand.

Irgendwann im Sommer 1941 verläßt Felice die Wohnung der Hammerschlags am Kurfürstendamm, in der sie sich nie wohl gefühlt hat, und zieht zum Orthopäden Dr. Kurt Hirschfeld nach Moabit, dessen Anschrift den Vorteil hat, in unmittelbare Nähe von Sommerfeld & Co. gelegen zu sein. Als »Krankenbehandler« für Juden betreibt Hirschfeld eine Praxis in Charlottenburg. Wann immer sie Zeit hat, wartet Inge vor dem Fabrikstor auf Felice, um mit ihr zur Claudiusstraße zu schlendern. Ende des Jahres meldet sich Felice bei ihrer Großmutter Hulda Karewski und deren Bruder Julius Philipp in der Prager Straße an. Und immer noch steht ihr bei Bedarf eine Kammer in der Friedenauer Wohnung der Selbachs zur Verfügung.

In Felices Nachlaß befindet sich eine Postkarte, die sie am 3. Januar 1942 einer Frau Edith Blumenthal ins Ghetto von Łódź (Litzmannstadt) geschrieben hat:

Liebe Edith,
ich habe schon lange versucht, Ihre Adresse zu erfahren, und freue mich, daß ich sie jetzt habe und weiß, wie es Ihnen geht. Mit gleicher Post schicke ich RM 15,– an Sie ab, was ich so oft wie möglich regelmäßig wiederholen werde. Bitte geben Sie mir, wenn Sie können, doch Nachricht, ob ich das Geld direkt an Sie oder besser zu Ihrer Verfügung an die Stadtsparkasse in Litzmannstadt senden soll.
Mir geht es soweit gut. Ich habe eine sehr angenehme Stelle mit netten Kolleginnen.
Übrigens bin ich umgezogen, ich wohne jetzt bei meiner Großmutter, aber da ich auch weiterhin bei H.'s essen werde, können Sie ruhig dorthin schreiben.

Die Postkarte kommt mit einem Stempel versehen zurück: »Zurück. In der Straße des Empfängers findet z. Zt. keine Postzustellung statt.«

Bis zum 16. Januar 1942 haben Juden, die in der Öffentlichkeit den Judenstern tragen müssen, ihre Pelz- und Wollsachen abzuliefern. Angesichts der am 20. Januar in der Wannsee-Konferenz beschlossenen »Endlösung« wird jede Auswanderung von Juden aus dem Reich gestoppt.

Zu Irenes Geburtstag am 24. Januar schreibt Felice über den Auslandsdienst des Deutschen Roten Kreuzes eine Nachricht von 25 Worten an ihre Schwester, die in England in einem Kinderhospital als Krankenschwester arbeitet:

Mein Liebes,
immer und ganz besonders heute denke ich an Dich und wünsche, daß uns die Madonna lächeln möge!
Tausend Küsse von
Deinem PUTZ

Die Antwort auf der Rückseite des Formulars ist mit 4. April 1942 datiert:

Mein geliebter Putz,
meine neue Stellung ganz gut. Mulle ohne Nachricht von Euch. Denke viel an Dich und Großmutter.
Tausend Küsse
Dein geliebtes kleines Mädel
Irene

Im März beginnt die Royal Air Force deutsche Städte mit Flächenbombardements zu überziehen.

Wenn mit schweren Schwingen
ein dunkler Schatten droht, kalten Hauch zu bringen
wie ein Stück vom Tod,

stehn im Raum gefangen
Worte sinnlos da.
Ist dann der Schatten vergangen,
schaudert man nur: »Beinah-«,

spürt dankbar wie eine Legende
das Leben wieder hell –
und nur das Herz schlägt noch hart und schnell,
und ein wenig zittern die Hände.
[19. März 1942]

Die Berliner Bevölkerung wird mit dem Hinweis beruhigt, daß »Judenwohnungen mit kompletter Einrichtung« »schnell freigemacht« werden können. Die Räume der »Abgewanderten« werden versiegelt, das Eigentum preisgünstig versteigert. Ab 15. April müssen Juden ihre Wohnungen mit dem »Judenstern« kennzeichnen.

Irgendwann in der ersten Hälfte 1942 lernt Elenai Pollak Inges Freundin Felice kennen. Sie sind beide neugierig aufeinander, haben aber auch Angst voreinander.

Elenai Pollak

Als ich sie das erste Mal sah in diesem kleinen komischen Café am Winterfeldplatz, hatten wir eine ungewollte, seltsam traurige und fremde Unterhaltung miteinander. Ich hatte sie bereits aus der Ferne gesehen und sah jetzt ihr Gesicht. Schöne Augen hatte sie und einen faszinierend großen herben Mund. Felice oder so ähnlich hieß sie. Ich wagte einfach nicht, sie nach ihrem Namen zu fragen, weil es mir sinnlos erschien in dieser Stunde dieses nun endgültigen Nicht-mehr-dorthin-Kommens nach Namen und Adresse zu fragen. Trotzdem bemerkte ich, daß sie wohl darauf wartete. Das Gespräch fing so belanglos an. Sie hatte sich die Zeitung vom Haken geholt, und mich wurmte es, daß sie diese blöde Goebbels-Seite-Durchhaltepropaganda-Verse las, daß ihr nichts Besseres einfiel an diesem Abend. Und fast wäre ich schon gegangen, wenn sie nicht plötzlich das Papier zusammengefaltet hätte und mich fragte, ob ich Stella kenne. Die Überraschung war groß. Stella war das rothaarige Mädchen, das am meisten gefürchtet wurde. Sie zeigte die untergetauchten Juden an und bekam dafür lebenslänglich Freiheit. Und Stella war eigentlich auch nur den Untergetauchten bekannt. Im Augenblick wußte ich nicht, ob sie mich auf die Probe stellen wollte oder ob sie selbst eine Spitzelin war. Aber sie machte eine so sanfte Bewegung mit der Hand, fast zärtlich zu mir herüber, daß alles Mißtrauen verschwand. »Ich kenne Stella«, sagte ich, »aber ich kenne dich nicht.« Und ich duzte sie einfach. »Und ich weiß nicht, was du willst.

Aber wenn du in der gleichen Lage bist, Schwester: Ich habe gelernt, keine Angst zu haben, und auf Menschen zuzugehen. Du kannst Vertrauen haben, wenn du willst.« Sie hatte Vertrauen. Solange wir nebeneinander saßen, gab es kaum etwas, was trennte, und fast alles, was ich auch erlebt habe. Nach einer Zeit hörte ich gar nicht mehr ihre Sätze, sondern nur noch die Stimme, wunderbar gleichmäßig, klangvoll und ziemlich tief. Und diese Stimme trieb mich aus der Wirklichkeit und komischerweise zwischendurch nach Altvorden, wo ich plötzlich Andreas und Ursula sah. Sie saßen da, so behaglich wie immer bei ihrer Bibel und bei den Kindern, daß ich mich wunderte, ob der Krieg nicht schon vorbei sei. Und plötzlich erwachte ich wieder und bemerkte, daß Felices Stimme auf einmal gar nicht mehr so gut klang. Das heißt, sie klingt gar nicht mehr. Sie schweigt. Daß ich ihre Geschichte kannte, war völlig selbstverständlich. Es ist unser aller Geschichte in dieser Zeit gewesen. Aber ihr Schweigen hatte einen anderen Grund. Sie wollte nicht wissen, was ich zu sagen hatte, es war auch nicht das Ende ihrer Geschichte, sondern es war dieses »Ich weiß nicht, warum man sich dann doch nicht alles sagt«. Es war ja ebenso lebensgefährlich. Und vielleicht fand sie unsere Geschichte inzwischen langweilig. Sie berührte auch mich nicht mehr. Es ist wie mit dem Sterben, wenn ich weiß, daß es geschieht, ist es selbstverständlich wie das Leben. Ich wußte nicht ganz, ob sie Trost wollte oder nur Unterhaltung, aber ich hatte auch keine Lust danach zu fragen. Ich fand es besser, mit ihr noch ein bißchen die Hohenstaufenstraße langzulaufen. Beim Gehen fällt mir manchmal noch was ein. Sie nickte, und wir bezahlten und gingen, zunächst schweigend und ohne Ziel. Dann fing es an zu regnen, und das beflügelte meine Phantasie. Ich fühlte mich plötzlich sehr leicht und entspannt und war bereit, alles andere zu vergessen. Aber es war noch etwas anderes: Ich wußte, ich werde sie vielleicht nicht mehr sehen, daß dieser Tag so enden wird, wie er begann. So unbemerkt. Ohne daß ich ihn mir merken wollte.[8]

8 Aufgeschrieben Ende der 50er Jahre.

Elenai ist nach den Nürnberger Gesetzen Volljüdin: Sie hat drei jüdische Großelternteile. Weil ihre »halbjüdische« Mutter in zweiter Ehe mit einem »Arier« verheiratet ist, dessen Namen sie trägt, ist Elenai der gelbe Stern erspart geblieben. Sie besucht eine jüdische Privatschule, wo sie nach ihrem Rausschmiß aus der öffentlichen Schule das Abitur nachholen möchte. Die Begegnung im Café am Winterfeldplatz ist der Anfang einer innigen Freundschaft zwischen Felice und Elenai, mit einer unklaren Grenze zwischen erotischer Anziehung und schwesterlicher Vertrautheit. Zusammen mit Inge sind sie andauernd unterwegs, um irgend etwas zu organisieren. Jeder Mensch, den Inge kennenlernt, wird sofort darauf abgeklopft, ob er behilflich sein kann, das Überleben von Felice und Menschen in ähnlicher Lage zu erleichtern: eine Unterkunft für ein paar Nächte, Lebensmittelmarken, Medikamente, Ausweise, Fluchtperspektiven. Und Inge lernt in einem fort Menschen kennen, die ihrer Fürsorglichkeit bedürfen. Elenai ist beeindruckt von Felices Organisationstalent und ihrem eisernen Überlebenswillen. Wo sie nur kann, zockt sie ab, unter massivem Einsatz ihres Charmes, macht aber gleichzeitig den Eindruck einer ziellos wandernden, sehr einsamen und verschlossenen Person.

Im Frühjahr gibt es wieder Ärger mit Mutti. Aus dem langen Brief, den eine wütende Felice am 20. März 1942 an Olga schreibt, geht hervor, daß Felices Freund Fritz Sternberg deportiert worden ist: »Von Fritz haben wir zwei Geldbestätigungen bekommen. Er lebt also, wenn wir auch nicht wissen, unter welchen Verhältnissen.« Dem Brief ist andererseits zu entnehmen, daß Luise Selbach sich verzweifelt darum bemüht, ihre jüdische Herkunft zu verschweigen:

Montag war der siebente Todestag meines Vaters, und da ich vom Laden aus gute Verbindung habe, fuhr ich, ungern wie immer, auf den Friedhof. H's hatten mich gebeten, nach dem frischen Grab einer Mieterin von ihnen zu sehen, da sie die Pflege bezahlen. Als ich also mit meinem fertig war, stellte ich fest, daß an dem betr. Grab natürlich nichts gemacht war und ging zum Ausgang. Dabei sah ich durch Zufall das Grab Deiner Großmutter, und es machte einen trostlosen Eindruck. Dem ist abzuhelfen. Ich erzählte also Renate ganz beiläufig davon, da ich dachte, daß doch wenigstens das jetzt einigermaßen offiziell sei. – Am nächsten Tag war Mutti telefonisch vergnatzt. Mein Gewissen war rein, weiß Gott, selten. Abends hatte ich mir in der Kammer gerade mein Bett gebaut, als mir das wieder einfiel. Mutti hat dann bis gegen zwölf in der Tür der Kammer gestanden, ich lag im Bett und mußte hören, daß ich ihr nachspioniere! Es gebe eben Sachen, die ich nicht wisse, und da hätte ich nicht zu fragen, und es seien da Dinge, die sie gehört habe, von denen sie aber nicht sprechen könne, und ich solle vorsichtig sein. Peng. Ich wußte noch immer nicht, um was es sich handeln könnte. Eine Nacht und anschließend neun Stunden im Betrieb hatte ich ja aber Zeit, darauf zu kommen. Und da, Olga, habe ich den Entschluß gefaßt, endlich Klarheit zu schaffen. Ich konnte es nicht mehr aushalten, wenn Du das verstehen kannst, diese ewige Angst, irgendwo anzustoßen, die ewige Nervosität, etwas Falsches zu sagen. Außerdem entnahm ich aus all dem, daß Mutti tatsächlich meint, ich wüßte nichts, und es schien mir, als löge ich fortgesetzt, wenn ich das Theater mitmache. Kennst Du das Gefühl des Angelogenwerdens, dieses Gefühl, als stände man in einem dunklen Raum und fürchte sich, auch nur einen Schritt weiterzugehen, weil man sonst irgendwo hineinfallen könnte? Kennst Du die Angst: nicht fragen, damit man nicht belogen wird. Und kennst Du das Gefühl, die Wände hochklettern oder sonst etwas Wahnsinniges tun zu müssen, wenn ein Mensch, für den Du alles tun würdest, Dir sagt, Du solltest vorsichtig sein, und – Du spionierst ihm nach?

All das habe ich Mutti zu erklären versucht. Ich habe gestern mit ihr darüber in aller Ruhe sprechen wollen, mit offenen Karten und jeder vorausgesetzten Ritterlichkeit. Tja, und da sprach sie zunächst mit einer an ihr nie gekannten Geschwindigkeit von halb und gar nicht und viertel und Amt und Bestimmung und nicht zutreffend, daß mir ganz schwindlig wurde. Und dann fiel ihr plötzlich etwas ein, und sie fragte mich, ob sie vielleicht verpflichtet sei, mir alles zu erzählen. Peng. Ich sprach von etwas Vertrauen, daß ich doch wohl auch erwarten dürfe, nach all dem –. Und ich versuchte ihr ebenfalls dieses Gefühl des Angelogenwerdens zu erklären. Und das hätte ich nicht tun sollen. Denn da hörte Mutti nur das eine heraus, daß sie mich angelogen hätte, und da wollte sie mich rausschmeißen. [...]

Ich habe versucht, ihr zu erklären, wie das ist, wenn man Angst um jemanden hat, der das selbst gar nicht möchte. Sie sagte etwas hochmütig, das sei aber durchaus nicht nötig gewesen. [...] Jedenfalls trennten wir uns dann so, daß Mutti »es sich unter diesen Umständen und nach dem Vorwurf, den ich ihr gemacht hätte, noch sehr überlegen müsse, wie das alles weitergehen solle«.

So, Olga, das ist der Tatbestand, und Tatsache ist ferner, daß das wohl das Allerletzte wäre, das mir gefehlt hat. Das Allerletzte. Denn mein ganzes Leben hier mit allem Drum und Dran und allen Flaschenverschlüssen wäre umsonst. Ein grausiges Wort – umsonst. Und deswegen – ich bin also wohl doch kein Verstandesmensch – deswegen ziehe ich keine Konsequenzen, sondern werde abends hingehen, ich werde nicht mehr von all dem reden, bis – zum nächsten Zusammenprall. Erinnerst Du Dich an den März 1940? Damals war es das erste Mal, da hatte ich die Ahnung, als würde es nicht das Einzige bleiben. Und die war wohl richtig.

Am 2. Juni geht der erste Transport von Berlin in das für Menschen über 65 reservierte »Altersghetto« Theresienstadt. Die ehemalige Garnisonsstadt Terezín, auf der Strecke zwischen Dresden und Prag, wurde vom österreichischen Kaiser Josef II. 1780 zu Ehren seiner Mutter Maria Theresia gegründet und ist als »große Festung« durch hohe Wälle und Wassergräben von der Außenwelt abgeschlossen. Die von den Habsburgern als erstklassiges Gefängnis- und Folterzentrum eingerichtete »kleine Festung« steht zur weiteren Benützung bereit. Die 7.000 Menschen, die vor dem Krieg dort wohnten, wurden ausgesiedelt. Ende September 1942 sind 58.500 Menschen in Theresienstadt eingepfercht. »Von dort kommen die Juden nach Osten«, verrät ein im Oktober 1941 angefertigtes internes Gesprächsprotokoll der SS. »Minsk und Riga haben bereits zugesagt, je 50.000 Juden zu nehmen. Nach der völligen Evakuierung der Juden wird Theresienstadt dann entsprechend einem fertigen Plan von Deutschen besiedelt und ein Mittelpunkt deutschen Lebens werden. Seine Lage ist für diesen Zweck geeignet.«

Als Deportationsbescheid erhalten die alten Leute einen Brief von der Reichsvereinigung der Juden in Deutschland, in dem ihnen mitgeteilt wird, an welchem Tag ihre »Abwanderung ins Protektorat« stattfinden wird. Als Reisegepäck dürfen ein Coupékoffer und ein Rucksack, »der höchstens von der Hüfte bis zur Schulter reicht«, mitgenommen werden. Das Handgepäck darf nur aus einem Stück bestehen und soll Nachtzeug, eine Decke, Eßgefäß, Löffel, Trinkbecher und Lebensmittel enthalten. Reise- und Handgepäck dürfen nicht mehr als 50 kg wiegen. »Wer sich nicht an diese Bestimmungen hält, muß mit dem Verlust seines Gepäcks rechnen.«

> Am [...] ab 8 Uhr wird Ihre Wohnung durch einen Beamten versiegelt werden. Sie müssen sich zu diesem Zeitpunkt bereithalten. Wohnungs- und Zimmerschlüssel sind dem Beamten auszuhändigen. Sie selbst werden dann mit einem von uns gestellten Wagen nach der Sammelunterkunft Große Hamburger Straße 26 gebracht werden.
>
> Etwa vorhandene Sparkassenbücher und Banksparbücher etc., Wertpapiere, soweit sie nicht bei einem Bankunternehmen aufbewahrt werden, Hypothekenpfandbriefe, Bankbelege usw., kurz alle Hinweise, die über Ihr Vermögen Aufschluß geben, und etwa vorhandene Tresorschlüssel sind in einem festen unverschlossenen, aber verschließbaren Umschlag in der Sammelunterkunft Große Hamburger Straße 26 abzuliefern. Auf dem Umschlag sind Ihr Name, Ihre Anschrift sowie Transport-Nummer genau anzugeben. [...]

Alters-, Taubstummen- und Blindenheime werden ausgeräumt. Patientinnen und Patienten des Jüdischen Krankenhauses in der Iranischen Straße können von der »Umsiedlung« nur bei Operationen oder bei einer Erkrankung

»im Finalstadium« zurückgestellt werden. Schwangere müssen nachweisen, daß die »Geburt im Gange ist«; ist das Neugeborene sechs Wochen alt, wird es mit den Eltern »evakuiert«.

Im Juli wird es Juden verboten, die Warteräume der öffentlichen Verkehrsmittel zu benutzen. Am 11. Juli geht der erste Transport von Berliner Juden nach Auschwitz. Ab 13. Juli dürfen jüdische Blinde keine Blindenarmbinden mehr tragen. Die Kriminalstatistik für das Jahr 1942 weist eine einzige Verurteilung eines Juden wegen Widerstands gegen die Staatsgewalt aus. Nur durch Selbstmord entziehen sich viele der Abholung. »Wollen Sie sich das Leben nehmen oder mit evakuieren lassen?« ist eine »stehende Frage« unter den Juden Berlins.

Am 6. August werden Felices 74jährige Großmutter Hulda Karewski und ihr 78jähriger Bruder Julius Philipp mit dem 38. Alterstransport nach Theresienstadt deportiert. Einen Tag vor der Deportation nimmt Felice Elenai mit zur Oma, um sich von ihr zu verabschieden und die letzten Sachen aus der Wohnung zu holen. Elenai wagt die unglaublich gefaßt wirkende gepflegte alte Frau nicht anzusprechen. Trotz der großen Nähe zwischen den beiden Freundinnen, sagt Felice kein Wort über diesen Abschied, und Elenai hat nicht den Mut, sie danach zu fragen. Alle wissen, daß er endgültig ist, dennoch zwingt sich Felice zur verzweifelten Hoffnung, daß ihre geliebte Großmutter in Theresienstadt eine Überlebenschance hat. »Altersghetto« klingt wie Altersheim.

Im zweiten Halbjahr 1942 erreicht die Zahl der Erkrankungen in Theresienstadt eine Rekordhöhe: Scharlach, Masern, Gelbsucht, Typhus und Enteritis raffen die alten Leute hinweg. Im September sind über 30.000 »Alte, Kranke und Sieche« in Theresienstadt. Am 7. September beginnt das Krematorium zu arbeiten. Im September sterben 3.941 Menschen. Hulda Karewski ist eine von ihnen. Sie stirbt am 14. September 1942.

Anfang Oktober bekommt auch Felice den »Liste« genannten Deportationsbescheid, und Hirschfeld wird abgeholt.

Felice und Inge radeln in die Claudiusstraße und brechen das Siegel auf, um Felices Sachen aus der Wohnung zu holen. Auf dem Küchentisch hinterläßt Felice einen mit Wasser verschmierten Abschiedsbrief, in dem sie ihren Freitod ankündigt. Sie trennt den Stern vom Mantel und taucht unter.

Von da an wohnt sie als U-Boot bei Inges Eltern in der Kulmer Straße, bei Elenais Stiefvater am Nollendorfplatz und immer wieder auch bei anderen Leuten. Was noch an Wertsachen ihrer Familie vorhanden ist – ein Pelzmantel der Großmutter, Schmuck, Tafelsilber und Wäsche – bringt sie bei Freundinnen und Freunden unter. Mit dem stückweisen Verkauf der Sachen bestreitet sie ihren Lebensunterhalt.

Anfang Oktober tritt Inge ihren Dienst als Pflichtjahrmädchen bei Elisabeth Wust an.

Inges Vater ist Kommunist, die Mutter Sozialdemokratin, beide sind Buchhändler. Eine Geflitzte zu beherbergen, ist sehr gefährlich, besonders für einen Kommunisten. Vater Wolf würde Felice am liebsten immer zu Hause einsperren, zumal sich draußen die »rote Stella« herumtreibt, eine jüdische Denunziantin mit lexikalischem Gedächtnis, die der »jüdische Mundfunk« berühmt gemacht hat.

Stella Kübler-Isaaksohn, geborene Goldschlag, wird in Berlin auch »jüdische Lorelei« oder »blondes Gespenst« genannt. Um ihre eigene Haut und die ihrer Eltern zu retten, spürt sie gemeinsam mit ihrem zweiten Mann Rolf Isaaksohn im Auftrag der Nazis untergetauchte Juden auf und liefert sie der Gestapo aus. Das Ku'damm-Mädchen Felice drängt es dennoch hinaus auf die Boulevards der Großstadt.

Während Felice ihre ersten Erfahrungen als U-Boot macht, bereitet sich der um wenige Jahre ältere Gerd Ehrlich seinerseits auf die Illegalität vor. Es ist wahrscheinlich, daß die beiden sich zu diesem Zeitpunkt durch eine lose miteinander in Verbindung stehende Gruppe von zehn in Berlin festsitzenden jungen Leuten kennen.

Gerd Ehrlich

Ab August '42 hatte die Stapo neue Maßnahmen zu Deportationen getroffen. In den letzten Wochen war es zu oft vorgekommen, daß die zum Bereithalten aufgeforderten Opfer es gewagt hatten, nicht die Henker abzuwarten. Man begann also einfach die Häuserblocks, in denen eine größere Anzahl von Juden wohnten, zu umstellen, und in alle durch den Judenstern gekennzeichneten Behausungen einzudringen. Sämtliche unglücklichen Bewohner einer aufgebrochenen Wohnung mußten sich dann innerhalb von 10 Minuten für die Reise ins Ungewisse fertig machen. Nur mit großer Mühe gelang es den verschiedenen Firmen, wenigstens die Facharbeiter wieder aus dem Sammellager zu befreien. Viele Menschen wagten schon gar nicht mehr, zu Hause zu schlafen, und andere verbrachten die Nacht angezogen auf dem Bett, um jederzeit zur Flucht bereit zu sein. Selbstverständlich gab es keinen mehr, der nicht seinen Rucksack schon gepackt hatte. Ich glaube, dieses ungewisse Warten gehört zu dem Schlimmsten, was ich erlebt habe. Kam man von der Nachtschicht nach Hause, so atmete man jedesmal beruhigt auf, wenn man seine Lieben noch wohlbehalten daheim antraf. Voll Sorge zählte man die Kameraden und Freunde jeden Tag wieder in der Fabrik und schätzte sich glücklich, wenn keiner fehlte.

Unsere Vorbereitungen für die Illegalität waren inzwischen schon weiter gediehen, und die ersten beiden Kameraden hatten den dornenvollen Weg schon beschreiten müssen. Die Anfangsschwierigkeiten waren überwunden. Wir waren keine stillhaltenden Opfer mehr, sondern hatten uns sogar Waffen beschafft, um den Abwehrkampf zu organisieren. Wenn auch unsere Mittel mehr als beschränkt waren, so gab uns doch die Einigkeit einen starken moralischen Rückhalt. Persönlich war ich bereit, jeden Tag von zu Hause fortzuziehen. Meine Sachen, Anzüge, Leibwäsche, Bücher, etc. waren in kleinen Schüben zu zuverlässigen Bekannten gebracht, und ich blieb nur noch daheim, um meine Familie nicht zu gefährden. Es war mir klar, daß die stärksten Nerven auf die Dauer eine solche ununterbrochene Anspannung nicht aushalten würden; und ich sehnte im tiefsten Innern die Entscheidung herbei. Sie sollte schneller kommen als ich geahnt hatte.

Derweil sinniert Felice über die Liebe, liest sich durch die in einem Buchhändlerhaushalt reichlich vorhandene Literatur, plaudert mit Mutter Wolf, die Felices gelegentlichen Stadtbesuche vor dem Vater vertuscht, schreibt Gedichte mit grüner Tinte und läßt sich abends von Inge den Tagesablauf bei der Wust schildern.

Gegen Ende Oktober kommt Inge aufgebracht von der Arbeit heim.

»Mensch, jetzt bin ich doch wieder bei so was gelandet! Weißt du, was sie mir heute gesagt hat? ›Juden? Die riech ich ja!‹ Ich halte das nicht mehr aus!«

»Au ja? Hat sie das gesagt? Sie riecht Juden? Das möcht ich sehn!«

Felice, die Inge mit pikanten Schilderungen von ihrem Alltag als Hausmädchen ohnehin schon neugierig gemacht hat und die sich in ihrem eintönigen untätigen Leben nach Abwechslung sehnt, kann gar nicht genug kriegen von der Vorstellung, die Wust an sich schnuppern zu lassen. Fortwährend liegt sie Inge in den Ohren, eine Begegnung herbeizuführen.

Inge findet das alles gar nicht komisch, hat doch ihr Vater sie inständigst gebeten, dafür Sorge zu tragen, daß Felice das Haus nicht verläßt. Inge hat auch eine unerklärliche Angst vor der Begegnung selbst, was eigentlich Quatsch ist, denn natürlich kann die Wust Juden nicht riechen!

»Erlaubsus mir? Ich möcht doch soo gern...«, bemüht Felice kichernd Tucholsky, um der widerstrebenden Freundin ihren Einfall schmackhaft zu machen.

4

Als Felice am 2. April 1943 Inge fragt, ob sie etwas dagegen hätte, wenn sie die kommenden Nächte bei Lilly verbringen würde, weil diese, vom Krankenhausaufenthalt geschwächt, mit den vier Kindern lieber nicht allein bleiben möchte, hält Inge diesen Einfall für ausgezeichnet. Nach einem halben Jahr als U-Boot in der keineswegs sicheren Wohnung ihrer Eltern ist es hoch an der Zeit, daß Felice eine andere Bleibe findet. Auch bei Elenai ist sie nicht mehr sicher. Ihre halbjüdische Mutter wurde nach dem Heimtückegesetz zu einer zehnmonatigen Haftstrafe verurteilt, weil sie über den Hitler hergezogen ist, und sitzt nun in Moabit ein. Mit den zunehmenden Bombenangriffen auf Berlin wird die Lage immer prekärer. Bis jetzt ist Inge bei Alarm meistens mit Felice oben in der Wohnung geblieben. Wenn der Keller aber unumgänglich wird, bedarf es schon einer sehr glaubwürdigen Geschichte zu Felices Identität, denn das Haus ist voller Nazis. Kommt heraus, daß Vater Wolf eine Taucherin versteckt, ist ihm das Konzentrationslager gewiß. Um wieviel geschützter ist Felice in der Wohnung der ehrbaren Soldatenfrau. Besser hätte sie es gar nicht treffen können. Von den zarten Banden, die zwischen Lilly und Felice entstanden sind, ahnt Inge noch nichts.

»Wie machen wir es denn jetzt?« überlegt sie, »du hast doch keine Lebensmittelmarken.« Ohne Lebensmittelmarken ist man im vierten Kriegsjahr kein Mensch.

»Sag einfach, daß du in Friedenau bei der Selbach einen Stammladen hast, wo du immer deine Rationen einkaufst, und den möchtest du nicht aufgeben. Ich geh da sowieso öfter mal hin und so. Und dann machen wir's so: Ich muß ohnehin für die Wust einkaufen. Dann zweig ich einfach was ab für dich. Die

Wust kriegt mit ihren vier Kindern irrsinnig viel, da fällt das nicht auf. Die können ihre Sachen doch gar nicht aufessen.«

Und so geschieht es. Inge besorgt sich passendes Papier und packt nach dem Einkaufen die entsprechenden Rationen am Treppenabsatz zwischen der dritten und der vierten Etage für Felice ab. Wenn es also für die Kinder ein halbes Pfund Butter gibt, wird ein viertel Pfund abgezwackt.

»Ich hab heute eingekauft«, meldet Felice, und die Sache ist im wahrsten Sinn in Butter.

Auch Felice ist zufrieden mit dem neuen Arrangement. Sie erzählt Lilly, sie hätte in Babelsberg zu tun und verbringt so manchen Tag bei Elenai, bei Mutti in Friedenau, oder sie wandert ruhelos von einer zur anderen, immer auf der Suche nach neuen Informationen, die Auskunft geben können über Verbesserung oder Verschlechterung ihrer Lage. Elenai erinnert sich, daß Felice es an einem Tag auf vierzehn Besuche gebracht hat. Doch Felice genießt auch die Sicherheit, die ihr die Wohnung einer Nazi-Frau bietet. Es ist wunderbar, sich nicht mehr verstecken zu müssen und in einer richtigen Familie zu leben, und das auch noch in Schmargendorf, in unmittelbarer Nähe der Auguste-Viktoria-Straße, wo Felice ihre Kindheit verbracht hat. Was andererseits wiederum eine neue Gefahrenquelle bedeutet. Wie leicht könnte sie in dieser Gegend erkannt und denunziert werden.

Überdies läßt sich kaum leugnen, daß Mütter einen besonderen Reiz auf Felice ausüben – zumal wenn sie ein derart entzückend mit Sommersprossen übersätes Gesicht haben wie Lilly. Unter Lillys Fittichen kann Felice vorübergehend vergessen, daß sie eigentlich gar nicht mehr am Leben sein sollte. Lillys Hingabe und die Freundlichkeit der Kinder können einen Teil der Gemeinheiten ausgleichen, die ihr die Volksgenossen nun schon ein Jahrzehnt lang antun. Wenn Albrecht ihr mit seinem hohen Stimmchen »Hice, Hice« entgegenruft, treibt es ihr die Tränen der Rührung in die Augen. So heimelig und geborgen hat sie sich seit dem letzten Sommer auf dem Forst nicht mehr gefühlt.

Anfang des Jahres hat Felice sich über Vermittlung ihrer untergetauchten Freunde um 2000 Mark einen Begleiter-Ausweis der Reichszentrale »Landaufenthalt für Stadtkinder e. V.« besorgt. Dieses eher bescheidene Dokument ohne Foto weist Felice – unter dem Namen Barbara F. Schrader – als »Begleiter für Kinderfahrten im Inland« aus und ist bis 1. April 1944 gültig. Einer genaueren Überprüfung würde der stümperhaft ausgefüllte rosa Ausweis zwar nie standhalten, hat doch Felice das Datum eigenhändig eingetragen, während der Schriftzug »Barbara F. Schrader« von Inges Hand stammt, aber für den Notfall ist es immer noch besser als ausweislos aufgegriffen zu werden.

Gerd Ehrlich

Zu meiner Gruppe gehörten Walter, Ernst, Lutz, Herbert, Gerdchen, Günter, Halu, Jo, Fice (als einziges Mädchen) und ich. Außer diesem engeren Kreis gab es noch verschiedene Freunde, die unregelmäßig mit uns in Verbindung traten und mit denen wir dann Erfahrungen austauschten.

Die Anlaufschwierigkeiten waren sehr gut überwunden, aber je mehr Erfahrungen wir in unserem neuen Leben sammelten, desto mehr sahen wir ein, welch große Probleme noch zu meistern sein würden. Schon sehr bald stießen wir auf Schwierigkeiten in der Unterkunftbeschaffung. Es war nicht immer möglich, bei einem guten arischen Freund unterzuschlüpfen. Selbst wenn es der Betreffende noch so gut meinen mochte, so hatte er doch fast immer ein Mitglied seiner Familie gegen seinen Plan, einen von uns zu verstecken. Halu war der erste, der auf die geniale Idee verfiel, sich möblierte Zimmer tageweise zu mieten. Es gab in Berlin verschiedene »Zimmervermittlungsbüros«. Halu ging also eines Tages mal in ein solches Geschäft, bezahlte den vorgeschriebenen Obulus und ließ sich unter dem Vorwand, er habe sich mit seiner Familie gezankt und wolle nun mal für einige Tage woanders schlafen, Adressen von freien Zimmern geben. Dann mietete er eines dieser möblierten Zimmer und erzählte der Wirtin denselben Schmus. Als die gute Frau wegen der polizeilichen Anmeldung mit ihm sprach, sagte er, daß er ja doch sowieso in Berlin gemeldet sei, und sich wegen der großen Schwierigkeiten mit der Kartenbesorgung und der Abmeldung vom Wehrministerium nicht ummelden wolle. [...]

Lutz war durch die Organisation nach seinem Untertauchen bei einer Zweigstelle des »Deutschen Roten Kreuzes« als freiwilliger unbezahlter Helfer angenommen worden. Er hatte sich mit seiner gewohnten Geschicklichkeit als Fred Werner bald das Vertrauen seiner Vorgesetzten erworben. Man ließ ihn schon nach kurzer Zeit in einem Büro völlig selbständig arbeiten. Er hatte Korrespondenz zu erledigen, und deshalb befand sich auf seinem Schreibtisch auch eine Sammlung von amtlichen Stempeln seiner Dienststelle. Eines Tages gelang es nun Lutz, sich in den Besitz eines größeren Postens Blankoausweise des DRK zu setzen. Schleunigst ließ er auch noch den Satz Stempel und einige Kopfbriefbogen mitgehen. Dann ward er selbstverständlich beim DRK nie wieder gesehen. Wir erfuhren sogar, daß er steckbrieflich gesucht wurde. Er war also der erste, der den Weg in die Schweiz nehmen mußte. [...]

Vorerst hatten wir einmal, was wir brauchten. Wir wurden plötzlich alle zu Referenten, Unterabteilungschefs, Dolmetschern oder ähnlichem befördert. Jeder hatte jetzt einen herrlichen Paß in der Tasche, der ihn als guten Deutschen auswies. Natürlich genügte dieses Dokument niemals für ernsthafte Gestapo-Kontrollen, aber für eine Straßenrazzia oder besonders für die neugierigen Augen einer Zimmervermieterin war das Ding geradezu herrlich.

Gerd Ehrlich ist einer der wenigen im Untergrund lebenden Juden, der keine Geldsorgen hat. Immer gibt es Leute, die ihm einen der bei Freunden gelagerten wertvollen Teppiche seines verstorbenen Vaters abkaufen, und so ist er in der glücklichen Lage, seinen weniger begüterten Freundinnen und Freunden finanziell unter die Arme greifen zu können. Mit Geld und Beziehungen ist es auch keineswegs schwer, an Lebensmittelmarken heranzukommen. Manchmal hat die Gruppe plötzlich einen ganzen Stoß Karten, die innerhalb kurzer Zeit aufgebraucht werden müssen, weil jemand die Maschine mit abgeschaltetem Zähler hat laufen lassen.

Wenn Gerd Ehrlich außer Haus geht, hat er in der einen Jakkentasche einen auf Gerhard Kramer gefälschten Wehrpaß mit Foto, und, da er leidlich französisch spricht, in der anderen einen belgischen Fremdarbeiterausweis. Fremdarbeiter werden von der Gestapo kontrolliert, nicht aber von der Wehrmacht, es kommt nur drauf an, die Taschen nicht zu verwechseln.

Das Fälschen eines Ausweises geht so vor sich: Zuerst wird ein künftiger Besitzer gesucht, dessen Äußeres – Haar- und Augenfarbe, Größe, Alter, besondere Merkmale – mit der Personenbeschreibung auf dem Dokument möglichst übereinstimmt. Mit einer Spezialmaschine wird das neue Paßfoto angebracht. Und dann muß der zweite Teil des amtlichen Stempels auf dem Foto nachgezeichnet werden – eine Spezialistenarbeit, die einen hohen Preis erzielt, es sei denn es findet sich ein Gesinnungsfreund. Der Gruppe um Gerd Ehrlich gelingt es schließlich, einen »halbarischen« Grafiker aufzutreiben, der ein Meister in seinem Fach ist, aber leider ziemlich weit draußen wohnt.

Es müssen also Ausweise organisiert werden – eine besonders beliebte Methode ist im Sommer der Besuch des Wannsees, wo die achtlos im Gras und im Sand liegende Kleidung der Badenden nach Dokumenten jeder Art durchstöbert wird. In dem verzweifelten Bemühen, sich an die Personenbeschreibung auf einem Ausweis anzupassen, hat sich sogar einmal einer den Finger abgehackt. Dann müssen die Ausweise zum Grafiker gebracht und wieder abgeholt werden. Es gehört zu Felices Aufgaben, Aufträge dieser Art für die »Organisation« auszuführen. Immer wieder wird Lilly von ihr gebeten, sie an wechselnde Orte zu begleiten, wo Felice mit Leuten zusammentrifft, denen Lilly nicht begegnen darf. Mal ist es das »Haus Vaterland« am Potsdamer Platz, mal fahren sie mit der Elektrischen Nummer 51 vom Roseneck nach Pankow zum Fotoladen Schmidt, mal mit der S-Bahn nach

Babelsberg, wo Lilly in einem Café auf Felice warten muß. Einmal ist Lilly mit gebührendem Sicherheitsabstand dabei, als Felice mit einer schönen jungen Frau tuschelt, die in einem Waffengeschäft in der Taubenstraße beschäftigt ist und ihr einen Zettel zusteckt. Lilly stellt keine Fragen.

»Das ist nichts für dich. Das sind Sachen, die du nicht sehen sollst«, wehrt Felice ab, als Lilly einmal ein Nacktfoto von Elenai entdeckt, an der Badewanne stehend mit glitzernden Wassertropfen auf der Haut.

»Wir machen solche Sachen für Soldaten.«

Lilly fragt nicht weiter und nimmt zur Kenntnis, daß die Mädchen beim Fotografen Schmidt Porno-Aufnahmen machen. Wahrscheinlicher aber ist, daß er auch an der Fälschung von Ausweisen beteiligt ist.

Elenai Pollak

Den Schmidt lernte ich eines Tages kennen, ich weiß nicht mehr wo. Er fand mich interessant und gutaussehend. Er fragte mich, ob er Aktfotos von mir machen dürfte. Er wolle bei einem Fotowettbewerb mitmachen, und mit einem Foto von mir hätte er mit meinem Aussehen gewiß eine Chance. Ich war gar nicht so überrascht, fand das eigentlich ganz verständlich und sagte na gut, wenn du willst, dann mach das eben. Er wollte mich unbedingt in der Badewanne unter der Brause fotografieren. Und weil wir bei uns zu Hause eine fürchterliche Badewanne hatten, lud er mich zu sich in seine Wohnung. Und dort war auch ein zweiter Mensch, der schien ganz clever. Ich fragte den noch, sagen Sie mal, wer sind Sie eigentlich, was haben Sie denn für einen Beruf? Und da antwortete der: Ich bin Pfarrer. Darauf sagte ich: Na, da bin ich ja in einer sehr komischen Gesellschaft! Wenn die Pfarrer schon anfangen, Nackfotos von irgendwelchen Mädchen zu machen! Aber gut, sei's drum. Das war bei mir reines Abenteurertum und überschüssige Vitalität. Das Leben und meine Phantasie gingen ja weiter. Das war eine Abwechslung und mal was andres. Die Fotos hat Inge immer noch von mir.

Auf einem Porträtfoto, das Schmidt von Elenai gemacht hat, trägt sie ihr langes schwarzes Haar offen und blickt dramatisch in die Ferne. Sonst trägt sie ihr Haar nie offen. Sie bemüht sich vielmehr redlich, weniger exotisch und auffällig auszusehen. Ihre Mutter ist besessen von der Vorstellung, Elenai sähe schon vom Weitem erkennbar jüdisch aus, und hat in einem fort Angst, es könne ihr etwas zustoßen. Felice und Elenai überlegen, wie man ihren Typ »eindeutschen« könne und kommen auf die grandiose Idee, ihr eine Art Gretchenfrisur zu verpassen, mit einem um den Kopf geschlungenen Zopf und einem Knoten am Hinterkopf.

Ihren an Felice gerichteten Monolog in Fortsetzungen auf den gelblichen und lachsfarbenen Feldpostkarten, das einzige Papier, das es preisgünstig zu kaufen gibt, setzt Lilly fort, auch dann, wenn die Trennung von der Geliebten nur von kurzer Dauer ist. Nicht selten lassen Inges Anwesenheit tagsüber und die vielen Tätigkeiten, die in einem Haushalt mit vier Kindern unter Bedingungen zunehmender Verknappung anfallen, wenig Zeit, sich ausführlich miteinander zu unterhalten. Ein paar schnell hingekritzelte Zeilen, ein »Ich liebe Dich« auf einem Fetzen Papier, beim Einkaufen im Portemonnaie entdeckt, im Zahnputzbecher oder unter dem Kissen im Bett versteckt, entschädigen beide für Stunden der Sehnsucht. Und immer noch meldet Felice sich auch nächtens ab, wie Ende Mai, als Lilly bereits weiß, wer Felice ist:

Wieder einmal alleine für eine Nacht!
Ach, habe ich eine Nacht hinter mir! Sehnsucht tut so weh, Du, so sehr weh. Ich liebe Dich! Der Schlaf kam, aber dann träumte ich so schön, um beim Erwachen irrsinnig enttäuscht zu sein, Dich nicht neben mir zu haben. Ich habe in die Kissen gebissen, ich konnte mich doch nicht hören lassen. Du, alles, was ich denke, ist nur: Felice! Ach, ich habe so viel Angst, daß Du sehr schnell eines Tages eine andere liebst. Bitte sei nicht traurig, daß ich das sage, aber Du hast mich vollständig verwandelt. Das bin ich ja gar nicht mehr.

Dein Bild liegt vor mir ! – Wenn ich daran denke, daß ich Jahre vertan habe! – Felice, bitte laß mich nie alleine, bitte nimm mich mit! Ich weiß, ich lasse alles und jedes hinter mir, doch was bedeutet es, wenn Du mich liebst! Wir gehören untrennbar zueinander. Du weißt, daß Du meine bisherige Welt zum Einstürzen gebracht hast (es tut mir, weiß Gott, nicht leid) und zwar – in allem. Du mußt mich nun beschützen, wirst Du das können? Liebst Du mich? Ich, ich will in Deiner Welt leben und sollte es tausend Schmerzen kosten; Deine Liebe allein hilft sie mir ertragen. Es ist eine große Verpflichtung! Wird Dir bange? Hast Du Furcht? Kannst Du mir antworten? – – – – – Ich warte auf Dich ...

Doch die Augenblicke von Liebesqual und Zukunftsangst werden mehr als reichlich abgegolten durch die Wonnen des Alltags an der Seite der Geliebten. Es ist Lilly, als wären alle Fenster weit aufgerissen worden, und nun strömt so viel Sonne in ihr Leben, daß sie ganz geblendet ist. Solange Inge noch ahnungslos ist, macht es Spaß, gemeinsam den Haushalt zu führen, wenngleich Felice und Lilly teuflisch aufpassen müssen, sich nicht zu verplappern. Sie haben sich fest vorgenommen, Inge nicht zu kränken. Zugegeben, weder Inge noch Felice sind Hausfrauen von Gottes Gnaden, trotz Felices famosem Kochkurs in der Untersekunda, aber wenn die beiden gemeinsam den Abwasch besorgen und dabei »Mariechen saß weinend im Garten, im Schoß ihr schlummerndes Kind ...« trällern, eine falscher als die andere, so daß es der mit Schubert- und Brahmsliedern aufgewachsenen Gnädigen den Magen verknotet, hält Lilly inne und atmet tief durch vor lauter Staunen über das Wunderbare, das in Gestalt dieses gehetzten Menschenkinds in ihr Leben getreten ist. Inge verstummt, wenn sie merkt, daß Lilly ihnen ein liebevoll nachsichtiges Lächeln in die Küche schickt. Wenn sie die Wust um eins beneidet, dann ist es deren klare, feste Stimme, mit der sie sich ihre häuslichen Verrichtungen singend versüßt.

Elenai Pollak

Wir fanden das natürlich auch ganz lustig, daß Lilly in unserem Kreis so auflebte. Wir hatten natürlich auch unseren missionarischen Tick. So eine Frau kann doch auch mal anders werden, dachten wir, vielleicht schaffen wir es. Es war auch Sympathie drin, zumindest von Inges Seite. Auch wir sind ja in eine Welt eingetreten, die wir vorher nicht kannten. Ein Nazi-Kleinbürgermilieu, mit einer Frau, die plötzlich auf unsere Seite wollte. Das ist natürlich eine Herausforderung. Wir haben die Ohren gespitzt, wie sie sich nun verhalten wird. Wir waren ja auch Abenteurernaturen und fanden spannend, was da passierte: bei uns und bei ihr, im Wechselspiel.

Im Mai 1943 lernt Inge Gerd Ehrlich kennen.

Gerd Ehrlich

Ernst und ich hatten eines Abends eine Verabredung mit Fice in einem Lokal am Nollendorfplatz. Unsere Freundin war in Begleitung eines anderen jungen Mädchens, dessen blendend schöne, braune Augen mich sofort gefangen nahmen. Wir wurden einander vorgestellt. Sie hieß Inge W. und wußte über uns und unsere Lebensumstände durch Fice gut Bescheid. Nachdem ich das »Geschäftliche« mit Fice besprochen hatte, wandte ich meine Aufmerksamkeit der schönen Inge zu. Als wir uns an jenem Abend trennten, waren wir bereits gute Freunde geworden und hatten ein Rendezvous verabredet. Inge war meine einzige Liebe während der illegalen Zeit. [...]

Am nächsten Sonnabend luden Inge und Fice meinen Freund Ernst und mich zur Wust ein. [...] Dieser Sonnabend war der erste einer langen Reihe, die ich in der Wohnung in der Nähe des Rosenecks verbringen sollte. Dort habe ich noch manche Nacht in der netten Gesellschaft der Frauen und meiner Freunde verbracht, ja wir haben schließlich einen Teil unserer Materialien dort untergestellt. Die Wust war nämlich in ihrem Wohnviertel als echte Nazissin bekannt. Erst unser (guter) Einfluß hatte sie bekehrt. Natürlich blieb sie nach außen weiter die treue Anhängerin des Führers, um uns um so mehr nutzen zu können.

Gerd Ehrlich, Walter Johlson, genannt Jolle, und Ernst Schwerin sind bald gern gesehene Gäste im Hause Wust. Da Gerd zu der Zeit in »Tante Ilses« Parterrewohnung lebt, die von außen eingesehen werden kann, muß er frühmorgens außer Haus und darf sich am Wochenende überhaupt nicht blicken lassen. Es erhebt sich also des öfteren die Frage, wie die Nacht vom Sonnabend auf Sonntag zu verbringen ist. Inges Warnungen zum Trotz bewährt sich die Couch im Herrenzimmer der Friedrichshaller Straße.

»Großartig«, verwirft Gerd Inges Einwand, die Wust sei eine »gute Nazi«. »Nichts Besseres könnte uns passieren. Dann sind wir doch um so sicherer. Wenn die keine Ahnung hat, wer wir sind, und irgendwas fällt vor, benimmt sie sich doch ganz unschuldig.«

Wovon Gerd und Inge ihrerseits keine Ahnung haben, ist, daß Lilly längst Bescheid weiß, sich aber, wie es ihre Art ist, nichts anmerken läßt. Von den in ihrer Wohnung untergestellten Materialien wird Lilly allerdings nie erfahren.

Keine Ahnung wiederum hat Gerd von den amourösen Verstrickungen im Haus. Während seiner ersten Nacht auf der Couch hört er aus einem der Zimmer Geräusche, die der junge Mann trotz seiner Unschuld unmißverständlich zu deuten weiß.

»Mensch, was ist denn das gewesen?« fragt er anderentags seinen Freund Ernst. »Da muß in der Nacht der Wust nach Haus gekommen sein.«

Ungläubig guckt ihn Ernst an und schüttelt sich vor Lachen. »Mann, wie alt bist du eigentlich? Weißt du nicht, daß unsere charmante Fice vom anderen Ufer ist und der guten Wust rettungslos den Kopf verdreht hat?«

Gerd Ehrlich ist zwar aufgefallen, daß Fice auf seine Reize, auf die andere junge Damen durchaus ansprechen, mit

Gleichmut reagiert, weshalb er auch sein gewohnheitsmäßiges Poussieren bei ihr bleiben läßt, trotzdem kommt ihm die Geschichte äußerst unglaubwürdig vor. Eine Frau mit vier Kindern und dem Führer an der Wand, grübelt Gerd, bis er schließlich eine Erklärung findet, die sein Weltbild in Ordnung bringt. In Kriegszeiten sind Männer Mangelware, denkt er, wahrscheinlich ist es eine Verlegenheitslösung. Genauso wie er selbst als kleiner Junge mit einem Freund gegenseitige Onanie betrieben hat und deswegen noch lang nicht homosexuell war.

Die umfassenden Veränderungen in ihrem Leben sind fast zu viel für Lilly, die immer noch an den Folgen ihrer Kieferoperation laboriert und seit Geburt an einem schwachen Herzen leidet. Doch mit der ihr eigenen Art, alles, was sie unternimmt, mit Inbrunst zu tun, legt sie noch eins drauf. So schnell wie möglich will sie sich scheiden lassen.

Als sie Felice von ihrem Vorhaben erzählt, läuft diese erst einmal entsetzt zu Inge.

»Mensch, die Meschuggene! Stell dir vor, es scheint bei Gericht mein Name auf!«

»Du bist wohl nicht ganz bei Trost«, versucht Inge Lilly von ihrem Plan abzubringen, »mit vier Kindern läßt man sich doch nicht scheiden!«

»Meinst du nicht, daß du deinen Kindern eine intakte Familie schuldest«, lassen die Schwiegereltern im preußischen Ton vernehmen und fühlen sich insgeheim bestätigt in ihrer instinktiven Ablehnung der Rothaarigen als Frau für ihren Sohn.

»Um Gottes willen, Kind«, schlägt Lillys Mutter beschwörend die Hände über den Kopf zusammen, »bist du wahnsinnig geworden? Du bist doch völlig ungesichert! Wer wird denn im Alter für dich sorgen?«

»Erst vier Kinder kriegen und sich dann scheiden lassen! Hättest du dir das nicht früher überlegen können?« brummt Vater Kappler mißmutig.

»Du brauchst dir keine Sorgen zu machen. *Dir* werde ich bestimmt nicht auf der Tasche liegen«, kontert Lilly trotzig.

Natürlich bockt auch Günther und verhält sich, wie Ehemänner meistens in solcher Lage. Was würde er erst tun, wenn er den wahren Grund wüßte, kann sich Lilly ein Gefühl des Triumphs nicht verkneifen. Schade, daß er es nie erfahren darf! Noch versucht Günther, die Mutter seiner Kinder mit den üblichen Drohungen an sich zu binden. Die Wohnung will er behalten, zwei der Kinder will er haben, Lilly soll die gesamte Schuld für das Scheitern der Ehe auf sich nehmen. Seine außerehelichen Eskapaden wiegen selbstredend weniger schwer als Lillys.

Lilly fühlt sich von allen Seiten unter Druck gesetzt.

»Ich habe jetzt eine schwere Zeit vor mir. Du mußt mir helfen, sie zu überwinden«, schreibt sie auf eine Reichsfettkarte für Kinder von 6 bis 14 Jahren. Jeder Abschnitt für Butter, Margarine und Käse des blaßgelben Papierstücks ist von ihrem Laden in der Breite Straße mit »Erledigt« abgestempelt. Der stets angeheiterte Händler für Kolonialwaren, Konserven, Butter, Obst und Gemüse heißt ausgerechnet Adolf Hoch. Felice findet das komisch.

Lilly gerät auch von anderer Seite unter Druck, denn allmählich beginnt es Inge zu dämmern, daß sie mit der von ihr selbst herbeigeführten Begegnung im Café Berlin zwar Felice hervorragend untergebracht hat, aber drauf und dran ist, ihre Geliebte zu verlieren. Alle anderen Liebschaften der Felice sind ihr egal, für Monogamie haben sie später immer noch Zeit, aber ausgerechnet eine Nazisse muß es sein! Dazu kommt, daß Inge ein tiefes Mißtrauen gegen Lilly hegt. Ihrer Meinung nach hat Felice einen großen Fehler begangen, Lilly die Wahrheit über sich zu sagen. Felice aber ist erleichtert, sich vor Lilly nicht mehr zu verstecken zu müssen. Nun macht Inge sich Vorwürfe, es Felice eingebrockt zu haben, daß sie der verknallten Nazi-Frau auf Gedeih und Verderb ausgeliefert ist. Immer häufiger kommt es zwischen Lilly und Inge zu Streit.

Ich bin natürlich wieder einmal scheußlich niedergedrückt. Inge ist mir wirklich unverständlich. Sie weiß es doch, es ist für sie doch ein Kampf gegen Windmühlenflügel. Wenn das ihre große Liebe ist, – – – dann –. Ich wäre in so einem Fall sicher auch zuerst ähnlich gewesen, aber ich hätte dann gerade weil ich Dich liebe, wenn auch blutenden Herzens, verzichtet! Mir ist doch lieber, daß der andere glücklich ist. Was nützt ihr denn auch ihre Stellungnahme? Was ändert sie daran? Sie kann doch nicht im Ernst verlangen, daß wir uns nicht mehr lieben. Oder hältst Du das für besser? Aber ich will Dir mal ausdrücklich etwas sagen: Ich denke nicht daran, auch nur einen Teil von Dir zu verlieren, ich werde Dich festhalten, so stark ich nur kann! Und ich kann es – und vor allem: Ich will nichts anderes!

Von der sexuellen Freizügigkeit, die vor allem das wechselseitig miteinander verstrickte Trio Inge, Nora und Elenai demonstrativ zur Schau tragen – was Felice tut, will sie lieber gar nicht erst wissen –, ist Lilly einerseits beeindruckt, hat sie doch auch selbst keine Gelegenheit ausgelassen, andererseits treiben es die Mädchen doch ein wenig zu doll, warum müßten sie sich sonst in einem fort zanken? Und wieder greift sie zur Feldpostkarte. »Ich will Dir sagen, worin Euer Unmut liegt«, ermahnt sie Felice altklug. »Ihr geht da ein bißchen zu weit, etwas muß bleiben und das ist das zarte Innige zwischen den Menschen. Ihr alle denkt nur an Euch selber. Gerade so wie es paßt.«

Sonntag ist der Tag, an dem Lilly und Felice ausschlafen können. Am Sonntag gibt es keine Inge, die um acht Uhr auf der Matte steht. Die ganze Woche freut sich Lilly auf den Sonntag. Auch die Kinder wissen, daß sie am Sonntagmorgen allein zurechtkommen müssen, nachdem ihre Mutter ihnen das Frühstück hingestellt hat, doch auch sie sind froh, in ihrem Kinderzimmer ungestört toben zu können. Für Felice und sich selbst bereitet Lilly schon am Samstagabend alles für das zweite Frühstück am späten Vormittag vor. Die Bratkartoffeln müssen nur noch heiß gemacht, der Kathreiner

Malzkaffee aufgegossen werden. Zwischen Dösen, Essen, Lesen und Lieben wird es rasch Nachmittag. Auch die Freundinnen und Freunde wissen, daß sie sich vor 16 Uhr nicht blicken lassen dürfen.

An einem dieser Sonntage im Juni schellt es an der Wohnungstür. Eberhard öffnet und läßt die ihm vertraute Elenai herein. Ausgelassen wie schon lange nicht mehr stürmt sie ins Balkonzimmer, wo Lilly und Felice sich genüßlich räkeln. Auf Lillys Nähtischchen auf der anderen Seite des vom großen Balkon her sonnendurchfluteten Raums liegen einige Meter Goldlitze, mit denen Lilly ein Kleid besetzen will. Entzückt schlingt Elenai das glitzernde Zeug um ihren schwarzen Wuschelkopf und weiter um die Taille ihres Sommerkleids. Dergestalt angetan legt sie dem Liebespaar einen fulminanten Bajaderentanz zu Füßen. Plötzlich öffnet sich die große Flügeltür, die zum Herrenzimmer führt: Lillys Mutter bleibt wie angewurzelt stehen. Auch Lilly erstarrt in ihrem Bett, tragen doch beide unter der Decke schon längst keine Nachthemden mehr.

Nun läßt es sich nicht länger verheimlichen. Lilly beschließt, ihre Eltern ins Vertrauen zu ziehen, vielleicht verstehen sie dann besser, warum sie sich scheiden lassen will. An einem Nachmittag, als sie ohne Anhang bei ihren Eltern zu Besuch ist, packt Lilly aus. Nicht nur teilt sie ihnen mit, daß Felice Jüdin ist, sondern auch das andere.

»Wir sind ein Liebespaar und wollen zusammen bleiben.«

Nach einer Schrecksekunde, die für Lilly unendlich dauert, findet der Vater als erster die Fassung.

»Und was willst du später machen?«

»Na, junge Mädchen verführen«, überspielt Lilly keß ihre Verlegenheit.

Lilly

Meine Eltern waren eigentlich gar nicht überrascht. Wahrscheinlich haben sie schlagartig zurückgeschaltet in meine Jugendzeit. Wo sie damals alles taten, um das zu unterdrükken. Sie schickten mich in die Tanzstunde und holten junge Männer ins Haus. Grausig! Alle Nase lang kriegte ich irgendeinen Freier vorgesetzt. Scheußlich!

Als ich siebzehn wurde, hat mein Vater ein Gedicht geschrieben: »Jeder Schwarm zum jungen Mann fängt mit einer Freundin an / und auch Lilly war ganz weg in'ne Lehrerin am Reck.« Da hab ich in der Obersekunda eine Turnlehrerin furchtbar angebetet. Die war klein und drahtig, ganz schwarze Locken hatte sie und ganz schwarze funkelnde Augen, mit einem Wort, ich fand sie wunderschön. Da wurde ich auch aus lauter Ehrgeiz die Beste im Turnen. Dann hab ich ausfindig gemacht, wo die wohnt. Die hatte ein Zimmer in Spandau, und da hab ich ihr aufgelauert. Ich weiß noch, daß ich manchmal furchtbar gefroren hab. Ich bin immer auf und ab gelaufen, und einmal hab ich dann gewagt, bei ihr einzudringen. Dann hab ich das Blaue vom Himmel heruntergelogen, habe behauptet, ich hätte eine Tante, die in Spandau wohnt. Die war natürlich sehr verlegen. Die war wirklich ihres Lebens nicht mehr sicher, das arme Mädchen. Carola Fuß hieß sie. Und sie war Jüdin. (Tut mir leid: Wie Juden für mich Sympathien hatten, so war das auch umgekehrt.) Die andern haben sich längst lustig gemacht über mich. Ha, da steht sie wieder und so. Oder sie haben mir gesagt: Du, die ist gerade da lang gegangen. Mädchen sind doch so hämisch. Und dann kam das raus, hat wohl irgendeiner gepetzt. Das Lehrerkollegium hat sich ziemlich aufgeregt. Es gab regelrecht eine Schulkonferenz deshalb, zusammen mit meinen Eltern, und sie hätten mich beinah aus der Schule geschmissen. Aber dann haben sie mich verhört und haben gemerkt, daß ich völlig ahnungslos und unschuldig war. Ich hab auch dann nicht kapiert, worum es geht. Und auch meine Eltern haben mit mir nicht darüber gesprochen. Man hat über solche Dinge eben nicht gesprochen. Alles war nebulös. Das tut man nicht, das hat man nicht, das gibt's nicht. Irgendwie im Unterbewußtsein hat man schon gewußt, naja, die ist so und so . . .

Bloß ich weiß heute, warum es mir so leicht möglich ist, Frauen zu umarmen. Automatisch kann ich das. Ich konnte das immer. Nach meinem Abitur beispielsweise, bevor der Arbeitsdienst begann, bin ich doch 1933 in Saarow-Piskow in eine Hausarbeitsschule gegangen. Damals war ich sogar schon verlobt, aber ich hatte eine Freundin. Die haben immer hinter uns hergetuschelt, weil wir Hand in Hand gingen. Wir hatten uns schrecklich gern, aber wir haben alle beide nicht gewußt, was mit uns los war. Wir lagen Bett an Bett und haben nichts getan, aber die Mädchen regten sich alle auf über uns. Wenn wir damals gewußt hätten, was mit uns los ist, hätte ich nie im Leben ... Sie hat dann auch geheiratet. Es gibt noch Bilder von ihrer Tochter, die Felice aufgenommen hat. Ich bin extra mit Felice zu ihr rausgefahren. Und in der Küche hat sie sich beklagt über ihren Mann. Durch den Krieg ging die Freundschaft auseinander. Wenn wir zusammengeblieben wären, wäre alles anders gekommen. Sie hieß Lotti Radecke.

Ich hab immer gesagt, wie gut, daß hinten ein E dran ist. Denn in der Schule hatte ich auch mal einen Skandal wegen einer Gerda Radek. Der Lehrer, der das alles angezettelt hat, war unser Ordinarius. Der Knatsch begann damit, daß wir eine Klassenfahrt hatten, wo die Mutter der Gerda Radek mit war. Wir haben gar nichts gemacht als daß wir Händchen haltend gegangen sind. Ich weiß nur, daß dann gesagt worden ist, ich hätte mich der unsittlich genähert, und das ist wirklich vollkommener Wahnsinn. Die Mutter hat es dem Lehrer gesagt, und der Lehrer hat meine Eltern gerufen. Das ginge nicht und unerhört und so. Meine Eltern waren auch schockiert, haben aber gemerkt, daß ich vollkommen ahnungslos war. Uns wurde verboten, zusammen zu sitzen. Wir saßen in der Klasse hintereinander, so daß wir uns immer Briefchen schicken konnten. Sie haben uns wirklich unsere Freundschaft verboten. Und wir haben uns tatsächlich daran gehalten. Gerda nahm sich vollkommen zurück. Wir haben uns dann ziemlich angefeindet.

Ich hatte immer Freundinnen, Busenfreundinnen sozusagen. Meine langjährige Freundin hieß Lotti Thiede. Ihre Eltern haben immer Hausbälle gemacht, und da blieben wir über Nacht, weil es dann schon zu spät war, nach Hause zu fahren. Einmal schliefen wir zu dritt in zwei Betten. Ich lag in der Mitte, und auf einmal kam Lotti näher. Und ich sage ganz unwirsch zu ihr: Was willst du von mir? Das hat mir später wahnsinnig leid getan. Die hatte nämlich ein kürzeres Bein. Das war ein sehr sehr lieber Mensch. Das war schrecklich, ich werde das nie vergessen. Ich habe nichts verstanden.

Als ich dann endlich mit Jungs anfing, atmeten meine Eltern richtig auf. Gott sei dank, sie hat Freunde!

Daß Felice Jüdin ist, bereitet vor allem Lillys ängstlicher Mutter Sorgen, doch viel gravierender ist den Eltern das andere. Gleichzeitig können sie nicht umhin, zu bemerken, wie glücklich ihre Tochter ist, und wie sehr sie von Felice verwöhnt wird. Wenn nicht die Kinder wären, würde Vater Kappler seinem Nazi-Schwiegersohn die Abfuhr sogar vom Herzen gönnen. Trotz aller Bedenken wird Felice mit erstaunlicher Großzügigkeit in den Kreis der Familie aufgenommen.

Felice hat »Vati« gleich bei ihrer ersten Begegnung zu Weihnachten ins Herz geschlossen. Als er damals vor ihr stand, schlank, groß, die Nickelbrille auf der Nase, wurde sie blaß und mußte sich setzen. Die Ähnlichkeit mit ihrem eigenen verstorbenen Vater ist erstaunlich.

Lilly richtet sich auf ein langfristiges Zusammenleben mit Felice ein und kämpft tapfer an gegen die Angst vor der ungewissen Zukunft. Krieg, vier Kinder, nichts gelernt als Kochen, Windelwaschen und Putzen und eine untergetauchte Jüdin im Haus – es ist nicht wenig, was sie sich vorgenommen hat.

Felice, bitte mach es nicht so falsch wie mein Mann: Wenn ich aus irgendeinem Grund gereizt war und wütend, dann gehe nicht auch noch dagegen an; dann sage nichts und sei später sehr lieb zu mir. Ich bin nicht uneinsichtig, aber laß mich toben, es geht genauso schnell vorbei. – – Wann werden wir wohl einmal richtig alleine sein? (Inge!) Ich glaube, auch in Zukunft wird es nur noch schlimmer (die lieben Freunde!). Hoffen wir auf gute Zeiten. Übrigens hat ja alles seine zwei Seiten! Wer weiß, wieviel wir noch alleine sein werden!

Sag mal, mir fällt etwas Herrliches ein! Wie ist es eigentlich mit einem Ehevertrag? Von meiner Seite aus z. B.: Treue und liebevolles Verständnis Deinen vielseitigen Verpflichtungen gegenüber ...

Im Augenblick bin ich so unendlich – ach nein, verzagt bin ich nicht, mutlos auch nicht, aber unendlich traurig. Versprich mir nie etwas, was Du nicht halten kannst! Nie! Ich glaube fest daran, daß Du mich nie verlassen wirst. Eine Frau wie mich verläßt man auch nicht. Das Beste für uns wäre, wir könnten wirklich in die Welt. Eine ganz neue Zukunft aufbauen. Mir tut bei dem Gedanken doch Deine Jugend leid, daß Du Dich mit einer so alten Frau belasten mußt. Aber Du tust es doch, nicht wahr? Und gerne? Für mich!!

Du, ich möchte irgend etwas von Dir besitzen, daß ich genau weiß, Du gehörst mir. Ringe können wir ja leider nicht tragen, ich weiß auch nicht was, aber etwas müßte es geben. – Felice, ich, mein Mädchen, ich dachte eben an Deine Augen. – Felice, ich liebe Dich! Je länger wir zusammen sind, desto mehr. – – Ich werde mir übrigens eine Aufstellung von den Sachen machen, die ich behalten möchte. Verlaß Dich darauf, bei uns wird es nett. Wirst Du mir auch eine Couch verschaffen können?

Ganz wohl ist mir doch nicht bei dem Gedanken an meine Zukunft. Angst ist es aber ganz bestimmt nicht. Ich habe es mir reiflich überlegt, was ich tun will. Reiflich! Ich will mit Dir leben – und glücklich sein. Reiße mich raus aus dem Trott, ich passe nicht da hinein. Ich möchte lieber ein großes Unglück erleben und daran zugrunde gehen, als ein sanftes Glück sanft zu Ende zu leben. Felice, nie habe ich einen Menschen so ohne Rücksicht auf alle und alles geliebt. Laß mich nie alleine!

Im Juni gibt es in Berlin nur noch zwei jüdische Einrichtungen: Das Jüdische Krankenhaus und den Friedhof Weißensee. Noch über 6.000 Juden leben in der Stadt, in Mischehen und im Untergrund. Am 10. Juni werden sämtliche Vermögenswerte der im Juli 1939 gegründeten Zwangsvertretung »Reichsvereinigung der Juden in Deutschland« beschlagnahmt, insgesamt acht Millionen Reichsmark. Dem Leiter des Jüdischen Krankenhauses, Dr. Walter Lustig, wird die Gründung und Leitung der »Neuen Reichsvereinigung« übertragen, die im Verwaltungsgebäude des Jüdischen Krankenhauses eingerichtet wird. Sie hat kaum noch Möglichkeiten, etwas für ihre Zwangsmitglieder zu tun. Einige wenige jüdische Angestellte in Mischehe verwalten unter Gestapoaufsicht bis April 1945 die letzten Juden der Stadt. Kranke werden behandelt, Untergetauchte aufgespürt, verwitwete »Mischehepartner« abgeholt und deportiert, Bestattungen vorgenommen, Statistiken geführt.

Mit Günther Wust gibt es andauernd Krach. Er will partout nicht in die Scheidung einwilligen, obwohl er schon längst bei seiner Freundin Liesl lebt. Diese kommt Lilly überraschend zu Hilfe, indem sie ihrerseits Günther unter Druck setzt, um diesen endlich ehelichen zu können. Unter Krämpfen einigen sich Lilly und Günther schließlich auf eine Aufteilung der Kinder. Die beiden älteren Söhne Bernd und Eberhard sollen zu Günther kommen, Reinhard und Albrecht zu Lilly. Mit relativer Gelassenheit läßt sich Lilly zum Entsetzen ihrer Freundinnen auf diesen Deal ein, ist sie auf Grund der herrschenden Verhältnisse doch einigermaßen sicher, daß Günthers Rechnung nicht aufgehen wird. Nachdem Günther sich endlich zu einer Trennung durchgerungen hat, folgt als nächste Etappe der Streit ums Geld und wer aus der gemeinsamen Wohnung was bekommt.

Wieder einmal fahre ich zu meinem Mann. Ich habe mir aber fest vorgenommen, daß das unsere letzte Aussprache sein soll. Ich mag nicht mehr. Soll er nur zusehen, wie er fertig wird. Ich werde nichts mehr dazu tun, mich mit keinem Menschen außer Dir und Inge über diese Dinge unterhalten. Er stellt sich alles so einfach vor. Er wird sich wundern. Jedenfalls geht es auf keinen Fall so schnell, wie er es haben möchte. – Sag mal, wie ist es mit Deiner Schreibmaschine? Es wäre mir sehr lieb, wenn ich sie haben könnte. Ich möchte schließlich wirklich etwas leisten. Ich fürchte mich ja so sehr vor allem, aber das geht mir immer so. Und wenn ich erst einmal wieder drin bin, wird es schon gehen. Schon deshalb, weil ich unbedingt will, daß ich auch ohne andere leben kann, daß ich auf eigenen Füßen stehen kann.

Und Du wirst mir doch helfen, nicht wahr? Du liebst mich doch! Es wird tatsächlich so sein, daß ich nur noch Dich habe

– allerdings will ich es ja auch gar nicht anders haben. Aber allen Menschen zum Trotz: Ich liebe Dich mehr als mein Leben! Ich hoffe so sehr, daß alles einmal gut wird – und dann – dann steht uns die Welt offen. (Allerdings werde ich Deine Anzüge nicht in Ordnung halten!!!)

»Und im übrigen gefällt mir dein Umgang nicht«, läßt Günther bei einer Auseinandersetzung wie beiläufig einfließen.

Ungläubig starrt ihn Lilly an, und ihr Blick wird hart. Ahnt er, daß er damit den Schlüssel zu ihrer Knebelung gefunden hat? Scharf gestochen drängt sich aus dem Vergessen ein Satz in den Vordergrund: »Dann retten Sie mir wenigstens das Kind.« Bei Reinhards Geburt wäre sie fast gestorben. »Dann retten Sie mir wenigstens das Kind.« Wer einen solchen Satz sagen kann, ist zu allem fähig.

Von nun an willigt Lilly in alles ein, was Günther verlangt.

Und als ob sie mit Günther nicht schon genügend Kummer hätte, sorgt Inge für zusätzliche Ängste. »Bitte laß mich morgen Nacht nicht alleine«, fleht Lilly, nachdem Inge überraschend ihren Besuch angemeldet hat.

»Was ist Liebe, qualvolles Glück, wunderbarer Schmerz?!« fragt sie Ende Juni auf der Rückseite von vier abgelaufenen rosa Nährmittelkarten:

Felice, für mich ist alles, weiß Gott, alles Frühere ausgelöscht, besteht einfach nicht mehr – alles ist heute, alles ist morgen und leuchtet, wie man es auch ansieht. Ich liebe Dich ja so unendlich. Und Du liebst mich! Mein Mädchen, mein geliebtes Mädchen, mein schönes Mädchen. Ich glaube, wir sind beide sehr aufeinander angewiesen. Es geht eben ohne den anderen nicht. Fortan soll es ja auch so sein. Ein Leben lang. Ich wünsche mir nichts sehnlicher als das. Man soll ja nie: nie sagen und nie: immer, und doch will ich es sagen und wahrhaben: Immer wollen wir zusammenbleiben, uns nie verlassen, es sei denn, zu unserem Glück. Ich sehe nicht ein, warum nicht zwei Frauen ihren Weg voll Glück und Harmonie allein gehen können. Was brauchen wir die Männer! Ich habe sowieso keine Bange, denn Du bist ja »Manns genug«, nicht wahr? Du weißt ja, daß Du mich immer beschützen mußt, und Du tust es ja auch gerne. Ich weiß es genau aus Erfahrung, daß man durchaus nicht glücklich sein muß mit einem Mann; letzten Endes sind sie doch ein anderes Wesen und leben auf einem anderen Stern und lassen uns arme Frauen selten an ihnen teilnehmen, ich habe das nicht einmal, sondern des öfteren erlebt.– Und Du, mein Liebes, Du bist etwas unsagbar Vertrautes, Du bist tatsächlich: ich! Wir sind ein wirklich wunderbarer Gedanke. Mein bisheriges Leben war, weiß Gott, nicht liebeleer, aber leer von Leben, richtigem Leben, ich habe jahrelang umsonst gelebt, das Leben vertan. Und dazu ist es nicht da. Leben will ich, lieben mit aller Glut meines Herzens und voll auskosten Leben und Liebe. Ich werde nie mit leeren Händen vor Dir stehen. Ich werde Dich umsorgen, Dir, wo es auch sei, Heimat sein und Heim und Familie: alles das, was Du nicht hast, das will ich Dir geben, und ich weiß, daß ich dazu berufen bin, Dich glücklich zu machen – meine Felice.

Seit Ende 1942 gelingt es Felice und ihrer Schwester Irene, einander über eine Madame Emmi-Luise Kummer in Genf regelmäßig zu schreiben. Frau Kummer, die vielleicht im Rahmen des Hilfs- und Rettungskomitees der zionistischen Organisation Hechaluz (»Pionier«) tätig ist, schreibt die Briefe auszugsweise ab und schickt sie nach London beziehungsweise nach Berlin weiter. Manchmal dauert es vierzehn Tage, bis ein Brief aus London die englische und die Zensur des Oberkommandos der Wehrmacht passiert hat und mit einer blauen Markierung versehen in Genf ankommt, manchmal einen ganzen Monat. Viele Briefe kommen nie an. Am 6. Juli bedankt sich Irene für das Foto, das sie von Putz bekommen hat. »Man kann wirklich nur die Hände über dem Kopf zusammenschlagen«, schreibt sie, »und sagen Mädchen, Mädchen, wie hast Du Dich verändert. Aber ich glaube, daß ich eben noch immer denke, Putz ist 17 und nicht 21.«
Schon beim ersten Aufflackern ihrer gegenseitigen Zuneigung hat Felice Lilly Aimée genannt. »Aimée oder der gesun-

de Menschenverstand« ist ein Theaterstück von Heinz Cou-
bier, das die Schaupielerin Olga Tschechowa Felice im Januar
1940 geschenkt hat, »ein Andenken an ein Stück, das so vielen
Menschen und mir große Freude gemacht hat«. In der recht
einfältigen Komödie, die unmittelbar nach der Französischen
Revolution spielt und am 30. April 1938 im Bremer Schauspiel-
haus uraufgeführt wurde, wird Aimée als junge Dame vorgestellt, »hinter deren Unlogik sich viel Verstand verbirgt«. Lilly
gefällt der Name. Aimée, Geliebte, ja, das will sie sein, grenzenlos und immerdar. Und paßt die Beschreibung nicht
auch auf sie? Alle zeihen sie der Unvernunft, aber ist es nicht
ein Zeichen von Verstand, die erstickende Enge ihres bishe-
rigen Lebens zu verlassen und sich ins Abenteuer zu stürzen, ehe es zu spät ist? Gibt es etwas Unvernünftigeres als,
wie ihre Mutter, alt zu werden an der Seite eines ungelieb-
ten Mannsbilds?

Am 26. Juni 1943 schreibt Aimée mit Felices grüner Tinte ihren Teil eines »Ehevertrags«:

> Ich werde Dich grenzenlos *lieben,*
> Dir unbedingt *treu* sein,
> für *Ordnung* und *Sauberkeit* sorgen,
> *fleißig* für Dich und die Kinder und mich sein,
> sehr *sparsam* sein, wenn es nötig ist,
> *großzügig* in *allen* Dingen,
> Dir vertrauen!
> Was mir gehört, soll Dir gehören;
> ich werde immer für Dich da sein.
>
> Elisabeth Wust, geb. Kappler

»Und Du?« fordert sie auf der Rückseite der Feldpostkarte
Felice heraus. Am 29. Juni, auf einem Doppelblatt richtigen
Briefpapiers, nimmt diese die Herausforderung an:

> Im Namen aller zuständigen Götter, Heiligen und Maskot-
> ten verpflichte ich mich zu folgenden zehn Punkten und hof-
> fe, daß alle diese zuständigen Götter, Heiligen und Maskot-

ten mir gnädig sein werden und mir helfen werden, mein Wort zu halten:

1. Ich werde Dich immer lieben.
2. Ich werde Dich nie allein lassen.
3. Ich werde alles tun, um Dich glücklich zu machen.
4. Ich werde, sowie es die Verhältnisse erlauben, für Dich und die Kinder sorgen.
5. Ich werde nicht dagegen protestieren, daß Du für mich sorgst.
6. Ich werde mich nicht mehr nach hübschen Mädchen umsehen, höchstens um festzustellen, daß Du hübscher bist.
7. Ich werde abends sehr selten spät nach Hause kommen.
8. Ich werde mich bemühen, nachts leise mit den Zähnen zu knirschen.
9. Ich werde Dich immer lieben.
10. Ich werde Dich immer lieben.

Bis auf weiteres

Felice

»Es ist eigentümlich«, schreibt Lilly während einer Eisenbahnfahrt, »wenn ich an später denke, denke ich nie an die Kinder, mir ist immer so, als wären wir alleine.«

Bernd Wust

Klar, Mutti hat uns verköstigt und gewickelt, sie war aber mit Sicherheit nicht gern Hausfrau. Sie hat mir immer vorgeschwärmt: Wenn der Krieg zu Ende ist, dann leben wir Gott sei Dank alle aus Konserven, dann ist kein Gemüseputzen mehr. Ich habe immer den Gegensatz erlebt: Wenn wir bei Oma eingeladen waren, dann merkte man, daß Oma ganz anders mit Haushalt und Kochen und so zu Gange war. Oma hat rheinländisch gekocht, das hat mir gar nicht geschmeckt, aber weil Opa das wollte, mußte ich es loben. Kalbfleischfrikassee auf süßsaure Art zum Beispiel, vielleicht war's auch gar nicht rheinländisch, aber das kannte ich nur bei Oma. Opa ist ein sehr lustiger Mensch gewesen, aber später seiner ganzen Welt gegenüber ein absolut halsstarriger Querulant. Damit hat er sich zeitlebens durchgewurschtelt, es war seine

Art mit dem Leben fertig zu werden. Nicht gerade sehr mutig und tapfer, aber das hat er mit einem Haufen Blödsinn zu kaschieren gewußt. Aber uns Kindern gegenüber war er ein hervorragender Opa. Er hat uns alle vier auf sein Fahrrad gekriegt. Am Hohenzollerndamm da war in der Mitte so ein breiter Fußgängerpark mit Bänken, da ist er mit uns herumkajolt und hat uns allen, klein wie wir waren, gesagt, wir sollen aufpassen, wo ein Schutzmann ist.

Eines Morgens erscheint Inge zur Arbeit und findet Lilly und Felice im abgedunkelten Zimmer im Bett.

»Inge, öffne doch bitte das Fenster«, schnurrt Felice träge und wickelt eine von Lillys zerzausten Haarsträhnen um ihren Finger.

»Ich bin doch nicht deine Dienstbotin, Mädel«, knurrt Inge.

Mit einem wütenden »Das ist mir wirklich zu blöd! Es reicht!« knallt sie die Schlafzimmertür zu und macht sich in der Wohnung zu schaffen. Ein lautstarkes und keineswegs sachlich geführtes Wortgefecht zwischen Lilly und Inge steht am Ende von Inges Karriere als Hausmädchen. Ihr Köfferchen wartet schon an der Tür.

Doch ihr Abgang erfolgt keineswegs unvorbereitet. Schon vor einiger Zeit hat ihr Chef bei Collignon Inge zu verstehen gegeben, daß er sie gern wieder im Buchladen hätte. Schließlich sind sie miteinander zum Arbeitsamt gegangen, und es gelingt ihm, Inge mit dem Hinweis auf ihre Unersetzbarkeit von der Vollendung ihres Pflichtjahres entbinden zu lassen. Am 21. Juni 1943 ist Inge endlich wieder Buchhändlerin, erleichtert, dem Spannungsfeld der Friedrichshaller Straße entkommen zu sein, und für Felice und Lilly beginnt die Zeit der Freiheit.

Mein Felicemädchen,
ich sitze im Zug nach Grünau. Spürst Du, daß ich an Dich denke? Ich glaube, wenn sich mein Herz bewegt und irgendwie schmerzt, denkst Du an mich!! Warum tut Liebe weh? – Ich habe infolge einiger Liebesgeschichten manchmal geglaubt, daß ich vielleicht doch nicht richtig lieben könnte,

um jetzt endlich zu wissen, daß ich es kann. Ich liebe Dich, Du mein tatsächlich »erster Mensch«! Früher hatte ich oft das eigentümliche Gefühl irgendeines Schuldbewußtseins, irgend etwas sei nicht richtig, ich müßte mich schämen – und jetzt – jetzt darf ich überschäumen, jetzt mein Gefühl uferlos sein lassen.

Am 13. Juli 1943 richtet die Gestapo, Staatspolizeileitstelle Berlin, ein Schreiben an den Herrn Oberfinanzpräsidenten Berlin-Brandenburg, Vermögensverwertungsstelle. Darin wird mitgeteilt, daß die Jüdin Felice Sara Schragenheim seit dem 15. 6. 1943 als flüchtig gemeldet ist, und um Einziehung ihrer Vermögenswerte gebeten. Das Ansuchen ist bereits erledigt. Schon am 1. Juli hatte die Korrespondenzabteilung der Preußischen Staatsbank dem Oberfinanzpräsidenten gemeldet, daß das Vermögen der »Felicie Sara Schragenheim«, Konto-Nr. J 361 224, gemäß Bekanntmachung im Deutschen Reichsanzeiger Nr. 144 vom 24. Juni 1943 eingezogen wurde.

Als Vorbereitung auf ihr Leben als geschiedene Frau, die für sich selbst nur ein Jahr lang Geld von ihrem Mann zu erwarten hat, weil sie sich unter dem Damoklesschwert von Günthers Drohung bereit erklärt hat, einen Teil der Schuld für das Scheitern der Ehe auf sich zu nehmen, schreibt sich Lilly im Juli in die Sprachschule Rackow am Wittenbergplatz ein. Sie belegt einen Kursus für angehende Englisch-Dolmetscher, doch erst einmal muß sie Deutsche Kurzschrift und Maschineschreiben lernen. Wenn der Vormittagsunterricht zu Ende ist, steht Felice in ihrer kurzen weißen Leinenhose vor dem Schultor. Seite an Seite radeln sie durch Wilmersdorf und setzen sich im Hindenburgpark ein Schwätzchen lang auf eine Bank, ehe sie die Kindermeute wiederhat.

Immer noch glauben die Bewohner der Stadt, daß die Berliner Luftabwehr einen Großangriff auf die Reichshauptstadt unmöglich machen wird. An die nächtlichen »Moskitoangriffe« hat man sich gewöhnt, sie richten nur geringen Schaden an. Voll Mitleid und etwas ungläubig hören sich die Berliner die Berichte von Flüchtlingen aus dem Ruhrgebiet an, die von brennenden Straßenzügen und gänzlich zerstörten Städten erzählen. Doch die Gelassenheit weicht wachsender Unruhe, als zwischen dem 24. und 30. Juli im näherliegenden Hamburg im Zuge der »Operation Gomorra« etwa 50.000 Menschen von britischen Brand- und Sprengbomben getötet werden. Am 1. August werden an alle Berliner Haushalte Handzettel verteilt, in denen Frauen, Kinder, Kranke und Rentner aufgefordert werden, die Reichshauptstadt zu verlassen. Bei Temperaturen bis zu 35 Grad setzt ein Massenansturm auf Bahnhöfe und Kartenstellen ein. Tausende fahren in die Umgebung der Stadt und kampieren nachts in den Wäldern. Tausende fahren zu Freunden und Bekannten aufs Land, um ihre Habe in Sicherheit zu bringen. Im *Völkischen Beobachter* wird Friedrich der Große zitiert: »Man muß sich in Sturm- und Notzeiten mit Eingeweiden aus Eisen und mit einem ehernen Herzen versehen, um alle Empfindungen loszuwerden.«

»Wohlvorbereitet« sollen die Volksgenossen »dem Bombenterror trotzen«, schreiben die Zeitungen. Sachen von Wert sollen zu Bekannten in weniger gefährdete Gebiete zur Aufbewahrung gebracht werden. An Möbel, Teppiche und Hausrat sind Zettel mit der genauen Anschrift des Besitzers anzubringen. »Frauen und Kinder gehören in den Keller, ein für allemal«, mahnt der *Hakenkreuzbanner*, die nationalsozialistische Tageszeitung für Mannheim und Nordbaden, die in Felices Geschichte noch eine Rolle spielen wird. Da bei Sprengbomben Gefahr von Verschüttung oder Hitzetod besteht, müssen sich die Leute die Fluchtwege aus dem Luftschutzraum einprägen. Sie dürfen nicht mit Kisten, Gerät und Luftschutzgepäck verstellt werden. Mauerdurchbrüche müssen absperrbar sein, sonst wirken sie bei Brand wie ein Kamin und können ein noch nicht bedrohtes Haus gefährden. In den Keller soll nur das mitgenommen werden, was zum primitivsten Überleben nötig ist. »Einige Handtücher sind wichtiger als Tafelsilber, Teppiche, Gemälde und hundert Bände Klassiker«, belehrt der *Hakenkreuzbanner.* Im Keller werden vor allem Kerzen und Streichhölzer, Gasmasken, Decken und Wasser benötigt. Wenn die Ausgänge verschüttet sind und die auf der Kellerdecke lagernde Glutmasse die Temperatur tödlich werden läßt, nützen nur noch wassergetränkte Decken und Mäntel. Mit nassen Tüchern vor Mund und Nase heißt es dann eilig durchs brennende Vorderhaus laufen. Das Luftschutzgepäck mit Sparbuch, Lebensmittelmarken, Trinkwasser und »Mundvorrat« muß in der Wohnung jederzeit griffbereit sein. Die Luftschutzkleidung soll möglichst wenig Kunstseide und Baumwolle enthalten, weil diese Stoffe entzündlich sind, dafür schwere Lederhandschuhe, Mäntel und Westen aus Leder und Brillen mit seitlichem Schutz nach der Art von Schnee- oder Schweißerbrillen. Frauen binden sich am besten ein Kopftuch um.

»Gehören Männer in den Luftschutzkeller?« fragt das Blatt und gibt auch gleich die Antwort: »Ihre Aufgabe ist nicht, sich selber zu schützen, sondern Unheil von der Gemeinschaft abzuwenden.« Feuer wird mit Sand und Wasser bekämpft, Stabbrandbomben sehen aus wie weißliches Feuerwerk, Phosphorbomben geben Spritzer und Qualm ab, mit Feuerpatschen kann man zwar Funkenflug bekämpfen, nicht aber Phosphor, der nach allen Seiten verspritzen würde.

In Berlin werden die Menschen von einer großen Unruhe erfaßt. Jeden Abend erwartet man den Beginn der von BBC ständig angekündigten Luftoffensive. Jede Nacht verschwinden die Bewohner beim ersten Aufheulen der Sirenen in die Keller. Die Menschen stürmen die Bahnhöfe. Alle, die nicht unbedingt in der Stadt bleiben müssen, setzen sich nach Osten oder Süden in Bewegung. Auf jedem freien Platz wird das Pflaster aufgerissen, und jeder grüne Fleck wird umgebuddelt. Überall entstehen Luftschutzgräben. Jeder müßige Spaziergänger männlichen Geschlechts wird von den Blockverwaltern angehalten, beim Schippen zu helfen. Es empfiehlt sich ein schleuniger Schritt. Erst am 27. August, als die Berliner schon wieder Vertrauen zu ihrer Luftabwehr gefaßt

haben, tritt das langgefürchtete Ereignis ein. U-Boote, wie
Gerd Ehrlich einer ist, müssen sich bei einem Bombenangriff
beeilen, rechtzeitig einen öffentlichen Luftschutzkeller zu erreichen.

Gerd Ehrlich

Wie üblich verstummte gegen 9 Uhr abends der Reichssen-
der Berlin. Es waren also feindliche Flieger im Anflug.
Schleunigst zog ich Stiefel und Jacke an und schnallte meine
HJ-Koppel um. Die Aktentasche griffbereit wartete ich an
der Tür. Richtig, da heulten die Sirenen. Also schnell aus dem
Haus und auf der Straße etwas spazieren gegangen. Die letzten Male war ich in einem wunderbar ausgebauten Keller in
der Bismarckstraße gewesen. Ein ehemaliger Klassenkamerad, Klaus H., Halbarier und als solcher noch einigermaßen
unbehelligt in einer annehmbaren Stellung, wohnte dort.
Heute kam ich kaum bis zu diesem Haus, als die Flak auch
schon kräftig zu schießen begann. [...] Das Licht ging aus.
Staub fiel von der Decke. Der Keller wackelte wie ein Schiff
auf See. Die Frauen fingen an zu schreien, und es schien, als
ob das ganze Haus eingestürzt sei. Nach einigen Minuten der
Verblüffung begannen wir uns zu sammeln. Der Ruf des Luft-
schutzwartes rief alle jungen Männer an die Türe. Klaus und
ich wurden zu einem Kontrollgang auf den Boden ausge-
wählt. Also Stahlhelm auf und los. [...] Vom Dach aus bot
sich uns ein überwältigender Anblick. Einen Moment ver-
gaßen wir ganz die Gefahr, in der wir schwebten. Der Nacht-
himmel war in allen Richtungen blutrot. Über unseren
Köpfen schwebten verschiedenfarbige Leucht- und Christ-
bäume, die von der deutschen Flack mit Leuchtspurmuniti-
on beschossen wurden. Scheinwerfer hatten einzelne Flieger
im Kreuz, die aber doch unerschrocken trotz des wütenden
Geschützfeuers weiterflogen, um sich dann vielleicht durch
einen kühnen Sturzflug auf ein Industrie- oder Eisenbahn-
ziel der Gefahr zu entziehen. [...] Dann eilten wir auf die
Straße. Ein mächtiger Wind hatte sich erhoben und blies
Rauch, Asche und Flugblätter vor sich her. Schnell sammelten wir einige der abgeworfenen »Aufrufe an das deutsche

Volk« und steckten sie in die Tasche. [...] Der Angriff hatte im ganzen vielleicht eine Stunde gedauert, aber der angerichtete Schaden war ziemlich erheblich. Noch zwei Tage später ging ich durch Straßen, die brannten. [...] In dieser Nacht mußte ich noch bis etwa drei Uhr spazierengehen, da das Haus zu unruhig für eine unbemerkte Heimkehr war. An verschiedenen brennenden Häusern habe ich löschen geholfen und Möbel rausgetragen.

Felice, bei den Nachbarn als Lillys liebenswerte Freundin bekannt und beliebt, zieht bei Alarm mit Lilly und Bernd in den Keller, während die drei Kleinen die Nächte im nahegelegenen Kinderbunker verbringen, eine Vergünstigung, die nicht alle Mütter genießen. Anfangs liefert Lilly sie noch persönlich bei Bunkerschwester Herta ab, später gehen sie allein hinüber. So richtig erwachsen kommen sie sich vor, wenn sie abends um dreiviertelsechs Hand in Hand über den Kolbergplatz in die Reichenhaller Straße trotten. Eberhard, der Fürsorgliche, ist verantwortlich, daß der Dicke der Obhut von Schwester Herta übergeben wird. Albrecht, keine zwei Jahre alt und noch in Windeln, dürfte eigentlich noch gar nicht in den Bunker, aber Schwester Herta hat einen Narren an ihm gefressen und drückt ein Auge zu. Während die anderen Kinder mit ihren Teddys in die Stockbetten klettern, darf der Dicke sich an Hertas füllige Brüste schmiegen. »Händchen falten, Köpfchen senken, nur an Adolf Hitler denken. Er gibt uns das täglich Brot und führt uns aus aller Not«, murmeln die Kleinen im Chor und schauen auf das Bild des Führers. Dann heißt es Licht aus, und diejenigen, die unten liegen, beginnen den über ihnen Liegenden mit den Füßen ins Kreuz zu treten. »Ruhe«, brüllt Schwester Herta, drückt den Dicken fest an sich und denkt wehmütig an ihren Hans, von dem sie seit der Kapitulation der deutsch-italienischen Truppen in Tunesien vor mehr als zwei Monaten nichts mehr gehört hat.

Zu Hause beginnt bei Ertönen des Sirenengeheuls für Lilly der Streß.

»Komm jetzt endlich!« mault sie und rennt mit ihrem Luftschutztäschchen nervös zwischen Eingangstür und Badezimmer hin und her. Felice aber steht vor dem Spiegel und kämmt und kämmt. Ihr dunkelbraunes Haar ist glatt und spröd. Wenn ihre Friseuse es nicht in elegante Dauerwellen legen würde, wäre es unansehnlich. Es bedarf andauernder Pflege. Ihre Frisur muß unbedingt in Ordnung sein, wenn sie in den Keller geht. Je gepflegter sie sich den Hausgenossen präsentiert, desto sicherer fühlt sie sich.

Nach der Entwarnung dreht sich der Spieß um.

»Schlaf nicht, bitte schlaf nicht«, jammert Felice, wenn Lilly auf der Treppe todmüde zusammensackt und sich von ihr zur Wohnung hinaufschleifen läßt. Immer noch reglos über das Bett gebreitet, muß Felice sie dann auch noch ausziehen. Was nicht selten dazu führt, daß Lilly mit einem Schlag hellwach ist. Am nächsten Tag ist die Müdigkeit bleiern, wenn um acht Uhr früh die lieben Kleinen an der Tür schellen.

Um diese Zeit wird Felice von Ernst, Jolle und Gerd angesprochen, ob sie nicht mit ihnen türmen möchte. Lutz, der nach seiner Heldentat mit den DRK-Ausweisen steckbrieflich gesucht wurde, hat es bereits Ende Mai geschafft, sich in die Schweiz abzusetzen – mit Hilfe einer Fluchthelferin und einem Ausweis des Reichsministeriums für Bewaffnung und Munition, der das Reisen in Grenznähe erlaubt.

Felice und Lilly führen verzweifelte Debatten. Flüchten oder bleiben? Ebenso heftige Debatten führen – von Lilly unbemerkt – Felice, Inge und Elenai. Eine Flucht über die grüne Grenze in die Schweiz ist keineswegs ungefährlich. Es sind nicht wenige Fälle bekannt, wo Schweizer Grenzbeamte flüchtige Juden postwendend nach Nazideutschland zurückgeschickt haben.

Lilly erwägt, die Kinder zurückzulassen und Felice in die Flucht zu folgen. Es gibt eine Menge Kinderheime in Süddeutschland. Nach dem Krieg könnten sie sie wieder holen. Daß es ein Nachher geben wird, davon ist Lilly überzeugt. Felice hingegen ist skeptisch, die schnell verdrängten Gerüchte, die ihr zu Ohren kommen, sind zu grauenhaft, als daß sie sich ein Nachher vorstellen kann. Aber immerhin läßt sie den Gedanken zu. Da bekannt ist, daß Fluchthelfer nicht an Geld, sondern nur an Sachen interessiert sind, schreibt sie Frau Selbach ins Riesengebirge und bittet um Rückgabe ihres Eigentums. Mutti, für die Felices Beziehung zu Lilly ein unverzeihlicher Treuebruch ist, hat Felices Sachen – Teppichläufer, Bettwäsche aus mehreren Wohnungen und vor allem den teuren Persianerpelz der Großmutter – auf den Forst und zu Olga nach Hinterpommern in Sicherheit gebracht. Auf Felices Ansinnen reagiert sie gereizt und erfindet immer neue Ausflüchte. Sie hat Felice immer schon gewarnt, daß eine »Geflitzte« es sich nicht leisten kann, so lange an einem Ort zu bleiben.

Pflichtschuldig redet Lilly Felice zu, ohne sie zu gehen, und schreibt Ende August auf, was sie seit Wochen quält:

Du mein geliebter Mensch,
ein Leben ohne Dich kann ich mir nicht vorstellen. Und das soll es doch geben? Ändert man sich nicht, wird man sich nicht fremd in jeder Minute, die man getrennt erlebt, und findet man sich nicht bei jedem Wiedersehen neu? Und ich soll Tage, Wochen, Monate vielleicht ohne Dich sein, ohne Deine Stimme, Deine Hände, Deinen Mund? Ohne die Gewißheit, daß alle Deine Gedanken bei mir sind wie die meinen bei Dir? Muß man denn alles einmal abgeben, was man liebt? Darf man niemals restlos glücklich sein? Entfernung, Zeit, Gewohnheit – müssen auch uns diese gefährlichsten Feinde der Liebe drohen? Oder ist unsere Liebe so schwächlich, daß ihr Sehnsucht, dieses langsam verlöschende Feuer, nur gut tun könnte?? Warum schreibe ich das alles – ich liebe Dich ja so sehr, so nie gefühlt und gekannt. Nun quäle ich Dich und mich. Warum quält man, was man liebt? Weil man liebt.

Der Brief trägt keine Unterschrift, die Tinte ist grün, die Handschrift jener von Felice zum Verwechseln ähnlich.

Elenai ist verblüfft, als ihr einmal ein solcher von Lillys Briefen in die Hände fällt.

»Sag mal, warum machst du denn Felices Schrift dauernd nach?«

»Das ist Liebe«, antwortet Lilly.

Elenai, Inge und Felice beschließen, daß es angesichts des ungewissen Ausgangs der Flucht für Felice sicherer sei, in Berlin zu bleiben. Felice weiß, daß es ihre letzte Chance ist, Deutschland zu verlassen, und rückt näher an Lilly heran.

Nachts

Ich liebe das: Mich über Dich zu neigen
und in Dein schlafendes Gesicht zu sehen,
wenn durch das dichte dämmergraue Schweigen
nur Deine leisen Atemzüge wehen.

Wenn meine Augen über Deine klaren
und mir so sehr vertrauten Züge streifen,
kann ich von jenem zarten Wunderbaren,
das Du mir gibst, unendlich viel begreifen.

Wie in ein Kunstwerk, das ein Großer schuf
so senke ich mich tief in Dich hinein
und lausche Deiner stummen Lippen Ruf.
Doch plötzlich fühle ich: Ich bin allein!

Weit fort bist Du. In lähmendem Erschrecken
erkenne ich die Ferne, die Dich hält –
und reiße Dich empor, um Dich zu wecken,
damit Du wiederkehrst in meine Welt.-

Meine Aimée!
Ich liebe Dich so sehr, daß ich Dir gar nichts schreiben kann. Und ich brauche Dir ja eigentlich auch gar nicht zu schreiben, denn alles so enorm Wichtige werde ich Dir – wenn es Dir recht ist – nachher im Bett sagen.

Und wenn Du einmal davon sprichst, daß ich Dir einen Mann suchen soll, oder daß Du heiraten willst, dann verhaut Dich nach Strich und Faden
Dein
treuer, mutiger, edler, wilder
Jaguar

Es ist das erste Mal, daß Felice sich Jaguar nennt.

Am 2. eines jeden Monats gedenken Aimée und Jaguar des 2. April, an dem Felice zum ersten Mal unter Lillys Bettdecke kroch. Am 2. September 1943 schenken Jaguar und Aimée einander Ringe. Aimée bekommt einen goldenen Ehering, in dessen Innenseite »F. S.« und das Datum 2. 4. 43 graviert ist, und schenkt Jaguar ihren Silberring mit dem grünen Stein. Felices Hand ist so schlank, daß sie ihn nur am Mittelfinger der rechten Hand tragen kann.

Mein so inniggeliebtes Mädchen!
Zu unserem Hochzeitstage – ein langes und doch kurzweiliges halbes Jahr – wünsche ich Dir und auch mir das Schönste, was es geben kann. Vor allem – eine glückliche Zukunft! Dazu gehört ein bißchen Geld, eine nette Wohnung und nette Freunde. An letzterem wird es uns wohl nie fehlen. Die Wohnung werden wir auch haben, aber ob immer Geld? – – na, wir werden sehen! Was kann uns schon passieren, nicht wahr?! Bei unserer Liebe! Und was wollen wir mehr!
Ich liebe Dich unendlich und gehe nicht von Dir,
Deine Aimée
Ende September ist Felice mit Ernst Schwerin und Gerd Ehrlich in einem Café am Savignyplatz verabredet.

Gerd Ehrlich

Wir wollten das Mädel um halb vier dort treffen, waren aber schon etwas früher dort. Ernst setzte sich an einen Tisch und ich ging in meiner Uniform an das Buffet, um einige Stückchen Kuchen für uns auszusuchen. Vor mir warteten einige Menschen und direkt vor mir ein SD-Mann. Ich stand noch keine fünf Minuten dort, der SD-Mann wurde gerade bedient, als ich plötzlich eine Hand auf meiner Schulter fühle. Mich umdrehend sehe ich eine jüdische Arbeitskollegin von E&G, die zusammen mit ihren Eltern auch untergetaucht gewesen war, aber von der Gestapo schon vor einiger Zeit geschnappt worden war. Wir wußten von diesem Mädel, sie hieß Stella Goldschlag und hatte wegen ihrer schönen blonden Haare den Spitznamen »jüdische Lorelei«, und daß sie seit ihrer Verhaftung Spitzeldienste für die Polizei leistete. Es war ihr gelungen, verschiedene Juden den Beamten in die Hände zu spielen. »Hallo, Gerd, wie geht es Dir?« – »Verzeihung, mein Fräulein, ich kenne Sie nicht. Sicher verwechseln Sie mich mit jemand anderem!« – »Aber nein, du bist doch Gerd Ehrlich, erkennst du mich denn nicht, wir haben doch bei Erich & Getz zusammen gearbeitet!« – »Bestimmt irren Sie sich, ich heiße anders!« In diesem Moment ist der Beamte vor mir bedient und dreht sich um. Wahrscheinlich war er der Begleiter des Spitzels, die ihn auf geflitzte Juden aufmerksam machen mußte, selbiger dann nur noch zu verhaften brauchte. Einmal auf einer Polizeiwache hätten mir meine schönen Ausweispapiere wenig genützt. Ich durfte es also nicht drauf ankommen lassen. Das Mädchen, das immer noch die Hand nach mir ausstreckte, bekommt einen Stoß vor die Brust. Durch einen Alarmpfiff machte ich Ernst auf die Gefahr aufmerksam. In diesem Moment will der SD-Mann mich packen. Ernst, der sah, in welch gefährlicher Lage ich bin, springt ihn von der Seite her an. Der lange Kerl fällt über den Serviertisch. All das spielte sich in wenigen Sekunden ab. Ehe noch jemand der Anwesenden sich von seinem Erstaunen erholt hatte, waren wir beiden schon auf der Straße. In größter Geschwindigkeit rannten wir um die Ecke. Rauf auf den Bahnsteig der S-Bahn. An der anderen Seite wieder herunter und auf eine fahrende Straßenbahn gesprungen. Erst am Bahnhof Zoo, nach zwei Stationen, als wir ganz sicher waren, nicht verfolgt zu werden, stiegen wir wieder aus und fuhren mit der S-Bahn die eine Station bis zum Bahnhof Savignyplatz zurück. Wir mußten doch an dem Café aufpassen, daß Fice nicht hineinging und in die Falle geriet. Von einem gegenüberliegenden Hausflur aus behielten wir also den Eingang des gefährlichen Ortes im Auge. Endlich kam unsere Freundin. Wir konnten sie noch rechtzeitig, bevor sie den Ort betreten hatte, auf uns aufmerksam machen und gingen mit ihr in ein anderes Restaurant, wo wir ihr erzählten, was vorgefallen war.

Dies Ereignis hat mich zum ersten Mal etwas nervös gemacht. Noch beunruhigender klang die Nachricht, die wir dann von einem Genossen, der für die Stapo arbeitete, bekamen. Stella hatte meinen Namen und meine Beschreibung angegeben, und nun hatte man mich auf die Suchliste mit Bild gesetzt. Es wurde also Zeit, meine Zelte in Berlin abzubrechen.

Innerhalb von vierzehn Tagen ist alles vorbereitet. Ein Fahrrad und eine Schreibmaschine, vielleicht auch Geld, müssen für die Fluchthelfer aufgetrieben werden. Hedwig Meyer, eine in einer vornehmen Grunewald-Villa lebende schwarzgekleidete Dame, die zwei Söhne an der deutschen Ostfront verloren hat, organisiert alles weitere. Mit einem verschlüsselten Telegramm verständigt sie Bauern im badischen Singen, die den Flüchtlingen den sicheren Übergang zeigen und den Fluchtweg in die Schweiz vorbereiten werden. Am 7. Oktober 1943 werden Gerd, Ernst und seine Braut, allgemein nur »die Dicke« genannt, um zehn Uhr abends von einer kleinen Abordnung von Freunden in den »Urlaub« verabschiedet. Vorher hat Gerd Inge von Collignon abgeholt, um sie mit seinen restlichen Lebensmittelmarken zum Essen einzuladen. Die beiden Ausweiskontrollen der Geheimen Staatspolizei im Zug verlaufen ohne Zwischenfall. Nach einer Nacht in einem Stuttgarter Hotel geht es um sieben Uhr früh im Bummelzug nach Tuttlingen und nach kurzem Aufenthalt weiter nach Sigmaringen. Nach einer Mittagspause nehmen die drei den nächsten Bummelzug nach Radolfzell am Bodensee, um noch einmal in eine Eisenbahn umzusteigen, die sie zum Grenzstädtchen Singen bringt, wo sie fahrplanmäßig um 17 Uhr ankommen. Sie wurden gewarnt, den streng kontrollierten D-Zug Stuttgart-Singen zu meiden und lieber die Nebenstrecke zu benutzen. Am Bahnhof wartet die »Dame in Schwarz mit Fahrrad«, der sie unauffällig zu folgen haben. Das Abenteuer endet im Schweizer Dörfchen Ramsen, nach einer Nacht im Wald, in der sie beinah in die falsche Richtung in den Tod zurückgelaufen wären. Ein junger Schweizer Grenzer gabelt die drei auf einem Feldweg auf und bringt sie zu seinem Zollposten. Das Berner Deutsch des wachhabenden Sergeanten verstehen die Berliner nicht.

»Parlez-vous français?«

Sergeant Fisch will sie unverzüglich nach Deutschland zurückschicken.

»Haben Sie ein Gewehr?« fragt Gerd.

»Ja.«

»Können Sie schießen?«

»Ja.«

»Dann schießen Sie. Anders kriegen Sie mich nicht zurück.«

Dann bittet Gerd Ehrlich darum, nach Washington anrufen zu dürfen.

5

Am 12. Oktober 1943 wird Lilly im Landgericht am Alexanderplatz geschieden. Unteroffizier Günther Wust mit der Feldpostnummer 14 063 B kann seiner eigenen Scheidung nicht beiwohnen, er ist im August nach Ungarn eingezogen worden. Frierend kauert Felice vor dem Gerichtssaal auf einer Bank und nutzt die Zeit, um ein Gedicht zu verfassen:

Landgericht

Da hab ich versprochen, in Ewigkeit
Dir immer und überall beizustehen,
und schon bei der ersten Schwierigkeit
mußt Du doch ganz alleine gehen.

Liebste! Hoffentlich schonen sie Dich
dort in diesem düsteren Zimmer.
Zahnarzt ist sicher fürchterlich,
aber Scheidung ist, glaube ich, schlimmer.

Dabei bist Du doch noch so klein –
und Dein Haar schimmert manchmal wie Kupferdraht.
Später laß ich Dich nicht mehr allein
Ob Fräulein Schulz heute Rosen hat?

Hoffentlich bist Du bald wieder hier –
Ist es auf Gerichten immer so kalt?
Und von jetzt an gehörst Du nur noch mir.
Später, nicht wahr, das wünschst Du Dir,
werden wir dann zusammen alt! –

»Bin ich jetzt wirklich geschieden?« stammelt Aimée benommen, als sie nach vollzogener Prozedur von Jaguar in Empfang genommen wird.

»Jetzt bist du ganz unter meiner Fuchtel«, strahlt Felice und kauft ihr am Bahnhof Schmargendorf am Heidelberger Platz bei Fräulein Schulz einen Strauß roter Rosen. Abends stellen sie die Wohnung um. Das Schlafgemach wird vom Balkonzimmer ins Herrenzimmer verlegt, dessen hellgrauer Kachelofen sich nicht heizen läßt und das deshalb in den Wintermonaten nur als Schlafzimmer geeignet ist.

»Im Namen des deutschen Volkes« wird das Scheidungsurteil am 18. Oktober ausgefertigt. Lilly, so führt das Urteil aus, hat den Antrag gestellt, Günther für den schuldigen Teil zu erklären, weil dieser die Ehe gebrochen hat. Günther wiederum hat eingewandt, daß Lilly keine weiteren Kinder mehr haben will und »ihm deshalb seit Dezember 1942 hartnäckig den ehelichen Verkehr verweigert«. Der Widerklage von Günther Wust wird stattgegeben, und das Gericht entscheidet sich für eine beidseitige Schuld, denn »der von ihr [Lilly] angegebene Grund, daß schon vier Kinder da seien, ist nicht gerechtfertigt«.

Fast zur gleichen Zeit wird in London Hochzeit gefeiert. Unter großer Anteilnahme der Berliner Emigrantenszene heiratet Irene Schragenheim am 23. Oktober den Berliner Fritz Cahn, der sich bald darauf der Peinlichkeit seines Vornamens entledigt und fortan Derek heißt. Wie es der Zufall will, ist seine Schwester mit Käte Schragenheim, geborene Hammerschlag, zur Schule gegangen. Diese wiederum, erfährt Felice über Madame Kummer, hat in den vergangenen Jahren in Palästina Irenes Erbe durchgebracht. »Diese Verwandtschaft hat aufgehört zu existieren«, schreibt Irene Anfang Oktober und beantwortet auch Felices Frage, ob sie den Klassiker der lesbischen Literatur *The Well of Loneliness* von Radclyffe Hall kenne. Nein, sie habe das Buch nicht gelesen, versuche es aber seit Jahren zu bekommen. »Mir persönlich liegen Sachen dieser Art fern«, fügt sie spitz hinzu, »und ich hoffe meinem Putz auch.«

»Den Beschluß des Gerichts wirst Du inzwischen erfahren haben; Dein Anwalt hat Dich wohl davon in Kenntnis gesetzt«, schreibt Lilly am 29. Oktober Günther Wust an die Front:

> Bei uns ist weiter nichts Außerordentliches vorgefallen, als daß ich den englischen Kursus nicht mitmachen kann. Er stellte zu viele Ansprüche an meine Zeit, ich dürfte keine Kinder haben, dann könnte ich mich der Sache mehr widmen. [...] Nun zur Wohnungsfrage. Daß Du die Wohnung behältst, wurde beim Termin erwähnt, gleichzeitig aber die Tatsache, daß es wohl sehr schwer sein wird für mich, eine andere Wohnung zu finden, daß Du mich natürlich aber auch nicht auf die Straße setzen kannst mit den Kindern.

Bald darauf wird Lilly benachrichtigt, daß alle vier Kinder ihr zugesprochen werden. Sie ist aber weiterhin bereit, die beiden älteren Söhne Günther und seiner 19jährigen Verlobten Liesl Reichler nach deren Eheschließung zu überlassen. Im Oktober sind nur noch die beiden Kleineren in Berlin. Immer mehr Schulkinder werden aus den bombengefährdeten Städten aufs Land verschickt. Bernd kommt nach Grünrode in Ostpreußen, nahe der litauischen Grenze, Eberhard probeweise zu Liesl nach Schlesien.

Bernd Wust

> Das war eine biedere Landschule: erste Klasse erste Bank, zweite Klasse zweite Bank, dritte Klasse dritte und vierte Bank und die Viertklässler saßen hinter. Im Nachbarraum saßen dann die von der fünften bis zur achten Klasse. Sie sprachen deutsch mit einem sehr harten ostpreußischen Akzent. Die Leute, wo ich zuerst war, hießen Skat. Das fing damit an, daß wir hemmungslos Dresche gekriegt haben, sowohl vom Lehrer als auch von unseren Mitschülern. In Berlin sind wir in die große Schule gegangen und man konnte sich als lernschwacher Schüler so ein bißchen hinter der gesamten Klasse verstecken, das ging ja in Ostpreußen gar nicht. Und die sind auf dem Land auf hemmungsloses Auswendiglernen gedrillt worden. Das Einmaleins im Schlaf können, das war für die

das A und O des ganzen Unterrichts. Das konnten wir Berliner nicht. Da haben wir einmal Ohrfeigen vom Dorfschullehrer gekriegt, und unsere Mitkameraden, Jungen links, Mädchen rechts, die haben uns hemmungslos verpetzt: »Herr Lehrer, Sie wollten doch die Berliner das Einmaleins abfragen.« Mein Mitkamerad, bei dem ich bei den Skats war, ein gewisser Knut, war ein Jahr älter als ich und ein Bulle von Kerl, der hat dann für uns die andern verdroschen. Mit der Zeit fand sich das dann. Man ist ja mit den Bauernjungen Äpfel klauen gegangen, und man hat den Leuten auch helfen müssen. Wenn Kartoffelernte war, fand sich alles, was krauchen konnte, erst beim Bauern A ein und zwei Tage später beim Bauern B, und wenn sich die Frauen zum Mittagsbrot zurückzogen, haben wir auf dem Hof gespielt, uns mit Schlamm beworfen, die Köter geärgert, Verstecken gespielt. Und wenn dann einer der Männer aus dem Feld kam, hat er das EK I oder das EK II gehabt, dann waren das für uns ganz große Helden.

Das waren ja bewegende Zeiten damals. Der Führer wird siegen, das haben uns die Lehrer beigebracht. Wir hatten ja einmal im Monat so'ne Art Schulungsunterricht, da tauchten so'ne Frauen auf und erzählten uns irgend solche dollen Sachen. Ich weiß noch, daß eine mit belegter Stimme sagte: »Auf den Führer ist ein Attentat gemacht worden.« Dann war der Angriff in der Normandie, und die verbliebenen alten Herren haben ihre Knarren aus dem ersten Weltkrieg aus dem Schrank genommen und sind in die Wälder gefahren. Dann haben sie entweder so'ne Kriegsgefangene gesucht oder ich weiß nicht – Russen hat es im allgemeinen geheißen. Wir sind angehalten worden, nicht allzu doll in die Wälder zu gehen. Die Wälder an der litauischen Grenze, die fingen bei uns in Nordostpreußen an und haben vor Leningrad aufgehört, das darf man nicht vergessen.

Mutti hat mich zwei Mal besucht in dem Jahr, wo ich in Ostpreußen war. Ein Besuch war ja mit Schwierigkeiten verbunden, es fuhren wenige Züge. Ich kann mich erinnern, daß Mutti einen Heiterkeitserfolg hatte, als sie dort in Hosen ankam. Es waren zwar Damenhosen, aber das waren die biederen Frauen in Ostpreußen nun gar nicht gewohnt. Die haben sich den Mund zerrissen! Und hinterher haben sie festgestellt, naja, wenn du bei einem Abteilfenster reinklettern mußt, hat das ja vielleicht auch Vorteile.

Bei den Skats habe ich mich nicht wohlgefühlt, da war ich noch so ein typischer Großstadtbengel. Frech, verlogen und windig, so muß ich mich dargestellt haben. Ich hab 'ne Scheibe eingeworfen und hab behauptet, da ist ein Landstreicher vorbeigekommen. Das war vielleicht Muttis Erziehung, wir sind eigentlich nie recht bestraft worden. Wenn Mutti dann der Kragen geplatzt ist, dann hat's der abgekriegt, der grade dran war, das war in den meisten Fällen dann ungerecht. Das war ihre Art, und das hab ich nach Ostpreußen mitgebracht. Die haben mich aber immer erwischt bei meinen Schwindeleien, und dementsprechend hab ich meine Prügel gekriegt. Dann kam ich zu diesen anderen Leuten, den Rimkus, das waren nicht Bauern, sondern Landwirte – das war ja bei den Nazis ein erheblicher Unterschied. Die hatten zwei Töchter, und mit der Zwölfjährigen konnte ich spielen. Und die Frau hat sich ein bißchen mehr um mich gekümmert. Als dann auch noch Eberhard kam, hab ich keine Probleme mehr gehabt. Dort wurde ich dann zu einem richtigen ostpreußischen Bauernlümmel. Bei den andern hieß es ja immer, naja, der aus Berlin, hat 'nen großen Mund, aber richtig arbeiten kann er nicht. Wir Berliner waren ja nicht geübt. Wenn so ein Dorfbengel in unserem Alter die ganze Furche Kartoffel aufgelesen hat, hatten wir vielleicht zehn Prozent davon, weil wir das entweder zu gründlich gemacht haben oder Erdklumpen mit Kartoffeln verwechselt haben. Oder wir haben das Vieh von der Weide geholt: Da kam die Kuh mit der Schnauze hinten an mir an, und ich hab sie losgelassen. Da ist sie ab ins Kleefeld ...

Keinen Tag zu früh sind die Kinder aus Berlin fortgeschafft worden, denn in der dritten Novemberwoche beginnt die »Schlacht um Berlin«.

Am 22. November heult die Sirene um 19 Uhr 30. Gegen 20 Uhr ist »Teppichangriff«. Reinhard kränkelt und darf nicht in den Kinderbunker. Als das Licht ausgeht im Keller der Friedrichshaller Straße, wird es totenstill. Nur der Kalk rieselt von den Wänden. Lilly umklammert in der Finsternis Felices Arm mit beiden Händen. Sie hat immer schreckliche Angst, daß sie auseinandergerissen werden könnten.

»Nicht wahr, Mutti, das Haus ist doch aus Eisen.« Reinhards dünnes Stimmchen durchbricht das Grauen. Eine Frau lacht mit kippender Stimme. Die Leute lösen sich aus der Erstarrung. »Das muß ein Volltreffer gewesen sein«, gibt jemand sich sportlich. Im Keller ist man auf Tuchfühlung mit den anderen Hausparteien und muß sich arrangieren. Frau Kluge, die Hauswartsfrau, die mit ihrer zehnjährigen Tochter Gisela in der Kellerwohnung lebt, ist in Ordnung. Immer wieder sitzen Lilly und Felice bei ihr vor dem in Decken gehüllten Volksempfänger und hören Radio London. In Ordnung ist auch »Tante« Grasenick im dritten Stock, der Lilly immer die Wohnungsschlüssel gibt, wenn sie die Kinder allein zu Hause lassen muß. »Wir wissen, daß Sie Feindsender hören«, haben die Eichmanns vom Hochparterre mehr als einmal schon gedroht. Auch vor der Nachbarin, Frau Schmidt, deren Begeisterung für den Führer grenzenlos ist, müssen sie sich in acht nehmen. »Es ist noch nicht aller Tage Abend«, tönt sie vollmundig inmitten des Getöses. Doch immer, wenn die Stimmung in Berlin umschlägt, verschwindet auf magische Weise ihr Parteiabzeichen.

Als der Wahnsinn vorbei ist und Lilly und Felice schon lang im Bett liegen, schellt es an der Wohnungstür. Vater Selbach hat eine junge Frau mit Wangen wie Marlene Dietrich mitgebracht. Sie trägt einen großen Koffer. Beide sind schwarz im Gesicht und völlig derangiert.

»Draußen ist die Hölle los. Halb Steglitz brennt. Uns hat's erwischt. Ich fahr morgen rauf zum Forst. Kann Lola bei euch wohnen bleiben?«

Sie kann. Lola Sturm ist für Lilly und Felice keine Fremde. Sie bewohnt seit einiger Zeit die Kammer der Selbachs, die früher Felice als Unterschlupf diente, und ist auch schon mit Muttis Tochter Renate zu Besuch gewesen.

»Jeschuschmaria!«, ist das einzige, was Lola herausbringt. Lola arbeitet als Sekretärin in der Berliner Tochtergesellschaft der »ostmärkischen« Böhlerwerke. Böhler Berlin bildet die Vermittlungsstelle zwischen OKH (Oberkommando des Heers), OKW (Oberkommando der Wehrmacht) und Luftfahrtministerium. Per Fernschreiber wird täglich die in Enzesfeld im Süden Wiens gefertigte Stückzahl nach Berlin gemeldet und dann unverzüglich an OKH und Luftfahrtministerium weitergeleitet. Die Firma hält sich ein eigenes Flugzeug für ihre Flüge zwischen Enzesfeld und Berlin. Lola genießt an ihrem Arbeitsplatz eine Vertrauensstellung. Die Selbachs hat die 21jährige Sudetendeutsche in der Eisenbahn kennengelernt. Mit ihrem gewichtigen Arbeitsvertrag in der Tasche fuhr sie von ihrer Heimatstadt Freiwaldau im Riesengebirge nach Berlin. Luise Selbach bot ihr die verwaiste Kammer an. Die Bekanntschaft mit Mutti und ihren drei Töchtern bietet Lola Schutz, denn die Berliner machen es der Zugereisten nicht gerade leicht. »A Bemakin!« wird sie in der Straßenbahn von so manchem Volksgenossen verspottet, sobald sie den Mund auftut.

Besser aber gefällt es ihr bei Aimée und Jaguar.

Lola Sturmova

Ich hab mich wohlgefühlt dort, bei Selbachs war's doch nicht so. Die waren irgendwie komisch. Ich weiß nicht, mir kam das so vor, als wie wenn die Selbachs sich gedreht hätten, wie der Wind bläst. Auch die Töchter. Sie haben doch auch mit den Offizieren ...

Sie haben mich getestet, die Lilly und die Felice, wie meine Einstellung ist, die politische. No, und sind draufgekommen, daß wir immer geholfen haben, wo es ging, auch schon hier in Jesenik, was früher Freiwaldau war. Ich hab ja hier auch – mit mir ist ins Gymnasium gegangen eine Marianne Stuckart, das war eine Jüdin, dann die Firma Gessler, die haben hier die Steinwerke gehabt, und die Schwalmburgs, die hatten ein Sanatorium in Zuckmantl. Also, damals war das gang und gäbe, daß man keinerlei Haß hatte, erst dann im 38er Jahr ... Ich wußte, daß Felice eine Jüdin ist, und Lilly und Felice haben mir das auch gesagt. Da sag ich, da müssen wir helfen. Man wußte es, aber man hat immer geschwiegen. Wir haben immer Angst gehabt, daß irgendwelche Wanzen irgendwo sind.

Felice war sehr hilfsbereit, ein lieber Kerl, intelligent vor allem, no und daß sie mit der Lilly sozusagen lesbische Liebe – sie haben alle Angst gehabt, daß sie irgendwie krank werden, sich anstecken, wenn sie mit den Soldaten gehen. Und da waren meistens lauter solche Halbjüdinnen, bei der Lilly sind sie zusammengekommen und die Pärchen haben sich dortn getroffen. Die Felice war immer als Mann angezogen, immer in Hosen, Bluse, Krawatte, und Lilly normal, als Frau. Die war ja so gut erhalten, trotz der vier Kinder. Aber ich hab's gemerkt. Ich war einmal auf der Toilette, und dann hab ich mich gebadet, und die Felice wollte ins Bad. Und sie hat angefangen, mich zu begreifen. Da sag ich, bist verrückt! No, und da hab ich eben schon gewußt, was war. Aber die Lilly war liebesbedürftig, und das, was sie wahrscheinlich bei ihrem Mann nicht gefunden hat, hat sie sich so umgedreht. Sie war glücklich mit der Felice, glauben Sie mir das. Ich hab darin nichts gesehen.

Zwei Tage nach Lolas Einzug wird Geburtstag gefeiert. Lilly ist dreißig Jahre alt geworden und fühlt sich richtig betagt, obwohl ihr ganzer Bekanntenkreis schwärmt, wie sehr sie im letzten halben Jahr aufgeblüht ist. Felice schenkt Lilly eine türkische Mokkamaschine aus Jenaer Glas. Lilly hat Mühe, ihre Enttäuschung hinunterzuschlucken. Auch Günther hat immer irgendwelche Haushaltsgeräte angeschleppt, in der unumstößlichen Überzeugung, daß sein Weib Tag und Nacht nur an das eine denkt. Und dann noch etwas so Überflüssiges wie eine Mokkamaschine! Felice hingegen ist gerade von der Abwegigkeit ihres Einfalls entzückt. Richtiger Bohnenkaffee ist nur unter der Hand und für schweres Geld zu bekommen – wenn das kein Luxus ist!

Da Bernd in Ostpreußen ist, Eberhard in Schlesien, und Albrecht und Reinhard die Nächte im Kinderbunker verbringen, bekommt Lola im Kinderzimmer ein Feldbett zugewiesen und fügt sich mühelos in das unübersichtliche Kommen und Gehen im Hause Wust. Nur ihre Zahlungsmoral läßt zu wünschen übrig. Doch ihr verschmitztes Lächeln aus schräg-gestellten graublauen Augen und der bezaubernde böh-misch-österreichische Akzent, mit dem sie »Ujjegerl« ausruft und die Hand vor den Mund klappt, wenn sie sich ertappt fühlt, machen es Lilly schwer, mit der erforderlichen Strenge auf die überfällige Monatsmiete zu verweisen. Statt dessen kauft Lola zu Weihnachten eine Garnitur Stühle und ein Couchtischchen aus heller Buche fürs Balkonzimmer.

Mit Lola kommen auch wieder mehr Männer ins Haus. Als sie eines Abends einen Münchner Studenten auf der Suche nach einer Unterkunft mitbringt, wittert Elenai ein willkom-menes Opfer. Unter dem Gekreisch der anderen markiert sie die wilde Frau.

»Was ist denn los bei euch?« fragt der junge Mann verstört.

»Is doch nix dabei, Jüngelchen«, gurrt Elenai, und Lola weiß, daß diese Eroberung vermasselt ist.

Ein andermal wird es so spät, daß Lilly und Felice Lola für diese Nacht abschreiben. Erika Jung, Felices Friseuse, und ihre Freundin Maria Kaufmann sind zu Gast. Auch Inge ging einige Zeit in den schicken Salon in die Friedenauer Straße, dann wurde es ihr aber zu bunt. Da saßen Kundinnen in klei-nen, durch Paravents getrennten Abteilungen und erzählten während des Haarschnitts die intimsten Details aus ihrem Liebesleben. Wer nicht erzählfreudig war, wurde aufdringlich gedrängt, Auskunft zu geben. Diese Erika Jung also ist mit ihrer hellblonden Freundin Maria zu Gast. Erika hat einen mit Brillantine in Form gehaltenen Herrenschnitt, Maria ist eine sehr gepflegte stattliche Erscheinung, beide Mitte zwan-zig und in tadellos geschnittenen Herrenhosen. Maria lebt allein in einer riesigen Wohnung, in der die Füße in dicken Teppichen versinken wie in sumpfigem Gras. Jaguar hat Aimée einmal dorthin mitgenommen, um sie als Trophäe vor-zuführen.

»Wenn du jetzt mit mir da raufgehst, dann gehörst du für immer dazu«, präparierte sie Aimée für das Ereignis.

Die solcherart Eingeschüchterte war steif vor Ehrfurcht, als sie in der vierten Etage des imposanten Gebäudes aus der Gründerzeit ankamen. Und in der Tat mühten sich die beiden redlich, die Novizin in die Freuden der Frauenliebe einzuführen. Die eine saß der anderen auf den Knien, und die Küßchen und Schätzchen und Liebste schwirrten nur so hin und her. Und als Erika gar anfing, der Maria an die Brust zu fassen, wußte Aimée vor lauter Scham nicht, wo sie hinschauen sollte.

Es ist also spät geworden, zu spät, als daß Erika und Maria noch heimgehen könnten. Lilly überläßt ihnen eine Seite des Ehebetts, legt sich aber aus einem ihr später nicht mehr nachvollziehbaren Grund nicht zu Felice hinüber auf die Couch. Da die beiden ihr in einem fort die Bettdecke wegziehen, holt sich Lilly aus dem Kinderzimmer Lolas Plumeau. Doch bald darauf kommt Lola heim, stark angeheitert und unter Gepolter, findet ihr Feldbett ohne Decke vor und legt sich in Albrechts leerstehendes Kinderbettchen.

Lola Sturmova

Eines schönen Tages sagt mein Chef, ein Österreicher aus Enzesfeld, gehn wir heute essen in dieses chinesische Restaurant. Und auf einmal schau ich und denk ich mir, mein Gott, da ist einer in Uniform, der kommt mir irgendwie bekannt vor. War es ein Mitschüler von mir? Da gab der dem Ober einen Zettel und hat draufgeschrieben: »Bist du's oder bist du's nicht? Tom Lorek.« No, kurzerhand, wir haben uns dann getroffen. Sagt er, du, ich hab hier im Quartier, wo ich wohne, viele gute Sachen, komm, schick deinen Chef nach Hause, und wir gehn dorthin und werden uns erzählen, was wir in der Zwischenzeit erlebt haben. Also bin ich mit. Und ich hab einen angedudelt gehabt, meine Zeit, ich weiß bis heute nicht, wie ich über die Stufen bis zur Lilly gekommen bin! Jede Weile hab ich mich hingesetzt auf die Stufen und hab gesungen, bis ich dann oben angekommen bin. Und wie die gehört haben, daß jemand in dem Schloß herummacht, sind sie herausgekommen, aber ich war schon im Bett. Und die kommen ins Zimmer – ich hab keinen Polster gehabt, nix, gar nix, nur gerade das Bettchen vom Albrecht mit der kleinen Zudecke, wo ich mich hab reingelegt. Und einmal war mir da kalt und einmal dort, und da hab ich herumgerackert, bis es zusammengekracht ist. Und die Lilly und die andren Mädeln die haben alle zugeschaut, wie ich dortn auf der Erde lieg und schimpf: »Wo ist meine Zudecke? Mir ist kalt!«

Die Bombardements zwischen dem 22. und dem 26. November kosten 3.758 Menschen das Leben. Fast eine halbe Million werden obdachlos. Um die Berliner bei Laune zu halten, werden Ende November Sonderzuteilungen angekündigt – eine Dose Fischkonserven, eine Dose Kondensmilch, ein halbes Kilo Frischgemüse, fünfzig Gramm Bohnenkaffee und Rauchtabak. Am 27. November fährt Goebbels durch die Schadensgebiete und besucht einige Verpflegungsstellen. »Man hat manchmal den Eindruck, als wäre die moralische Haltung der Berliner Bevölkerung schon fast religiös«, schreibt er in sein Tagebuch. »Frauen treten an mich heran und machen segnende Zeichen über mich und bitten Gott, daß er mich erhalten möge [...] Das Essen wird überall als ausgezeichnet gerühmt [...] Mit kleinen Zeichen des Entgegenkommens kann man dieses Volk um den Finger wickeln.«

Mitte Dezember urgiert Lilly bei Günther die ihr von ihm zugesagten Zahlungen für sich und die Kinder. Die Briefe zwischen Berlin und der Front werden immer gereizter.

Weihnachten feiern alle gemeinsam mit Lillys Eltern unter der großen geschmückten Fichte. Lola war bei Böhler mit der Verteilung der Weihnachtsgeschenke betraut, was sich günstig auf die Versorgung des Haushalts auswirkt. Aimée hat Jaguar zu Weihnachten einen weißen Rollkragenpulli gestrickt. Jaguar hat Aimée ein Gedicht geschrieben:

Daß Du nicht immer warst – ich faß es kaum!
Mir ist, als seien wir stets so gegangen,
so ganz zu zwein durch Leben und durch Traum,
von Dunkel und von Licht zugleich umfangen.

So sehr gehörst Du mir! Seit ich Dich hab,
seit erst wohl zögernd und doch voll Vertrauen
Dein Herz sich ganz in meine Hände gab,
fühle ich Kraft, ein Leben aufzubauen.

So geh ich hoffnungsfroh in neue Tage
beim Neigen und Versinken dieses Jahrs,
weil ich wie eine Fahne vor mir trage
den Kupferschimmer Deines Haars.

»Ich erhoffe mir vom nächsten Jahr so viel, vor allem: endlich ein ruhiges Leben«, schreibt Aimée am 27. Dezember an
Jaguar:

> Ein Leben für Dich, und merke es Dir, damit Du es noch ein-
> mal schriftlich hast: ein glückliches Leben nur mit Dir! Bist Du
> nun zufrieden? Ach, Du eifersüchtiges Mädchen, Du denkst,
> ich schreibe an »meinen Hansel«! Du dummes, dummes Mäd-
> chen! Du weißt eben doch nicht, wie sehr ich Dich liebe. Und
> eigentlich ist das auch gut, denn wüßtest Du es, hättest Du
> mich zu sehr in Deinen Fängen, Du alter Jaguar, Du!
> Eins ist nur wichtig! Bald, sehr bald werde ich in Deinem
> Arm liegen, d. h. in Deiner Pfote. Und dann bin ich der glück-
> lichste Mensch auf Gottes Erdboden. Dann hört für mich al-
> ler Kummer und alle Sorge auf, und ich bin geborgen vor al-
> lem Leid der Welt. Ach, Du mein Liebling mit dem weißen
> Rollpullover, was kümmern uns andere? Wir sind uns selbst
> genug, wir brauchen niemand, nur uns, und das allerdings
> ganz.

Das Jahr 1943 endet mit einem schweren Nachtangriff am
29. Dezember, das Jahr 1944 beginnt mit schweren Nachtan-
griffen am 1. und am 2. Januar. Alle kehren Schutt, vernageln
die Fenster mit Pappe, suchen nach ausgebombten Freunden,
richten sich im Keller ein. Alle sind permanent unausgeschla-
fen und gereizt. Nachts herrscht in den finsteren Straßen mit
den »durchgepusteten« Häuserzeilen lautlose Leere. Nur selten fahren öffentliche Verkehrsmittel. Radio London wun-
dert sich über den Aufbauwillen der Deutschen.

Möglichst alle Frauen sollen mobilisiert werden. Goebbels, seit Juli Sonderbeauftragter für den totalen Kriegseinsatz, setzt die Heraufsetzung des arbeitspflichtigen Alters der Frauen von 45 auf 50 Jahre durch. Behörden und Verwaltungen müssen 30 Prozent ihrer Arbeitskräfte an die Kriegswirtschaft abgeben. Theater und Restaurants sind geschlossen. Frauen werden nun auch in die Wehrmacht aufgenommen.

Monatlich einmal geht ein Transport nach Auschwitz, mit selten mehr als 30 Personen, meistens Illegalen.

Für Aimée und Jaguar beginnt der ruhigste Monat ihrer Liebe. Die Freundinnen, viele von ihnen ausgebombt, sind mit sich selbst beschäftigt. Lola hat sich verliebt und ist selten zu sehen. Aimée, die immer schon leidenschaftlich gern Kreuzworträtsel gelöst hat, denkt sich für Jaguar Rätsel aus. Bei einem Silbenrätsel kommt einer von Lillys Lieblingsaussprüchen heraus: »Du liebst mich nicht, ich habe es ja immer schon gewußt.« Versehen mit der Aufforderung: »Der geneigte Rater und Leser wird gebeten, sich zu verteidigen.«

Nur ein einziges Mal gibt es Streit.

»Was liest du denn da?« fragt Jaguar, »laß sehn«, und nimmt Aimée das dünne Bändchen aus der Hand.

»Mein Schnäuzchen!« Ihr mitleidiger Ton klingt verächtlich. »Waggerl!« Laut lesend marschiert sie im Zimmer auf und ab.

»Aus dem Hause tritt das Mädchen, aus dem strohgedeckten Haus am Wasser. Das Haus ist alt und armselig, nicht mehr als eine Hütte, aber die Fischertochter ist jung und stolz, eine Prinzessin, wie jeder im Dorf weiß, der die Augen nach ihr verdreht... Mann, kannst du dir nicht was Ordentliches zum Lesen besorgen?«

»Ich find's gut. Gib her!« Aimée spürt, wie ihr die Röte vom Hals her ins Gesicht steigt, und versucht Felice das Buch zu entreißen. Jaguar entwindet sich und verschanzt sich hinter Günthers Lieblingssessel.

»Das Mädchen heißt Veronika, was für ein schöner Name ist das! Die Fischertochter könnte leicht einen weniger hübschen haben, das würde nichts ausmachen. Es ist ohnehin fast zuviel, so prächtig dunkles

Ringelhaar über der Stirn, so himmelfarbene Augen ... Sag mal, woher kennt der Bauerntölpel eigentlich Elenai?«

»Du kannst dir deine Überheblichkeit sparen!« faucht Aimée. »So darfst du nicht sprechen, das geht nicht. Du glaubst wohl, nur ihr habt in der Literatur etwas geleistet! Nein, so ist das nicht. Auch wir haben gute Schriftsteller!«

»Issja gut«, murmelt Jaguar erschrocken.

Um unvorhergesehene Probleme zu bewältigen, muß Lilly ihr schauspielerisches Talent einsetzen. Wenn Felice Lilly mit ihrem Furunkel ansteckt, ist es kein Problem, das nötige Medikament für die beiderseitige Krankheit zu besorgen. Doch als Jaguar eine Bindehautentzündung hat, reibt sich Aimée die Augen, bis sie blutunterlaufen sind, um ihrerseits glaubwürdig eine Bindehautentzündung vortäuschen zu können. Noch schwerer wird es bei Zahnschmerzen. Schließlich treibt Inge in Steglitz einen Zahnarzt auf, der – kaum zu glauben – Dr. Zahn heißt. Er ist bereit, Felice ohne Krankenschein und vor allem ohne Aufnahme in die Patientenkartei zu behandeln. Und in der Bülowstraße gibt es den Apotheker Hagemann, der Felice alle Medikamente kostenlos abgibt und für ständigen Nachschub von Dextropur zum Kuchenbacken sorgt.

Elenai Pollak

> Den Herrn Hagemann hatte ich eines Tages ausgemacht und zwar durch meinen Vater, der Medikamente brauchte. Er war Junggeselle, aber mit seinen 35 Jahren für mich ein alter Mann. Der interessierte sich nun für mich und lud mich eines Tages zu sich ein. Und dann stellte ich fest, daß er das »eine« wollte, und ich war in einer ganz blöden Situation. Ich hatte das Gefühl, daß er kein Nazi war, und habe dann versucht, mit ihm eine Gesprächsbeziehung zu beginnen, um »das eine« nicht machen zu müssen. Aber das ging nicht, und schließlich fand ich mich doch in seinem Bett wieder. Ich habe mich dann mit Felice darüber unterhalten, und die sagte

sofort, den möchte ich auch kennenlernen. Was ist denn das für ein Mensch, vielleicht hat er Informationen? Das war immer das erste. Und so hatte der dann plötzlich zwei jüdische Mädchen vor sich. Er war höchst geschmeichelt und fing gleich an, auch Felice anzumachen. Wir beide rauchten viel – schon aus Nervosität und wegen dieser permanenten Anspannung –, und er hatte unendlich viele Zigaretten. Nachdem wir Kaffee getrunken hatten, verließ er irgendwann das Zimmer, und Felice steckte seinen ganzen Zigarettenvorrat in die Tasche. »Damit haben wir wieder für die nächsten Tage zigarettenmäßig ausgesorgt«, sagte sie. Ich war schockiert. »Wir können doch diesen Mann nicht beklauen, der ist doch eigentlich ganz nett zu uns.« Also sagte ich dem Hagemann, als er wieder ins Zimmer zurückkehrte: »Übrigens haben wir deine ganzen Zigaretten geklaut.« Und da hat er geantwortet: »Ja, dafür hab ich sie auch hingelegt.« Felice war ein unglaubliches Organisationstalent. Überall, wo es etwas zum Abzocken gab, hat sie zugegriffen.

Schon Ende Januar ist es mit der Ruhe vorbei. Zuerst überreicht Jaguar einer schreckensbleichen Aimée 1000 Mark: »Falls mir etwas zustößt.« – Dann wird Inges Familie ausgebombt und zieht nach Lübben, dem Heimatort von Vater Wolf. Nach »Auskämmung« der kulturellen Berufe muß Inge in der Nähe von Lübben in einer Fabrik arbeiten, die mit Kupferdraht umwickelte U-Boot-Kabel erzeugt. Sehr zu Aimées Mißfallen zieht Jaguar an manchen Wochenenden los, um Inge zu besuchen. Dann ruft Lola von irgendwo an und eröffnet tränenüberströmt, daß sie schwanger ist. Der Verursacher, Hans-Heinz Holste, ein ekelhafter junger Kerl mit aufgeworfenen wulstigen Lippen, ist im Hause Wust-Schragenheim ebenso bekannt wie unbeliebt.

»Hahaha«, kommentiert Felice trocken.

»Lola, beruhige dich, wir kommen gleich«, besänftigt Lilly, und die beiden machen sich auf den Weg nach Zehlendorf, um das Häufchen Elend abzuholen. Doch Lolas Tränen geben der Damenrunde bloß Anlaß zum Spott.

»Ausgerechnet dir muß sowas passieren!«

»Sei froh, daß du den Doofkopp los bist! Du willst doch nicht so einen von der nordischen Rasse haben!«

Nur Felice hat Erbarmen. »Lilly wird sich um dein Baby kümmern, hab keine Angst«, verspricht sie und umarmt Lola sanft.

Und schließlich klingelt es auch noch nachts um drei an der Wohnungstür. Mit einem Ruck sitzt Felice aufrecht im Bett, ihr Körper gespannt wie ein Tier auf dem Sprung.

»Um Gottes willen, was soll ich tun?« Es ist das erste Mal, daß der Jaguar Angst zeigt.

In ihrem seidenen Schlafanzug stürzt Felice auf den Balkon und kauert sich in einen Winkel. Draußen ist ein fremder Mensch und fragt verwirrt nach einer Person, die es im Haus gar nicht gibt.

»Sind Sie wahnsinnig geworden, mitten in der Nacht!« herrscht ihn Lilly an und horcht seinen leiser werdenden Schritten hinterher.

»Es ist nichts, Liebste, komm rasch ins Bett.«

Es dauert lang, bis Felice in dieser Nacht einschlafen kann.

»Das hätten sie sein können«, preßt sie heraus und klammert sich an Lilly, die verzweifelt versucht, die Zitternde mit ihrem Leib zu wärmen.

»Du darfst dich nicht fürchten, niemals werde ich zulassen, daß sie dir etwas antun. Niemals! Da müssen sie erst mich erschießen!«

Am nächsten Tag ist Felice erkältet.

Am 1. März 1944 werden das Gebäude der Pathologie und das Pförtnerhaus des Jüdischen Krankenhauses in der Weddinger Schulstraße 78 beschlagnahmt und unter der Leitung von Kriminalsekretär Walter Dobberke als »Judensammelstelle« eingerichtet.

Felice, die sieht, wie hart Lilly ums Überleben kämpfen muß, verfällt bisweilen in Schwermut, wenn sie an die Zukunft denkt.

Pessimismus

Ich weiß, ich werde Dich nicht halten können,
wenn einer kommt, der Dich gern haben will.
Wir werden uns in aller Ruhe trennen,
wie wir uns fanden, damals im April.

Heut reicht es, wenn Du fühlst, ich liebe Dich,
davon allein wird man jedoch nicht satt!
Und eines Tages ist es wesentlich,
daß man ein Auto und ein Mädchen hat.

Ich möchte Dich für immer glücklich wissen,
und Du gehörst nicht zu den billigen Frauen!
Da schwankt manchmal mein stärkstes Selbstvertrauen:
Kann ich auch Schlösser auf dem Monde bauen –
Auf Erden wird's vielleicht ein anderer müssen ...

Der eskalierende Krieg und der immer härter werdende
Überlebenskampf der untergetauchten Juden lassen kein Bedürfnis mehr nach gemeinsamen Unternehmungen in der
Friedrichshaller Straße aufkommen. Doch Elenai und Felice
setzen ihre Freundschaft fort. Sie treffen einander an ständig
wechselnden Orten, nicht selten im kleinen Café am Winterfeldplatz, wo sie einander kennengelernt haben. Wenn Lilly
außer Haus ist, ruft Felice Elenai an: »Du kannst kommen.«
Die beiden sind sich einig, daß der Inhalt ihrer Gespräche vor
Lilly nicht erörtert werden darf. Sie analysieren die militä-
rische Lage, berichten einander, welcher ihrer Freunde deportiert wurde, und sprechen über ihre Angst vor einer Denunziation. Ist es zu verantworten, so lange Zeit an einer Adresse
zu verbringen oder gibt es einen anderen Ort, an dem Felice
sicherer wäre? Doch Felice trifft ungern Entscheidungen,
jede Veränderung macht ihr angst. Wie sehr sie emotional
wirklich mit Lilly verstrickt ist, wird Elenai nie erfahren.
    Gleichzeitig versuchen Elenai und Gregor Lilly einzuschär-
fen, was ein KZ ist und daß sich Felice in ständiger Lebensgefahr befindet. Jeden Augenblick kann eine Denunziation ihre

Idylle zerstören. Lilly macht auf Elenai und Gregor oft den Eindruck, als begriffe sie nicht wirklich, daß Felices Lage sich grundsätzlich von ihrer unterscheidet. Daß es für Felice keinen Alltag geben kann.

»Du hältst jetzt die Schnauze, ich kann das nicht mehr ertragen!« bricht es manchmal aus Elenai heraus, wenn Lillys Schwärmerei ihre Nerven allzu sehr strapaziert.

Als Liesl Reichler vor den Schwierigkeiten ihrer künftigen Ehe mit dem Mehrfachvater Günther Wust kapituliert und ihr Verlöbnis löst, muß Lillys Mutter nach Schlesien fahren, um Eberhard heimzuholen. Einige Tage später reist Lilly mit ihm nach Ostpreußen. Die Familie Rimkus, bei der Bernd sich gut eingelebt hat, will auch Eberhard aufnehmen. Zwanzig Stunden ist Lilly unterwegs. Benommen vom Duft der Maiglöckchen, die den Boden des Waldes wie Hagelkörner bedecken, verbringt sie die Nacht auf einem Strohsack.

Nun ist Felice an der Reihe, sich mit Briefen die Sehnsucht zu vertreiben:

30. 3. 44

Mein Geliebtes,

was soll ich machen, wenn Du irgendwo in einem scheußlichen Zug ganz allein durch die Nacht fährst, und ich nicht mit Dir sprechen und Dich nicht küssen kann? – ich schreibe Dir.

Heute vor einem Jahr war ich auch allein in Deiner Wohnung. Sicher haben wir abends telefoniert, und sicher hast Du damals genauso an mich gedacht wie jetzt. Und in diesem ganzen Jahr war ich, glaube ich, nur einmal so wie jetzt allein mit dem Ticken der Uhr, und das war an dem Abend, an dem Du mit Gerd und den andern im Theater warst. Damals habe ich alle kleinen Dinge immer wieder betrachtet, die Du täglich in die Hand nimmst oder auch nur ansiehst.

Seit jenem Abend ist wieder eine lange Zeit vergangen, und immer warst Du da. Es ist kein Wunder, daß ich trotz aller allein verbrachten Abende meiner möblierten Vergangenheit jetzt keine Ruhe habe, daß ich – stell Dir vor, jetzt kurz vor Mitternacht! – nicht schlafen kann. Vielleicht weil Du sicher auch nicht schläfst? Aber Du wachst ja so oft noch, wenn ich längst fest schlafe. Und ich wollte Dich übrigens schon immer fragen: Was denkst Du so alles eine ganze Nacht lang? Manchesmal finde ich es schrecklich, daß man einen Menschen so sehr lieben kann, daß man alles mit ihm teilt, und daß einem seine Gedanken doch so fremd sind und es immer bleiben werden. Ich bin eben eifersüchtig.

1. 4. 44
Du solltest jetzt bald wiederkommen, ich liebe Dich so sehr. Und ich habe solche Angst, daß Du in ganz falsche Züge gestiegen bist, und daß Du nun irgendwo gelandet bist und weinst. Ich laß Dich nie mehr alleine wegfahren!

In dieser Zeit bringt Lola Reinhard zu ihrer Mutter nach Freiwaldau und fährt dann weiter nach Enzesfeld bei Wien. Als sie zurückkommt, bekommt sie gleich an der Tür eine Ohrfeige von ihrer Mutter.

»Du sollst dich schämen! Bei so perversen Leuten lebst du!«

In seiner kindlichen Unschuld hat Reinhard ausgeplaudert, daß seine Mutti und Felice einander küssen und Briefchen schreiben.

Im Frühjahr 1944 findet Felice im Zeitungsviertel in der Kochstraße eine Stelle als Stenotypistin in der Berlin-Redaktion der Essener *National-Zeitung,* des »Organs der nationalsozialistischen deutschen Arbeiterpartei«.

Lilly

Erst hat ja dort Elenai gearbeitet, die Kräfte waren knapp, über 99 Kanäle ist Felice eingeschleust worden. Aber das Schärfste war, daß sie dort angestellt war als Frau Wust mit zwei kleinen Kindern. Und ich wurde zur Schwägerin degradiert. Aber ich mußte aufpassen, am Telefon hätte ich mich beinahe verplappert. Was sie dort getan hat, hat sie mir nie

gesagt, ich weiß nur, daß sie für einen gewissen Berns die Leitartikel getippt hat. Da hat es sogar einmal Ärger gegeben in der
Zeitung. Felice hat wohl etwas anderes gesetzt als der Chef
wollte, aber das ist nie rausgekommen. Da hat sie sich damals
wahnsinnig drüber gefreut. Ich wußte, daß sie für den Untergrund arbeitet, aber nicht was und wie. Ich habe immer noch
die Notizbücher von Felice, wo sie Termine aufgezeichnet hat,
aber es ist mir rätselhaft, was das alles bedeuten soll. Ich hab's
eben nie erfahren. Da ist sie manchmal sehr spät nachts nach
Hause gekommen, hat dann vom Bahnhof Schmargendorf angerufen, und ich bin aufgestanden und ihr entgegengelaufen.
Sie hat immer gesagt, ich erzähl dir gar nichts, nicht das
Schwarze unterm Nagel, es ist zu gefährlich. Sie hat immer gesagt, wenn du neben mir bist und mich kriegen sie, dann gehst
du weiter. Was ich nie gemacht hätte, nie im Leben! Ich hätte
tausend Dinge erfahren, wenn wir länger zusammen gewesen
wären. Wir hatten eben viel zu wenig Zeit. Wir haben zwar
sehr intensiv gelebt, aber es war Krieg.

Lola Sturmova

Sie hat doch, glaube ich, beim *Völkischen Beobachter* gearbeitet,
unter dem Namen Schrader. Sie hat angeblich auch unter
meinem Namen gearbeitet. Als Journalistin, glaub ich. Sie
hat immer die Nachrichten mitgebracht, wenn irgendwie
was gewesen ist – das war der *Völkische Beobachter*, ich kann
mir nicht helfen. Sie hat an mehreren Stellen gearbeitet, damit sie zu den Nachrichten kommt. Und sie hat öfters was
mitgebracht. Wir waren ganz genau unterrichtet über den
Fortschritt von der Front. Und damals war auch das mit dem
Attentat. Das hat sie auch dortn gehabt. Ich hab sie nicht ge-
nauer gefragt, weil ich mir gedacht hab, was sie mir erzählt, ist
gut. Ich kann mir dann meinen Teil denken.
  Sie hat eine ganze Menge Artikel mitgebracht, die sie geschrieben hat, unter einer Abkürzung, nur Buchstaben. Sie
hat das ja auch nach England herausgepascht über einen Offizier, den ich gekannt hab. Der war anders eingestellt, Kaleu –
Kapitänleutnant – Henschel hieß er. Er hat gesagt, frag mich
nicht, ich erledige das. Felice hat ihm über mich irgendwelche Artikel von der Zeitung gegeben, sie selbst hat ihn nicht

gekannt. No, sie hat gewußt, daß das weitergeht. Der war ein
Piefke gewesen, a Sächsele, wenn ich den reden gehört hab,
ist mir immer schon der Hut hochgegangen, aber ein netter
Kerl. Ich hab ihn getestet, daß er der gleichen Meinung war,
trotzdem er beim Militär war. Kennengelernt hab ich ihn am
OKH. Da war ein Oberstleutnant, ein komischer Kauz. Ich
hab grade angefangen im Böhler Konzern, und der Betreffende hat angerufen, und ich hab ihn degradiert: Er war Oberstleutnant und ich hab Oberleutnant gesagt. Und eines schönen Tages kam er und hat mir gebracht ein Büchelchen mit
den Rangordnungen. Wenn ich zum OKH oder zum Luftfahrtministerium gegangen bin, hab ich immer vorher ge-
schaut im Büchl, damit ich keinen Blödsinn mach. No, und
der Kaleu Henschel hat furchtbar gelacht, wie ich gesagt hab,
ich hab den degradiert. »So viele Menschen gehen drauf wegen einem Schizophrenisten, einem Paralytiker«, hat er gesagt.

Felices Anstellung in der *National-Zeitung* wird von Georg
Zivier in seinem Buch *Deutschland und seine Juden* mit folgenden Worten erwähnt:

Das hübsche, kräftig im Haushalt helfende und im Luftschutzkeller besonders beliebte Mädchen hatte alles Ge-
fahrengefühl verloren und in ihrer Dreistigkeit gar unter
falschem Namen eine Stellung in der Redaktion einer partei-
nahen Zeitung angenommen. Wäre man ihr auf die Schliche
gekommen, so hätten ihre Wirtin und alle Bekannten und
Freunde des Hauses als spionageverdächtig mit rigorosen
Gestapomaßnahmen rechnen müssen.

In Wirklichkeit trug es sich so zu: Elenai hatte eine Tante in
Buenos Aires, die es als Mitglied des Vereins der Deutschen
im Ausland (VDA) drängte, nach Deutschland auszuwandern. Sie fand eine Stelle als Chefsekretärin in der *National-
Zeitung,* heiratete aber dann einen Österreicher, den es
wiederum in seine Heimatstadt Wien zog. Bevor das Paar ab-
reiste, fragte die Tante, ob Elenai nicht Lust hätte, bei der Zeitung zu arbeiten. Elenais Aufgabe war es, die fernmündlich

übermittelten Berichte mitzustenografieren und an die Zentralredaktion in Essen weiterzugeben, eine Tätigkeit, die sie zur vollen Zufriedenheit ihrer Kollegenschaft ausführte. Bald meldete auch Felice ihr Interesse an einer Arbeit in der Redaktion an, und Elenai leitete das Begehren an ihren Chef weiter. »Wenn sie genauso gut ist wie Sie, dann werden wir sie nehmen«, sagte er. »Sie ist noch besser als ich«, antwortete Elenai, und Felice wurde eingestellt. Blieb nur noch die Frage des Namens, und als Frau Wust mit zwei kleinen Kindern aufzutreten, erschien ihr überaus passend.

Eines Tages hat Felice eine Idee.

»Morgens tickern doch die Nachrichten von den ausländischen Agenturen rein. Ich bin überzeugt, daß wir nicht alle zu Gesicht kriegen. Wenn wir um halb neun aufkreuzen, haben die sicher schon aussortiert, und uns entgehen wichtige Informationen. Gehn wir doch um fünf Uhr hin und schauen uns an, was morgens ankommt, wenn die Arschlöcher noch nicht da sind.«

Elenai Pollak

> Früh um fünf mußte ich also mit ihr ins Büro – wir hatten ja den Schlüssel – und dort haben wir uns die ganzen Nachrichten der ausländischen Agenturen durchgeschaut: Reuters und so weiter. Und das Wichtigste haben wir uns gemerkt. Mit dem Auswendiglernen hatte ich nachher große Routine. Es ist uns beiden nicht schwer gefallen, ganze Latten von Informationen weiterzugeben. Das war keine konspirative Arbeit, wir haben die Informationen nicht politisch verwendet im Sinne einer Untergrundarbeit, sondern nur in Hinblick auf unser eigenes illegales Leben. Die ausländische Presse hat ja genau registriert, was die Deutschen gerade gemacht hatten oder was sie wieder vorhatten. Das war ja auch so unheimlich, daß die alles wußten und niemals eingriffen. Informationen über die militärische Lage waren für uns mit das Allerwichtigste, denn je näher die Front rückte, desto näher war der Tag der Befreiung. Wir rechneten damit, daß es Ende 1944 aus sein würde. Wir hatten generalstabsmäßig unsere Karten und analysierten die Lage, wenn wieder ein-

mal eine Stadt eingenommen wurde. Bald hatten wir auch die Schlachtstrategie der Russen raus, das war verhältnismäßig einfach. Wir überlegten auch, ob es schon an der Zeit sei, Berlin zu verlassen und den Russen entgegenzugehen, um möglicherweise die letzten Katastrophen nicht miterleben zu müssen. Das haben wir aber dann doch nicht gewagt, weil die ersten Nachrichten über Vergewaltigungen kamen – die wir natürlich erst auch nicht geglaubt haben. Beunruhigend fanden wir, daß die Amerikaner und Briten offensichtlich eine sehr vorsichtige Militärstrategie hatten und erst lieber die Russen kämpfen ließen. Trotzdem war uns aber klar, daß es nicht mehr lange dauern würde.

Felice hat noch eine weitere Idee.

»Die *National-Zeitung* ist keine richtige Parteizeitung. Laß uns doch zum *Hakenkreuzbanner* gleich nebenan gehn, da erfahren wir mehr.«

»Felice, du hast sie nicht mehr alle«, entgegnet Elenai, »es genügt wirklich die *National-Zeitung*, jetzt bitteschön nicht auch noch der *Hakenkreuzbanner*! Du kannst auch den Hals nicht voll genug kriegen!«

»Ja, aber die haben mehr Parteiinterna, das möchte ich wissen«, insistiert Felice.

Diesmal bleibt Elenai hart. Doch der Gedanke läßt Felice nicht los. »Heil Hitler, Hakenkreuzbanner«, meldet sie sich bisweilen am Telefon, wenn Inge sie von Lübben aus anruft.

Eines Tages verpaßt ein Redakteur Elenai einen gehörigen Schock. Sein Hobby ist die Rassenkunde und er hat ein Auge auf die rassige Elenai geworfen.

»Ich versuche schon seit einiger Zeit herauszufinden, welcher Rasse man Sie zuordnen kann.«

»Ja, wieso?« fragt Elenai und ihr Herz beginnt zu rasen.

»Sie sind ja ein sehr ausgeprägter Typ. Sie sind groß und schmalwüchsig, Sie haben ein schmales Gesicht und eine stark ausgeprägte Nase. Ich habe lange über Sie nachgedacht und bin nun dahintergekommen: Sie sind der Prototyp des indogermanischen Typus.«

Im April hat Günther Wust Fronturlaub. Tagsüber hält er sich bei Lilly auf, nachts geht er zu seinen Eltern schlafen. Lilly tut alles, um ihm den Aufenthalt angenehm zu gestalten. Da Günther – nach überstandenem Scheidungsschock und ohne den Druck der Liesl – nunmehr seinen finanziellen Verpflichtungen der Familie gegenüber nachkommt, sieht Lilly keine Veranlassung, ihm weiter zu grollen. Den Schwiegereltern kommt dies höchst eigenartig vor.

Im April 1944 werden griechische und ungarische Juden zu Hunderttausenden nach Auschwitz deportiert. Von den 400.000 ungarischen Juden werden in acht Wochen 250.000 Menschen vergast.

Günther, erquickt und Lilly und Felice nunmehr in Freundschaft zugetan, kommt nach seinem Heimaturlaub für sechs Wochen in ein idyllisches Dorf in Rumänien, wo er reichlich Zeit hat, Briefe zu schreiben. Am 12. Mai schildert er seinen neuen Arbeitsplatz:

> Meine Stellung ist jetzt so, daß ich mich als Bürochef fühlen kann. Ich habe meinen Arbeitsplatz in einem gesonderten Raum – auch deswegen, weil der Hauptmann mir nach einigen unerfreulichen Vorfällen mit anderen das größte Vertrauen bezeigt und er mit mir daher Dinge bespricht, die den anderen verschwiegen bleiben müssen. [...] Zu dieser Büroarbeit kommt die Außenbeschäftigung, ich muß mich um rund 50 Menschen kümmern. Daß die Befehle zeitgerecht zur Ausführung kommen, wie Wagenbestellung, Melderabsendung usw. Daß die Leute ein ordentliches Quartier haben, daß sie ihr Quartier in Ordnung halten, daß Unterkünfte für vorübergehend Anwesende vorhanden sind. Ich muß jetzt auch allmählich Appelle abhalten. Für morgen habe ich Waffenappell angesetzt. Ab und zu habe ich der ganzen Corona in einem Appell Bekanntmachungen kundzugeben usw. So allmählich arbeite ich mich in die richtige Hauptfeldwebeltätigkeit ein – und ich werde dabei auch sicherer im Auftreten vor mehr Menschen. Meine ruhige, manchmal leise Art brau-

che ich mir dabei gar nicht abzugewöhnen. Im Gegenteil, ich komme damit recht gut durch und bin bestimmt nicht unbeliebt und bekomme Ansehen. Und in der Beziehung entwickle ich nun auch natürlich Ehrgeiz. Ich bin nur gespannt, wann sie mich zum Feldwebel machen. Ich stieß da gestern in einer Verfügung allerdings auf eine Vorschrift, nach der ich noch ein Jahr warten müßte. [...] Du wirst an allem merken, daß ich mich zur Zeit recht wohl, um nicht zu sagen gesund an Körper und Geist fühle. Mein Tagesablauf ist auch schön geregelt. Um 6 Uhr stehe ich auf, bis 7 Uhr Anziehen und Frühstücken. Dann beginnt die Arbeit bis 12 Uhr. Ungefähr 1 Stunde Mittagspause, manchmal auch etwas mehr. Ich sehe immer zu, daß ich mich eine Stunde hinlegen kann. Die Arbeit hört so zwischen 7 und 8 Uhr auf. Dann kommt ein Ritt oder Gang durchs Dorf bis zur Dunkelheit in Betracht. Der Rest des Abends wird mit Schreiben oder Lesen oder gemütlichem Schwatzen mit Kameraden, mal bei dem einen, mal bei dem anderen, bei Rotwein und Zigaretten verbracht. Der Wein ist so allmählich die abendliche Selbstverständlichkeit geworden. Ungefähr eine Literflasche täglich ist mein Quantum. Hinlegen tu ich mich immer erst so gegen 23 Uhr. Sieben Stunden Schlaf und eine am Tag – und bei dieser Lebensweise fühle ich mich jetzt immer munter und frisch. Die Müdigkeitsanfälle von früher kenne ich gar nicht mehr.

Schon am 21. schreibt Günther seinen nächsten Brief, in dem er Lilly ein überraschendes Angebot macht:

Paß mal auf, Lilly! Ich habe jetzt im Lauf des Briefschreibens, welches durch Unterhaltung mit meinen Schreibstubenkameraden etwa anderthalb Stunden unterbrochen war, auch so allmählich meinen Wein und Schnaps zur Neige gebracht. Das alles beschwingt, braucht einen aber doch nicht zur Unvernunft zu bringen. Aber jetzt kommt etwas, was Du vielleicht so langsam aus meinen Briefen der letzten Zeit erahnen wirst; ich mache Dir aus dem Bewußtsein heraus, daß es mir während meiner Soldatenzeit und vorher auch im Bereich des Nationalsozialismus im Rahmen der Betriebsgemeinschaft der Bank immer gelungen ist, mein ideelles Wollen mit Ruhe und festem Willen durchzuführen, den

Vorschlag, uns wieder in einer Ehegemeinschaft zusammenzu-
finden. Es würde natürlich alles fehlen, was uns in Leidenschaft und Widersetzlichkeit gegen unsere beiden Eltern anno
1934 zusammengeführt hat. Uns kann nur noch das gemeinsame Bewußtsein gemeinsamer Pflichten gegenüber unseren
Kindern zusammenführen. Aus den gleichen Gedanken habe
ich Dir im vorigen Jahr so am 2. oder 3. Mai auch noch mal das
Zusammenbleiben angeboten mit der Bedingung, daß Du
Dich in allem nach mir richten müßtest. Du hattest das damals
abgelehnt mit den Worten, ich spräche nur aus egoistischen
Gefühlen heraus. Diese Bedingung muß ich jetzt jedoch auch
wiederholen. Und wenn Dein Selbstbewußtsein das nicht zu-
läßt, dann wäre es schade um unsere Jungens. Denn die eine
Erfahrung habe ich in meinem Urlaub gehabt, wir können beide auf keins der Kinder verzichten. Und um diesem Verzicht
aus dem Wege zu gehen, müßten wir zusammenbleiben. Aber
jedoch nach dem alten griechischen Zitat: Heis Kouranos esto!
(Einer muß Herr sein!), muß ich mir die Gestaltung eines gemeinsamen Lebens vorbehalten.

Um Günther in dieser schweren Zeit nicht zusätzlich zu be-
unruhigen, bringen es Lilly und Felice nicht übers Herz, ihm
eine unmißverständliche Absage zu erteilen und lassen ihn
Anteil haben an den kleinen und großen Problemen des Berliner Alltags. Etwa, daß Bernd und Eberhard wegen der vor-
rückenden sowjetischen Truppen von Ostpreußen nach
Meuselwitz in Thüringen verlegt worden sind. Und daß Lola
schwanger ist, H-H-H sie verlassen hat, und Mutter Sturm
nicht bereit ist, die Tochter bei sich aufzunehmen.

Noch bis zuletzt versucht Lola, sich der schweren Last zu
entledigen. Am 16. Juni schreibt ihr Felice, vielleicht nach
Freiwaldau:

Liebe Lola,
ich schreibe Dir schnell in der Mittagspause, um den Brief
zwecks schnellerer Beförderung mit einem Kollegen nach
Berlin geben zu können. Wir haben wahnsinnig zu tun, das
kannst Du Dir auf Grund der Ereignisse ja vorstellen. Ich bin
keinen Abend vor 12 h zu Hause. Nun zur Sache: Ich habe

mich sehr bemüht, aber so schnell ist nichts zu machen, zumal mein Apotheker verreist ist. Es tut mir furchtbar leid, Dir in dieser wichtigen Angelegenheit so wenig Positives schreiben zu können. Ich möchte Dir auch nicht zuviel Hoffnung machen. Aber sag mal, Dir hat doch mal der Arzt Argomensin verschrieben. Hast Du das nicht mehr? Es ist das allerbeste, und wahrscheinlich würde ich auch nur das bekommen können. Aber das muß man auch gleich machen, ehe der Zustand sich noch verschlimmert, denn dann kann nur der Arzt helfen, und das kostet wieder Geld. Dich hoffen wir bald möglichst gesund wieder hier zu sehen.

Herzliche Grüße von uns beiden,

Deine Felice

Anfang Juni werden erstmals bei der Luftwaffe weibliche Flakhelferinnenkorps gebildet. »Frauenhände am Scheinwerfer«, titelt die *National-Zeitung* am 18. Juni. Vielleicht hat Felice den Artikel getippt und sich amüsiert über die Verrenkungen, die die namenlosen Journalisten vollziehen mußten, um die plötzliche Neuverwendung der deutschen Frau und Mutter zu rechtfertigen. Nicht an Geschützen oder Maschinenwaffen sollen die Frauen eingesetzt werden, wie in den USA, in England und in der Sowjetunion, betont der Artikel, sondern nur an Meßgeräten der Flak, an Scheinwerfern und elektrischen Hilfsgeräten. »Denn niemals soll die deutsche Frau militarisiert werden, [...] das würde sich niemals mit ihrer Würde und der Stellung, die sie in der Gemeinschaft unseres Volkes einnimmt, vereinbaren lassen.« Jede Art von Kommiß müsse auf ein äußerstes Mindestmaß beschränkt bleiben. »Denn die Frauen sollen unter keinen Umständen vermännlicht werden.«

In dieser Zeit verstärkt Lilly ihren Druck auf Felice, von Mutti endlich die Herausgabe ihrer Sachen zu verlangen.

Elenai Pollak

Felice hat mit mir darüber gesprochen, daß Lilly sich die Sachen unter den Nagel reißen wollte. Felice fand das total überzogen, daß sie deswegen dauernd mit der Mutti in Verbindung treten sollte. Sie fand, daß das im Moment das Wichtigste nicht sei. Und sie war auch genervt von Lilly, die immer wieder darauf bestanden hat, daß das Zeug endlich zu ihr kommt. Felice hat dann letzten Endes da auch mitgemacht, weil sie sich nicht in der Lage fühlte, es Lilly zu verweigern. Dazu war ja ihre Situation zu prekär. Sie wird sicher der Lilly immer wieder Hoffnung gemacht haben, daß das irgendwann schon in Ordnung geht. Sie hat da typisch ein Problem vor sich hergeschoben. Es kann ja auch gut sein, daß die Felice die Sachen nicht nur bei der Frau Selbach untergestellt hat, sondern in ihrer Großzügigkeit gesagt hat, naja, da kannst du dir nehmen, was du willst.

Am 8. Juni schreibt Luise Selbach Felice auf einem winzigen Blatt Papier in deutscher Schrift einen heute an manchen Stellen nicht mehr lesbaren Brief:

Liebe Felice, heute kann ich Dir mitteilen, daß Samstag, den 8., das Komplet Deiner Großmutter sowie Sommerkleider von Dir... nach dort in Marsch gesetzt werden. Du wirst dann angerufen werden. L. kann mit dem Herrn verabreden, wann Du die Sachen abholen kannst. Nun zu dem Pelz: Ich nehme für Dich an, Du willst ihn verkaufen. Die Geschichte mit Fräulein P., die Du mir seinerzeit erzähltest, ist ja inzwischen anders begradigt worden, da ja Fräulein P., wie Du selbst mitteiltest, eine gute Stelle hat und also alles erledigt ist. Zumal hat sie ja noch ihre Eltern, bleibst also Du allein. Ob Du nun noch den zuerst gefaßten Plan ausführen willst, sollte es jetzt noch nötig sein? Oder was sonst, geht mich ja schließlich nichts an. Ich kann mir so schlecht vorstellen, daß Du fortgehen willst, da Du es ja nicht einmal übers Herz bringen kannst, zu uns zu kommen. Oder sollte Frau W. aus Liebe zu Dir die Absicht haben, ihre vier Kinder zu verlassen? Ich kann mir das nicht denken. Wohl aber, daß Du das Geld brauchst. Das kann ich verstehen. Also verkaufe mir den Pelz, ich nehme an, daß das auch Deiner lieben Großmutter recht sein würde. Ich bitte Dich also, mir ein Käuferangebot zu machen, in der Weise: Du bescheinigst mir, daß Du mir einen Preis ... natürlich keinen

Phantasiepreis, aber zwischen 8 und 9000 Mark könnte es schon sein. Dann hoffe ich, geht die Sache in Ordnung, und beide Teile können zufrieden sein. Ich will den Mantel und wollte ihn niemals von Dir geschenkt haben ... Also Mädchen, morgen machen wir es so. Das Geld holst Du Dir dann von hier ab. Solltest Du eine Anzahlung bald gebrauchen, so kannst Du es mir ja mitteilen. Ich kann mir nicht denken, daß Du mir eine Absage zukommen lassen wirst. Ich würde dann überhaupt nicht mehr klug aus Dir werden und könnte Dir dann nichts mehr glauben. Es wäre doch eine große Enttäuschung für mich. Ansonsten müßtest Du mehr Neues wissen als ich. Vielleicht mußt Du sehr bald intensiv nach einer Wohnung Ausschau halten, sehr schön wäre es hier. Und dann natürlich auch nach Möbeln. Davon würde sich auch ein Transport nach hier ..., der aber mit dem Bombenausweis, den ich habe, glatt vonstatten gehen würde. Auch an Teppiche denken. Für heute also, Mädchen, ich glaube und hoffe, daß ... Grüße auch an Frau W. von Deiner Mutter

Günthers Heiratsantrag läßt Lilly von Felice beantworten. Ihre von Lilly gewünschte Rolle der Beschützerin eines zerbrechlichen Wesens nimmt Jaguar an, wenngleich sie, der man alles, einschließlich der eigenen Identität, geraubt hat, selbst eine sorgende Mutti gebraucht hätte. Obwohl mehr als acht Jahre jünger als Aimée, haben ihre Erfahrungen Felice wesentlich älter gemacht. »Ich bin 2000 Jahre älter als du«, ist einer ihrer Lieblingssätze.

Felices Brief an Günther ist nicht erhalten geblieben, wohl aber dessen Antwort:

20. 6. 1944
Liebe Felice!
[...] Ich weiß auch, daß Lilly von dieser meiner Macht auf die Dauer eingenommen ist und daß sie sich nicht nur gebeugt hat, sondern wohl in den meisten Streitfällen auch meine Absicht als zu Recht anerkannt hat. Mag es nun wiederum eine schlechte Eigenschaft von mir sein, indem ich in diesem Bezug als eingebildet erscheine, ich kann aber nicht mein Selbst

aufgeben. [...] Diesem Grundgefühl entsprang gewiß mein Herrschaftsanspruch sowohl im vorigen Jahr als auch jetzt. Aber ich empfinde, daß damals wie heute die weibliche Psyche – sowohl Ihre als auch Lillys – sich erst einmal wehrt und nicht genügend das Wesen des Fordernden abschätzt. Im übrigen, die weibliche Psyche empfängt ja lieber eine Unzahl kleiner Geschenke, während sie ein großes Opfer bedrücken würde. (Spricht da wieder die männliche Überheblichkeit?)

In seinen Träumen von einem künftigen Leben im Frieden hat Günther Felice und Lola mit ihrem »Würmchen« schon in die Familie aufgenommen. »Am besten wir suchen uns dann zusammen eine 7-Zimmer-Wohnung. Gar nicht so übel, der Gedanke.«
Im Hinterland derweil geht ein ganz anderes Leben weiter.

Meine geliebte kleine, große Aimée,
ich bin ja so glücklich mit Dir und habe Dich so lieb. Du kannst Dich wirklich darauf verlassen, daß ich nie, nie mehr zu Mutti gehen würde, denn darum liebe ich Dich ja so, weil ich genau weiß, daß Du mich auch liebst, und daß Du immer dasselbe willst und denkst wie ich. Du verstehst es doch, nicht wahr, daß ich sehr froh bin, daß ich arbeiten kann und Geld verdienen? Ich freue mich auch den ganzen Tag auf Dich, aber wenn ich immer zu Hause wäre und gar nichts tun könnte, dann wäre ich bestimmt nicht so glücklich, sondern unzufrieden wie ein arbeitsloser Mann.
Ich werde immer auf Dich aufpassen und für Dich sorgen, mein Katzentier.

Dein Jaguar

16. Juli 1944
Mein geliebter Jaguar,
so treu wie Papier und Stift will ich immer sein. Immer will ich für Dich sorgen, Dir Deine Hosen bügeln, Deine Hemden waschen und Strümpfe stopfen. Und ich bin glücklich, überglücklich, daß ich zu Hause bleiben darf und bin Dir unendlich dankbar dafür. Ich freue mich sehr für Dich, daß Du glücklich mit Deiner Arbeit bist und will gar nichts dagegen

sagen, denn ich bin ja im Grunde genommen schrecklich froh, daß Du für mich arbeiten willst und immer für mich sorgen. Ich will es Dir mit aller meiner Liebe vergelten.

In Ewigkeit

Deine Aimée

»Kleine Verräterclique sollte den Führer im Auftrag des Weltjudentums beseitigen«, schreien die Extrablätter in der ganzen Stadt am 21. Juli. Am selben Tag wird das Konzentrationslager Majdanek von der sowjetischen Armee befreit.

Am 28. Juli schreibt Günther Wust erneut an Felice:

[...] Daß Lilly auch Ihnen gegenüber den Anschein durchdrückt, daß ihr Wesen so sei, daß sie genau weiß, was sie will, das zeigt mir, daß auch Sie das Bestimmte ihres Auftretens zu schnell für ihre innere Sicherheit nehmen. Ich glaube, Sie waren vor einem Jahr darin von etwas skeptischerer Meinung. Möglich ist es ja und es würde mich nur freuen, wenn Lilly in ihrer jetzigen auf Selbständigkeit dringend angewiesenen Lage an innerer Festigkeit gewonnen hat. Desto besser für das beabsichtigte Übereinkommen zwischen Lilly und mir, wenn klare Unterlagen und Abgrenzungen vorhanden sind. Desto mehr können wir uns aufeinander verlassen. Dennoch bleibe ich zunächst bei meiner Ansicht, daß sie keinen Hang zur Sturheit hat, daß sie vielmehr sogar leicht leitfähig ist. Das sollten Sie, Felice, doch erfahren haben, zumal Sie begnadeter waren im Leiten als ich. [...] Sehen Sie, Felice, trotz Ihrer Erfahrung und Selbständigkeit im Leben, der Eigenbesitz von Kindern ist Ihnen fremd, und ich streite jedem, und wenn er noch so klug und einfühlsam ist, ab, Elternglück in diesem Sinne in seiner ganzen Auswirkung zu begreifen, wenn er selbst keine Kinder hat. [...] Im letzten Absatz Ihres Briefes sprachen Sie davon, daß Sie dort die Zukunft anders vor sich sehen. Meine Bemerkungen in dieser Hinsicht nehmen Sie man auch nicht zu ernst. Wohl habe ich zu Ihnen drinnen abweichende Anschauungen – dennoch, na, schweigen wir! Aber glauben Sie mir, einen festen Glauben habe ich doch, der ist gleich geblieben, seit ich anno 1926 mit Erreichung des zwanzigsten Lebensjahres für politisch mündig erklärt wurde. Mein Glaube nur an die Menschen ist etwas geknickt. Nun, ich bin keine politische Natur. Und deswegen begehre ich nicht dagegen auf, daß ich die Entwicklung auf Grund meiner idealistischen Jünglingsansichten langsam und stetig weniger dem Ideal entgegenschreiten sah. Deswegen hänge ich mich ja so sehr auf das Teilideal: die Familie.

Am selben Tag verfaßt Felice eine Art Testament:

Hierdurch übertrage ich im Anschluß an ein Schreiben von mir vom 7. 11. 1943 noch einmal ausdrücklich folgende zur Zeit von Frau L. Selbach aufbewahrten Gegenstände an Frau Elisabeth Wust, geb. Kappler, Berlin-Schmargendorf, Friedrichshaller Str. 23:

1. Die von Frau Selbach ohne mein Einverständnis nach L. geschickte Haus- und Bettwäsche, gezeichnet AS, AFS, ES, HB, EB, HK, P, zum Teil vollständig neu.
2. Der Kabinenkoffer (rot gestreift, FS gezeichnet), in dem vorstehende Wäsche aufbewahrt wird.
3. RM 600,– (sechshundert), die ich im Jahre 1940 zur Aufbewahrung Frau Selbach übergab, abzüglich des Umarbeitungspreises für den
4. Persianer-Mantel und P.-Muff, die mir Frau Selbach laut beiliegendem Brief für RM 8.000,- abkaufen wollte, woraus meine Besitzrechte wohl eindeutig hervorgehen.
5. Tafelsilber, gezeichnet AS, ES, HB, HK, P (ebenfalls in L.).
   Alle die vorstehend aufgezeichneten Gegenstände gehen mit dem heutigen Datum in den Besitz von Frau Elisabeth Wust, geb. Kappler, über. Meine Schwester Irene K., geb. Schragenheim, z. Zt. in England, zu erreichen über: Madame Kummer, Genf, Avenue de la Forêt 17, Schweiz, ist von diesem meinem Wunsch informiert und billigt ihn.
   Da ich aus naheliegenden Gründen augenblicklich nicht in der Lage bin, diese Schenkung notariell beglaubigen zu lassen, muß ich darum bitten, sie in dieser Form anzuerkennen. Berlin-Schmargendorf, 28. 7. 1944

Felice Schragenheim

Am 1. August beginnt der Aufstand der polnischen Heimatarmee in Warschau. Felice bringt aus der *National-Zeitung* fünf

194

große Blätter »Geheime Reichssache« nach Haus: rot unter-
strichene Zahlenkolonnen von Judentransporten aus Ungarn. Das Geheimdokument wird in einem kleinen Schränkchen im Wohnzimmer verstaut. Im Wohnzimmer, wo einst
Hitler prangte, hängt nun eine aus einem Schulatlas herausge-
rissene Europakarte an der Wand, auf der Lilly und Felice mit
bunten Stecknadeln und wachsender Befriedigung den
Frontverlauf abstecken. Schellt jemand an der Tür, wird die
Karte eilig zur Wand gedreht, und auf der Hinterseite kommt
das Berliner Schloß am Lustgarten zum Vorschein.

Am 7. August fährt Lilly nach Thüringen, um Bernd zu
besuchen und Eberhard heimzuholen. Bei dem Goldfasan,
bei dem er untergekommen ist, will sie ihn nicht länger lassen.
Auf dem Weg vom Bahnhof Meuselwitz nach Zipsendorf beginnt es zu stürmen, und Lilly zieht ihre Holzsohlen-Sanda-
len mit den Riemchen aus, um den Rest des Wegs barfuß zu-
rückzulegen. Entgeistert starrt Eberhards Pflegemutter auf
Lillys schlammverschmierte, rotlackierte Zehennägel.

7. 8. 44 (20 Uhr 45)
Mein geliebtes Katzentier,
ob Du nun endlich gut angekommen bist? Immer wenn Du
weg bist, mache ich mir Vorwürfe, daß ich es überhaupt erlaubt habe, daß Du so alleine fährst. Wenn Du nun keinen
Anschluß hattest und Dich niemand abgeholt hat. Hoffentlich mußt Du nicht weinen. Aber Du bist ja so brav und
tapfer.
    Ich kam um fünf nach Hause, und niemand hat am Balkon
gestanden. [...] So habe ich endlich das Buch zurückgegeben.
Der Doktor war allein zu Hause, und wir haben uns sehr nett
unterhalten über später und so weiter. Leicht wird es bestimmt nicht sein, sich wieder auf normal und verantwor-
tungsvoll umzustellen. Und er meint mit Recht vielleicht,
daß es mit dem Rausgehen auch nicht so ist, denn die draußen wird man gar nicht mehr mögen, sie werden arrogant
sein, denn sie haben ja schon was und wir nicht. Und während man also dort um einige Enttäuschungen reicher wird,
versäumt man wieder hier den Anschluß und erlebt bei der

eventuellen Rückkehr hier das Gleiche, denn die haben ja dann hier wieder schon alle was, während man selbst dann erst anfangen muß. Aber wir kamen beide zu dem Schluß, daß einem die Sorge um diese Dinge wohl abgenommen werden wird, denn es wird gar keine Möglichkeit geben, rauszugehen, man wird hierbleiben und feste arbeiten müssen. Und vielleicht wird man sich noch mal die herrlichen Zeiten zurückwünschen, so wahnsinnig das auch ist, wo man, wie ich, nur ab und zu gearbeitet und jeden Tag an der Havel in der Sonne gelegen hat. Nächste Woche möchte ich, wenn ich darf, mal mit ihm mit dem Rad rausfahren und schwimmen. Erlaubsus mir? Du erlaubs mir nie was. Aba das erlaubsu doch, nichwah?

Jetzt habe ich Kopfschmerzen, und da geh ich ganz allein in mein Bett. Ganz allein.

Friedrichs sind nicht ausgebombt, nur etwas angestoßen. Chr. hat mir ihre Monatskarte geschickt. Inge kam mit großer Verspätung ins Geschäft, und Elenai ist gleich wieder umgekehrt, als sie die Verwüstungen in Schöneweide sah. Ausgebombt ist sie zum Glück nicht. Morgen bin ich eventuell mit Nora zusammen. Deine Kinder sind der bravsten welche. Lola ist auch brav. Ebenso

Dein Dich liebender

wilder, edler und gutmütiger

Jaguar

Zu Hause gibt es Ärger, als Lilly Eberhard am nächsten Abend in den Bunker schickt. Die Kinder sollen sich auf keinen Fall im Bombenberlin aufhalten.

Am 21. August verdunkeln die Berlinerinnen und Berliner von 21 Uhr 12 bis 5 Uhr 24. Sonnenaufgang ist um 5 Uhr 53, Sonnenuntergang um 20 Uhr 12. In der Rubrik »Berliner Beobachter« erscheint im *Völkischen Beobachter* ein Artikel über die Harfe, ein »Instrument der empfindsamen Zeit«. Im Haus Vaterland am Potsdamer Platz läuft »Das große Bunte Kabarettprogramm«, im Scala-Theater am Ku'damm die Varieté-Revue »Utopia«.

Der 21. August 1944 ist hochsommerlich heiß. Felice und Lola haben ihren freien Tag. Lola opfert sich und bleibt bei den Kindern, Aimée und Jaguar fahren mit den Rädern zum Baden, quer durch den Grunewald und dann die Havelchaussée hinunter zum »Großen Fenster«, wo Wald und Gebüsch in den Sand auslaufen und den Blick freigeben auf den breiter werdenden Fluß. Ein ganzer Tag zum Schwimmen und Braten in der Sonne, ohne Lola, ohne Kinder, vielleicht sogar ohne Bomben, Aimée kann ihr Glück kaum fassen. Seit Wochen liegt sie Jaguar in den Ohren, sich endlich Zeit für sie zu nehmen, sogar sonntags muß sie neuerdings arbeiten. Der Strand ist menschenleer an diesem Montag. »Hoffentlich passiert nichts mit Lola und den Kindern«, ist der einzige Gedanke, der sich störend zwischen ihr Liebesgeflüster schiebt. Jaguar hat ihre alte Fotokamera mitgebracht, die Leica hütet sie wie einen kostbaren Schatz. Aimée ziert sich wie immer, wenn Jaguar sie fotografieren will. Das Schönste an ihr, das kastanienrote Haar, kommt auf den Schwarzweißaufnahmen ohnedies nicht zur Geltung. Sie trägt einen dunkelblauen Strandanzug aus dickem Leinen mit weiß abgesteppten und vernieteten Brust- und Hüfttaschen. Mehr Spaß macht es Aimée, selbst tätig zu werden, mit der Kamera Jaguars lange Beine abzutasten, die sie die meiste Zeit in Hosen versteckt. An diesem Montag an der Havel entstehen mit dem Selbstauslöser die einzigen Fotos, auf denen sie zusammen auf einem Bild ohne eine dritte Person zu sehen sind. Lilly mit ihren kurzen Unterschenkeln steht unbeholfen da, beide Arme artig und ergeben an der Hosennaht, während Felice ernst, herausfordernd und trotzig in die Kamera schaut. Bevor sie am Nachmittag die lange Heimfahrt antreten, posiert Jaguar noch einmal, barfuß, Shorts aus weißem Leinen, die Fliege des Vaters keck um den Blusenkragen gebunden. Die Schatten am »Großen Fenster« beginnen länger zu werden.

Außer Atem von der langen Radstrecke in der heißen Nachmittagssonne, stellen sie die Räder im Keller ab und laufen, zwei Stufen auf einmal nehmend, zur Wohnung hoch, begierig, Lola die Bürde der Kinder abzunehmen.

»Waren sie brav?« trällert Lilly fröhlich, sobald die Tür geöffnet wird. Doch Lolas graublaue Augen sind weit geöffnet vor Schreck. »Gestapo« formt sie lautlos mit den Lippen. Im selben Augenblick treten hinter ihr zwei Männer aus dem Dunkel der Wohnung.

»Wer sind Sie? Kommen Sie rein.«

Aimée und Jaguar werden ins Wohnzimmer gestubst, Lola muß zu Albrecht, Eberhard und Reinhard ins Kinderzimmer.

»Sie brauchen gar nicht erst zu leugnen«, herrscht der schneidige Schwarzhaarige in der SS-Uniform Felice an, »Sie sind die Jüdin Schragenheim.« Er hält ihr ein Foto unter die Nase, das Felice auf Luise Selbachs Balkon zeigt. Felice schweigt.

»Sie haben doch gewußt, daß die Schragenheim Jüdin ist.« Lilly schweigt.

Dann werden sie getrennt. Lilly muß dem kleinen Gedrungenen in der braunen Uniform ins Schlafzimmer folgen, Felice bleibt mit dem Chef zurück. Wie lang Lilly Felice schon kenne, will der Kleine wissen, und wann sie bei ihr eingezogen sei. Fragen, die Lilly wahrheitsgetreu beantwortet.

Dann wird sie ins Wohnzimmer zurückgebracht. Ein weiteres Kreuzverhör folgt. Freunde, Bekannte, Adressen ...

Während beide Männer sich mit Lilly beschäftigen, stürzt Felice in einem unbeobachteten Augenblick hinaus. Weil Hochsommer ist und alle Fenster und Türen offenstehen, entsteht Zugluft, als Felice die Wohnungstür öffnet. Eine Tür fällt krachend ins Schloß. Der Kleine stürzt Felice hinterher. »Haltet das Weib«, schreit er. Felice jagt wie eine Irrsinnige die Stufen hinunter, ihre Sprünge hallen durchs Treppenhaus. Durch den Garten rennt sie, hinein ins Gartenhaus und hoch zu Frau Beimling.

Die alte Beimling erfaßt die Lage in Sekundenschnelle und schiebt Felice hinter die Couch.

»Da, da ist sie hinauf«, schreit aufgeregt der dicke Rauche, der im Unterhemd aus seiner Parterrewohnung gelaufen kommt.

Mit Fußtritten holt der Gedrungene Felice hinter der Couch hervor, schleift sie die Treppe des Gartenhauses hinunter und wieder hinauf in Lillys Wohnung.

Das Verhör geht weiter. Woher Felice Lebensmittelmarken hatte, und immer wieder, ob Lilly nicht gewußt habe, daß die Schragenheim Jüdin ist. Lilly bleibt ahnungslos.

»Sie wissen doch, daß Ihnen KZ droht, wenn Sie untergetauchte Juden schützen«, schreit der Kleine. Lilly schweigt.

Nach ungefähr zwei Stunden kommen von unten mehrere SS-Männer, die einige Häuser weiter vorn in einem Lkw gewartet haben.

»Nun küßt euch mal schön«, befiehlt der schwarzhaarige Herrenmensch mit einem hämischen Grinsen.

»Und Sie, junge Frau, sollten wir auch mitnehmen«, brüllt er, »nur der armen unschuldigen Kinder wegen verschonen wir Sie noch dieses eine Mal.«

Schweigend streift Felice den Ring mit dem grünen Stein vom Mittelfinger, gibt ihn Lilly und küßt sie auf die Stirn.

Dann wird sie abgeführt.

Lola Sturmova

Ich war mit Albrecht, Eberhard und Reinhard zu Hause, da läutet es Sturm an der Tür. Ich mach auf, und der packt mich – ich war damals schon in anderen Umständen – und sagt: »Schragenheim!« – »Wer ist denn das?« – »Verstellen Sie sich nicht, Schragenheim!« – »Ich kenn ka Schragenheim.« – »Zeigen Sie Ihren Ausweis.« No, hab ich ihm dann den Ausweis gezeigt. »Wir warten hier, bis sie kommen.« Jessas, das war furchtbar damals. Ich konnte auch keine Nachricht herunterschicken, dieser anderen Dame, die unter uns gewohnt hat. Ich wollte auf die Toilette, aber der ist mit mir gegangen, ich mußte die Tür offenlassen! Ich wollte eben was schnell schreiben und das dem Albrecht oder dem Reinhard geben, damit er es runterläßt vom Balkon, hab schon einen Spagat gehabt, und dann hab ich's gelassen, weil der ja hinter mir gestanden ist. Am Anfang waren zwei, und dann kamen noch ... je, das ganze Haus war ja umstellt, wie sie die Felice dann gejagt haben. Der eine hatte ein Foto mit von Felice, das hat er mir gezeigt. Sag ich, ich kenn sie wohl, aber ... Dann haben sie gefragt, seit wann ich sie kenn, seit wann ich da hier wohn, wo ich angestellt bin. Sie haben sich ja auch erkundigt bei meinem Chef, bei dem Österreicher, und der hat gesagt, nee, keine Jüdin, nix. No, aber das Schönste war – der hat mir ein Foto von einer Kompanie gezeigt und hat gesagt: Das bin ich. Er war in Czernowitz, hat er gesagt. Und mein Vater war Kommandant in Czernowitz in der alten Republik. Das waren lauter Juden! Und da sag ich, no, Sie sind Jude? Das war doch ein jüdisches Regiment. Er war kein Jude, aber er war dortn eingesetzt gewesen. Er hat gesagt, daß Felice beim *Völkischen Beobachter* ist und daß sie Nachrichten weitergibt. Angeblich war unten im Keller irgendeine Station, wo sie die Nachrichten nach England geschickt hat, haben die Greifer gesagt, wie sie gekommen sind. Sag ich, nee, ich weiß nix, wir haben nur dortn das Radio unten, wenn die Fliegerangriffe waren, daß wir gewußt haben, wo sie sind, die Engländer. Die waren auch unten im Keller, haben den Schlüssel weggenommen und sind runtergegangen, haben aber nix gefunden.

Als die Männer fort sind, öffnet Lola vorsichtig die Tür des Kinderzimmers. Lilly ist außer sich, schreit und weint. Verschreckt drücken sich Albrecht und Reinhard an die Wand. In dieser Nacht läßt Lilly die Kinder nicht in den Bunker. Lola und Lilly bleiben die ganze Nacht wach.

»Wir müssen was tun«, drängt Lola, »die Papiere!«

»Verbrennen. Ja, verbrennen«, murmelt Lola, mehr zu sich selbst als zu Lilly. Diese starrt nur benommen ins Leere. Lola zerrt die »Geheime Reichssache« aus dem dunkelbraunen Schränkchen, holt auch anderes Material, das Felice ihr in den letzten Wochen für den Kaleu Henschel mitgebracht hat, aus ihrem Zimmer und stopft es in den grünen Kachelofen im Balkonzimmer.

»Jessas, die sind doch direkt davor gestanden!«

»Nein, die nicht!« befiehlt Lilly mit sich überschlagender

Stimme, als Lola sich anschickt, auch die Bücher von Felices Onkel Lion Feuchtwanger zu verbrennen.

Von den meisten Sachen, die Felice aus der Zeitung mitgebracht hat, weiß Lilly nichts. Lola und Felice haben stets darauf geachtet, sie der Kinder wegen möglichst wenig zu belasten.

Als Lilly am nächsten Morgen erschöpft und mit geschwollenen Augen den Kindern das Frühstück bereitet, findet sie in einer Kaffeetasse ein Gedicht:

Vieles, was ich denke,
ist wie ein Gedicht,
das ich Dir zärtlich schenke,
aber Du hörst es nicht.

Denn manche Worte vertragen
die Helle des Tages nicht,
man könnte sie niemals sagen,
ohne daß etwas zerbricht . . .

Denn ich kann's ja nicht sagen –
Du mußt Dich über mich neigen,
damit will ich alle Fragen
zu Dir hinüberschweigen.

Manches kann man nicht sagen,
ohne daß etwas zerbricht –
die letzten Dinge vertragen
sogar ein Flüstern nicht.

Du mußt Dich über mich neigen
und mach die Augen zu –
dann will ich's hinüberschweigen
zu Deinem geliebten Du.

»Und sie hat sich nicht einmal verabschiedet«, jammert Eberhard, und Lilly kann ihre goldene Uhr nicht finden, die während des Verhörs noch im Schlafzimmer lag.

Wie Felices Foto in die Hände der Gestapo gelangte, ist nie herausgekommen.

6

Am 21. August 1944 beginnt Elisabeth Wust Tagebuch zu führen. Niemals wird sie sich von ihm trennen, stets findet sie
neue Verstecke, mal unter der Badewanne, mal im Schrank in
der Wäsche, mal hinter einem losen Ziegelstein im Keller.

Lillys Tagebuch, 21. August 1944

Heute geschah, was ich auch als leisesten Gedanken weit von
mir geschoben hatte, das Entsetzliche. Man hat mir das Liebste genommen.
  Großer Gott, erhalte mir mein über alles geliebtes Mädchen. Gib es mir wohlbehalten wieder. Ich habe geschrien
und geweint, die Kinder mit mir, außer Albrecht. Der stand
und lächelte, der Dicke. Er begriff ja nicht. Der Kinder wegen kam ich wieder zu mir. Ich habe nicht aus dem Fenster
gesehen, meine Kraft reichte nicht aus, und Du solltest
doch nichts von meinen Tränen sehen. Lola war rührend
gut. Sie hat Dich winken sehen, als Dich das Auto schwer
bewacht fortschleppte. Sie tröstete, aber was hilft mir Trost.
  Gegen Abend holte ich Christine von der Bahn ab. Sie
weinte sehr. Ich glaube, sie liebt Dich ein wenig. Wer sollte
Dich auch nicht lieben. Als ich vorhin mit Lola im Keller war
und Kleidung für die Kinder aus dem Koffer holte, blitzte
beim Zuschließen der Kellertür drüben bei Rauches ein
Licht auf. Wahrscheinlich wollte er mich überwachen und sehen, was ich heimlich heraustrage. Vielleicht hat er von der
Gestapo den Auftrag dazu bekommen, vielleicht ist es aber
nur sein Übereifer. Mein Gott, sechs Männer waren so mutig,
ein einziges Mädchen zu fangen. Sechs Mann hoch! Und dieser Rauche machte sich noch wichtig dazu. Ich werde seine
Gemeinheiten nie vergessen. Nie.

Als Christine Friedrichs die Unglücksbotschaft erfährt, ruft sie Inge in Lübben an. Diese läßt sofort alle verbotenen Bücher aus ihrem Zimmer fortschaffen. Als Felice abgeholt wurde, hatte sie einen auf Inge Wolf lautenden Postausweis dabei, den Inge ihr vor einiger Zeit hat anfertigen lassen.

Und dann kommt Inge ein rettender Gedanke. Ein Lehrmädchen bei Collignon, mit der sie sich gut versteht, hat ein hohes Nazi-Tier im Reichssicherheitshauptamt zum Vater. Vielleicht kann er ihnen sagen, wo Felice hingebracht wurde.

Am Dienstagmorgen ruft Frau Blei, die Redaktionssekretärin der *National-Zeitung*, an, um nach Frau Wust zu fragen, unter deren Namen Felice in der Zeitung gearbeitet hat. Wenig später marschieren Inge und Lilly in das düstere Gebäude der Gestapozentrale in der Prinz-Albrecht-Straße. Weil alle Sommersachen in der Wäsche sind, trägt Lilly ihr Hausdirndl mit der bunten Borte an Ausschnitt, Saum und Puffärmeln und weiße Söckchen, in denen sie in letzter Minute auch noch ein Löchlein entdeckt. Klopfenden Herzens verlangen Inge und Lilly Herrn Doktor Emil Berndorff zu sprechen, SS-Sturmbannführer, Regierungsrat und Kriminalrat im Amt IV für »Gegnerforschung und -bekämpfung«, zuständig für Schutzhaftangelegenheiten. Sie berufen sich auf seine Tochter Ilse. Zu verschüchtert, um auch nur ein Wort miteinander zu wechseln, warten die beiden angespannt auf einem Bänkchen, bis der KR sie – keineswegs unfreundlich – hereinbittet.

»Ich habe gehört, daß sich die Schragenheim mit meinem Ausweis ausgewiesen hat«, sagt Inge, »ich hab keine Ahnung, wie sie an den herangekommen ist, ich wollt's nur mal sagen.«

»Verehrteste, das könnte eine vom 20. Juli gewesen sein!«

»Aber Herr Kriminalrat, das ist doch eine ganz junge Frau.«

»Na na, da kann man nicht vorsichtig genug sein.«

Lilly

> Als wir da hineingingen, hab ich mich erinnert, daß sie unten im Keller meinen Bruder fast erschlagen haben. Wir haben

lange gewartet, und Inge saß verschüchtert auf der Bank. Da wurde mir das zu bunt, und ich bin auf den Vorzimmerhengst losgegangen und hab ihn an den Spiegeln gepackt: »Wie lange dauert das noch?« Mir war alles egal, sie hätten mich sofort einbuchten können. Der war ganz perplex. »Sie müssen eben noch ein bißchen warten, er wird hoffentlich bald kommen.« Die Inge hatte eine fürchterliche Angst, ich hatte überhaupt keine Angst und war frech wie Oskar. Aber auch später war es immer so: Wenn man energisch genug war und sich nichts gefallen ließ, dann wußten die irgendwie nicht weiter. Dabei bin ich gar kein mutiger Mensch. Und so bin ich dann auch auf den Berndorff los: »Unerhört, so kann man doch einen Menschen nicht verlieren. Ich will wissen, wo sie ist.« Er hat uns ziemlich schnell rausgeschmissen, hat aber vorher noch zu mir gesagt: »Was glauben Sie denn, ich kann Ihnen das nicht sagen, bei uns laufen die Fäden vom ganzen Reich zusammen.« Der Hund wußte es doch genau!

Abends schrillt das Telefon. Lola hebt ab. »Schulstraße«, sagt ein Mann und legt auf.

»Um Gottes willen!« flüstert Lilly, »das ist im Jüdischen Krankenhaus. Von dort gehen die Transporte in den Osten!«

Bepackt mit Obst und den Tomaten, die Felice so sehr liebt, fährt Lilly am nächsten Morgen – und wieder hat Frau Blei von der *National-Zeitung* angerufen – mit der S-Bahn zum Bahnhof Gesundbrunnen und eilt entlang der langen Mauer des Jüdischen Krankenhauses zum Nebeneingang Schulstraße 78, wo das Judensammellager im Gebäude der Pathologie untergebracht ist, durch Stacheldraht vom übrigen Gelände abgetrennt. Durch den großen eisernen Torbogen führt eine kleinere Tür rechts zum zweistöckigen Pförtnerhaus, wo die Verwaltung untergebracht ist, und links zur Pathologie, wo die Räume der Gefangenen sind. Im Erdgeschoß ist die Wachstube für die Schutzpolizei. Lilly weist sich aus und bittet um die Erlaubnis, Felice Schragenheim zu besuchen.

Drei Stufen weiter befindet sich eine Tür, die in einen großen Raum führt, in dem rechts hinten vier oder fünf Personen sitzen. Sie sind mit Schreibarbeiten beschäftigt, beobachten aber mit Argusaugen alle Vorgänge im Raum. Hinter ihnen führen nochmals einige Stufen in die Quartiere der Gefangenen. Von dort wird Felice geholt, den gelben Stern an der Brust.

Was haben zwei Tage aus der strahlenden Felice gemacht! »Menschenskind, wer hat dich denn verraten?« flüstert Lilly.

»Potty Peyser.«

Charlotte Peyser, Felices Schulfreundin, ist mit ihrer Freundin in Wien von der Gestapo aufgegriffen und nach Berlin gebracht worden, wo Felice sie in der Schulstraße wiedertrifft.

Backes, einer der jüdischen Ordner in der Schulstraße, der am Vortag Felice hinter der Couch hervorgeholt und in die Wohnung zurückgeschleift hat, kommt herein und hat nichts Eiligeres zu tun, als Lillys Anwesenheit dem Lagerleiter zu melden. Der holt die beiden zum Verhör nach oben. Walter Dobberke, dem stiernackigen SS-Hauptscharführer mit dem militärischen Kurzhaarschnitt und dem ausdruckslosen Gesicht, geht es in erster Linie um die beiden Fahrräder. Kriminalsekretär Herbert Titze, der den sechs Mann hohen Festnahmetrupp befehligte, hat Meldung erstattet, daß die beiden Frauen auf Fahrrädern heimkamen. Juden dürfen keine Fahrräder besitzen. Wem die Räder gehören, wollen Dobberke und Titze wissen.

»Na mir, wem denn sonst«, antwortet Lilly forsch.

Dobberke, der sich im Lager mit »Kommissar« ansprechen läßt, behandelt Lilly mit ausgesuchter Höflichkeit. Es ist bekannt, daß der Choleriker mit der stets griffbereiten Peitsche im Büroschrank eine Schwäche für schöne Frauen hat.

Gleich nach ihrer Einlieferung in die Schulstraße muß Felice eine Vermögenserklärung unterschreiben. Derzufolge umfaßt ihr Vermögen Erbansprüche in der Höhe von RM 20.000, diverse Einzelmöbel, diverse Wäschestücke, diverse Damenkleider. An ihre neue »Adresse«, Schulstraße 78, wird Felice ein mit 1. Mai 1944 datierter Brief der Geheimen Staatspolizei zugestellt, der sie darüber aufklärt, daß ihr gesamtes Vermögen »zugunsten des Deutschen Reiches eingezogen« wurde.

Lillys Tagebuch, 23. August 1944

> Ich war ein Gebirge von Tapferkeit. Auch als mich dieser widerwärtige Backes stehen sah und das natürlich gleich dem Lagerleiter Dobberke melden mußte, dieser gemeine Mensch. Dieser Dobberke und auch Titze sind merkwürdig mit mir umgegangen. Der Dobberke war geradezu gütig. Gewiß, sie haben uns gequält, aber wir haben uns dafür länger gesehen, als wir zuerst gedacht hatten. Das kann uns niemand nehmen, niemand. Von jetzt an komme ich jeden Tag, und Du sollst ganz, ganz viele Tomaten haben neben anderem.

Lilly schickt Telegramme mit »Felice schwer erkrankt« nach London, New York und Genf sowie an Luise Selbach.

Jeden Tag eilt Lilly in die Schulstraße, mit den besten Eßwaren, die sie am Ende des fünften Kriegsjahrs in Berlin auftreiben kann. Milde gestimmt von den französischen Zigaretten, die Inge an ihrer Arbeitsstätte in Lübben französischen Zwangsarbeitern abkauft, beginnt einer der jüngeren Schupos sogar mit Lilly zu flirten. Lilly umnebelt ihn bereitwillig mit ihrem Charme, öffnet sein Wohlwollen ihr doch die Türen zu Felice. Als er ihr schließlich sogar seinen Dienstplan zeigt, kommt Lilly immer dann, wenn er Dienst hat. Sie verspricht, ihm ihr Foto zu schenken. Mit Elenai bespricht Lilly, wie sie Felice Geld zukommen lassen können. Mit Geld läßt sich viel erkaufen, vielleicht auch das Leben.

Auch Elenais Lage wird immer prekärer. Als ihr in der *National-Zeitung* keine Entschuldigung für Felices Fernbleiben von der Arbeit mehr einfällt, bleibt auch sie der Arbeit fern. Sie taucht unter und zieht zu Inge Wolf nach Lübben. Es ist auch höchste Zeit, denn im Frühsommer ist ihr »arischer« Stiefvater gestorben, in dessen Schutz sie bisher lebte. Aus Elenais Geburtsstadt Erfurt, wo Gauleiter Sauckel wütet, kommt überdies noch eine Denunziation, die ihr ein Verhör bei der Gestapo einbringt.

»Hauen Sie ab«, rät ihr der Mann.

In den ersten Tagen ist Felice im »Bunker« eingesperrt. Dort sind überwiegend junge Leute untergebracht, bei denen Fluchtgefahr unterstellt wird. Zweimal am Tag werden die Gefangenen zur Toilette und auf einen kleinen Hof zum Spaziergang geführt. In einer Zelle hausen etwa acht Personen, die sich einen Tisch und einige Hocker teilen. Geschlafen wird auf der Erde. Später kommt Felice in einen der großen Räume des Krankenhauses, wo sich die – meistens illegalen – Gefangenen in den leeren Sälen frei bewegen können. Wie immer erobert Felice alle Herzen. Besonders dem jüdischen Ordner Ludwig Neustadt hat sie es angetan. Er war es, der am 22. August bei Lilly anrief, um ihr Felices Aufenthalt mitzuteilen. Bald nach Felices Gefangennahme kommt der unauffällige kleine blonde Mann – ohne »Judenstern« – in die Friedrichshaller Straße, um Kleider für Felice zu holen. Lilly packt Felices graue Lieblingshose, die rostrote karierte Jacke, den weißen Pulli, ein Paar Schuhe, vor allem aber Unterwäsche und Strümpfe in einen Koffer. Während sich Neustadt und Lilly am Küchentisch über Felice unterhalten, ist Alarm. Gemeinsam stürzen sie in den Keller.

»Die muß aber jeden Tag was Neues haben!« ätzt eine der Hausbewohnerinnen, von denen die meisten seit dem Gestapo-Großaufgebot in ihrer Straße von Lilly abgerückt sind. Sogar Tante Grasenick, die Kriegerwitwe aus dem Ersten Weltkrieg, die oft genug mit den Kindern Geburtstag gefeiert hat und Albrecht liebt wie ihr eigenes Enkelkind – auch sie schaut weg, wenn die Nachbarinnen einander auf dem Hausflur begegnen. Nachdem Felice abgeholt wurde, ist Lilly völlig kopflos zu ihr hinuntergelaufen. »Was kann denn ein Mensch dafür, daß er Jude ist?« schluchzte sie. Schon damals merkte sie, wie die Grasenick vor ihr zurückwich.

> Dieses Tagebuch sollst Du lesen, wenn Du nicht mehr die Jü-
> din Schragenheim, sondern ein Mensch unter Menschen bist.
> Du großer Gott, laß uns zusammen leben oder sterben. Laß
> nicht einen von uns übrig. Ich werde es nicht verwinden kön-
> nen, meine Felice nie wiederzusehen. Ein Leben lang nicht.

Am Sonntag nimmt Lilly Albrecht, Reinhard und Eberhard
mit in die Schulstraße. Diesmal warten sie in der Wachstube
auf Felice. Auch die Schupos haben ihre Freude an den
Kindern in ihren gestrickten Sonnenhöschen, die braunge-
brannten Beine in Klapperlatschen. Einer von ihnen beäugt
Eberhard neugierig. »Von wem ist denn das Kind?« will er unbedingt wissen.

Albrecht hat zu diesem Anlaß seinen ersten Herrenhaar-
schnitt verpaßt bekommen. »Hice! Hice!« ruft er, als Felice
hereingeführt wird und rast, seine dicken Ärmchen weit aus-
gebreitet, auf Felice zu. Tränenüberströmt hebt Jaguar Albrecht zu sich hoch.

»Du hast da ein Herzenstäschchen«, sagt er und spielt ver-
träumt mit Felices gelbem Mal an der Brust.

Lilly hat den Kindern eingeschärft, daß sie niemandem
über diesen Besuch erzählen dürfen. Ohne die Zusammen-
hänge zu begreifen, erfassen sie dennoch nur zu genau, daß es
ihre Mutter diesmal ernst meint.

Am Montag wird Lilly von Titze erwischt. »Raus!« brüllt er.
Eine Woche lang darf sie sich nicht mehr blicken lassen. Lilly
aber marschiert zur Gestapo in die Französische Straße, um
sich eine offizielle Sprecherlaubnis zu holen, und bekommt
sie. Schon am Dienstag ist sie wieder in der Wachstube. Ohne
eine einzige Frage holt ihr Lieblingsschupo Felice in den großen Saal.

Plötzlich läuft eine auffallend attraktive schlanke junge
Frau mit rotblondem Haar und kalten blauen Augen durch
den Raum, unterhält sich schrill lachend mit den Polizisten
und tänzelt langbeinig und hochhackig zur Tür hinaus.

»Das ist sie«, flüstert Felice fast ehrfurchtsvoll. Es ist die jüdische Greiferin Stella, der Felice bei ihrer Verabredung mit Gerd Ehrlich am Savignyplatz beinah in die Hände gefallen wäre.

Am Mittwoch setzt es ein erneutes Gewitter in der Schulstraße. Diesmal ist es der Chef höchstpersönlich.

»Was erlauben Sie sich eigentlich?« brüllt Dobberke Lilly an und kann sich gar nicht beruhigen. »Eine unglaubliche Frechheit! Ich verbiete Ihnen, noch einmal das Lager zu betreten. Lassen Sie sich hier nicht wieder blicken, sonst sperre ich Sie ein. Ab durch die Mitte!«

Draußen vor dem Tor steht ein jüdischer Torhüter.

»Was kann mir das einbringen?« fragt Lilly.

»No, is nicht so schlimm. A bissel KZ.«

Abends ruft Ludwig Neustadt an und teilt Lilly mit, daß es sich bald entscheiden würde, wohin Felice gebracht werden soll. Lilly solle nicht mehr kommen, er werde sie auf dem laufenden halten.

Lilly schickt Lola und Nora zu Felice. Der Schupo im Wachzimmer verspricht, ihr alle Päckchen auszuhändigen. Inge Wolf will Felice nicht sehen. Zwischen den beiden muß es zu einem größeren Streit gekommen sein.

Mitten in Lillys zitternde Angst um Felice schiebt sich eine weitere böse Ahnung. »Empfänger unbekannt«, steht auf den Briefen und dem Päckchen mit Plätzchen, die von der Front an Lilly zurückkommen. Günther Wusts letzter Brief ist mit 18. August datiert.

Lillys Tagebuch, 2. September 1944

Unser Tag, Geliebte. Könnte ich Dich doch sehen. Pünktlich hat mich Ludwig angerufen, und ich werde ihn nachmittags treffen. Ich weiß doch nicht, ob Du die Sachen auch wirklich alle bekommst. Ich bin mit Lola in die Schulstraße gefahren. Du solltest doch heute nicht ohne etwas Liebes von mir sein. An der Ecke habe ich gestanden, sehr heimlich, denn ich fürchtete, mich könnte einer vom Lager sehen. Lola hat Dich sogar gesprochen. Ach, Du qualvoll geliebter Mensch, ich habe bis Schmargendorf geweint. Es ist ja so unsagbar schwer, vernünftig zu sein. Hast Du in den angebissenen Apfel gebissen? Hat er Dir geschmeckt? Hast Du an unseren ersten Tag gedacht, als wir uns kennenlernten und Du mir zum Schluß einen Apfel schenktest und ich ihn an der Haltestelle am Ufa-palast frierend krampfhaft festhielt? Ich war und bleibe Eva. Könnte ich doch in Deinem Arm liegen und geborgen sein. Morgen bist Du schon zwei Wochen fort von mir. Zwei ewig lange Wochen. Wer weiß, wieviele Wochen folgen werden.

Am 4. September hat Lillys Vater Geburtstag, und es kommt zu einem Eklat. Lilly solle sich nicht um Juden kümmern, poltert er, und sich und andere damit gefährden. »Sie haben Lola gegenüber eine Bemerkung gemacht, die ich ihnen nicht verzeihen kann«, schreibt Lilly ins Tagebuch. »Ich gehöre voller Vertrauen zu Dir und Deinem Leben. Ich bin fertig mit allem, was hinter mir liegt. Meine Zukunft bist Du. Und merke es Dir, Felice Schragenheim, auch wenn Du einmal nicht mehr da sein solltest, auch dann.«

Am 5. September versucht Lilly noch einmal, mit Günther Kontakt aufzunehmen. »Ich habe doch sehr den Eindruck, daß ich alle meine letzten Briefe umsonst geschrieben habe«, schreibt sie. »Das tut mir besonders um einen wahrhaft ellenlangen ausführlichen Brief von 19 (in Worten neunzehn!) Seiten leid.« Lilly faßt noch einmal zusammen, wie es den Kindern geht, läßt aber Felices Verhaftung unerwähnt.

Am 6. September ruft Ludwig Neustadt an und meldet strahlend, daß Felice nach Theresienstadt kommt. Am Nachmittag trifft sich Lilly mit ihm am Bahnhof Wedding. Er gibt ihr einen Brief von Felice:

Meine l. Aimée,
ich kann Dir hier nicht viel schreiben. Nur vielen Dank für Deinen Brief und für alles andere. Und sei schön brav. Ich schreibe sehr bald. Dann schickst Du mir wieder etwas, nicht wahr? Da es mir hier so gut ging – »es ist unmöglich, von mir nicht – etc.« – und alle, besonders »dieser«, so nett zu mir sind,

wird es auch sicher weiter so gehen. Halte die Daumen und grüß alle, die sich um Dich kümmern. An die Kinder und »Schnäuzchen«, das Katzentier, alles Liebe!
Auf Wiedersehen!!
Euer im Zoo befindlicher Jaguar

Am 7. September sehen Felice und Lilly einander zum letzten Mal, und Felice unterschreibt eine Vermögenserklärung anderer Art:

Hierdurch bevollmächtige ich Frau Elisabeth Wust, Berlin-Schmargendorf, Friedrichshaller Straße 23, jederzeit von Frau Luise Selbach die Herausgabe meines dort befindlichen Persianerpelzmantels und dto Muffs sowie meiner Haus- und Bettwäsche und meines Tafelsilbers zu verlangen und die genannten Gegenstände für mich in Verwahrung zu nehmen.
Felice Schragenheim
Sammellager d. Jüd. Gemeinde
Berlin, den 7. September 1944

Eine halbe Stunde Zeit läßt man ihnen, mehr als je zuvor, doch sie befinden sich in der kleinen Wachstube, wo auch eine geflüsterte Unterhaltung mitgehört wird. Lilly schenkt Felice eine Locke ihres rostroten Haars, die Felice gerührt um ihren Kamm wickelt. Felice gibt Lilly die Handschuhe zurück, die sie am Vortag von Lilly bekommen hat. In einem stecken ein schmaler Zettel und ein orangefarbenes rundes Schächtelchen mit zwei Tabletten:

Mein heißgeliebtes Katzentier,
sei immer brav und tapfer und denk an mich! Das Pervitin hat mir die Krankenschwester gegeben, die ich Dir neulich vorstellte. Sie ist sehr nett zu mir, wie überhaupt alle. Und das wird in Th. auch so sein! Halte die Daumen. Ich liebe Dich so sehr und komme bald wieder!!
Meine Aimée –
Dein Jaguar

Warum die Krankenschwester Tatjana Lilly ausgerechnet ein Aufputschmittel mitgegeben hat, ist Lilly immer ein Rätsel geblieben, hätte sie doch in diesen Tagen viel eher ein Beruhigungsmittel gebraucht.

Als Lilly an der Straßenecke anlangt, macht sie plötzlich kehrt und läuft zurück ins Lager. Der Polizist in der Wachstube hebt erstaunt den Kopf.

»Holen Sie mir Felice Schragenheim nochmal heraus, ich flehe sie an«, stößt sie atemlos hervor. Wortlos steht er auf und kehrt mit Felice wieder.

»Felice«, flüstert Lilly, »ist es wahr, daß du Christine liebst?«

»Wer hat dir denn diesen Floh ins Ohr gesetzt?«

»Christine. Sie hat es mir gesagt.«

»Ach, Schnäuzchen, du mußt doch nicht alles glauben, was man so herumerzählt.«

»Felice, ich bringe mich um, ich stürze mich aus dem Fenster, wenn es wahr ist!«

»Süße, du mußt mir glauben. Es ist sehr wichtig, daß du mir glaubst: Ich liebe nur dich allein.«

»Meine Damen, irgendwann muß Schluß sein«, mahnt der Schupo, und Lilly wird mit sanftem Druck zur Tür hinausgeschoben.

Am frühen Morgen des 8. September 1944 wird die Jüdin Felice Sara Schragenheim mit dem Transport Nummer 14890-I/116 in das 350 km entfernte »Altersghetto« Theresienstadt gebracht. Es ist der vorletzte Transport, der Berlin nach Theresienstadt verläßt. Die Reise im Bummelzug dauert bis in den späten Abend.

Lillys Tagebuch, 10. September 1944

Donnerstag, der 7. 9. kam. Ach, Felice, mein Herz möchte versagen vor Qual. Du warst so ruhig und heiter, mein Liebling. Du warst es sicher meinetwegen. Mein Gott, und ich hätte mir die Seele aus dem Leib reißen mögen und mußte ebenfalls lächeln, lächeln und Dir heimlich die Hände streicheln. Bebend bin ich, fast taumelnd, den Weg zur Straßenbahn gegangen.

Am Tag vorher hatte ich ein grausiges Erlebnis. An der Haltestelle der 41 stehend sah ich einen Zug Menschen kommen. Die Osloer Straße entlang kam ein Zug gefangener Frauen. Sträflinge eines Zweiglagers von Oranienburg, in gestreifter Kleidung, ohne Haare, barfuß. Felice, ich wollte schreien, ich wollte unter sie stürzen. Ich tat keinen Schritt, ich brachte keinen Laut hervor. Ich war wie versteinert. Es war mir wie eine Vision. Tränen stürzten mir aus den Augen. Großer Gott hilf, laß mein Mädchen nicht so Unmenschliches durchmachen. Großer Gott hilf. Es war so besonders entsetzlich, weil dieser graue Zug von Elendsmenschen gerade 500 Schritt von Dir vorbeimarschierte. Wie soll ich das bloß ertragen? Aber Gott hatte ein Einsehen, Du kommst nach Theresienstadt.

Sonntag abend rief mich Ludwig an. Wir wollen uns am Dienstag treffen. Ich freue mich wirklich darauf. Er kann mir nicht genug von Dir erzählen. Wir haben beide schon mehrere Päckchen nach Theresienstadt geschickt. Du siehst, wie sehr Du geliebt wirst. Was Wunder, daß Du ein eingebildetes Gör bist. Alle Menschen lieben Dich. Aber ich bitte mir aus, daß Du nur mich alleine liebst. Hörst Du? Jetzt gehe ich bald schlafen. Ob Du auch schon schläfst? Wie magst Du es haben? Wenn Du nur ebensoviel Glück hast wie hier. Ich habe irrsinnige Sehnsucht nach Dir und muß so viel weinen, und dann sehe ich so häßlich aus. Ich mache mir so viel Sorgen. Denkst Du an mich? – Ich suche mir am Himmel einen Stern, den Du vielleicht auch siehst, der unsere Seelen verbindet und werde beten, beten, beten. Morgen gibt es endlich Kleiderkarten. Dann werde ich den Kindern gleich Wintermäntel kaufen gehen. Und dann habe ich noch etwas vor. Vielleicht gelingt es mir. Gute Nacht, mein Mädchen. Ich möchte Dich küssen.

Am 12. September übergibt Ludwig Neustadt Lilly einen langen Brief von Jaguar:

7. 9. 44
Meine l. Aimée,
daß Du mir trotz Polizei und vergittertem Fenster noch eine Szene machen würdest, habe ich, als ich vor 14 Tagen hier an-

kam, nie gedacht. Es war reizend, denn es war ganz Du! Übrigens hast Du Unrecht. Und übrigens habe ich Dich noch viel länger gesehen als Du mich, denn ich habe am Klo-Fenster gestanden, aber Du konntest das ja nicht wissen und hast Dich nicht umgedreht.

Von den letzten genau 17 Tagen kann ich Dir jetzt keinen Bericht geben. Das würde länger werden als ein Leitartikel von Berns. Zwar sind meine Zimmergenossen »auf Arbeit« bis auf drei, aber trotz meiner Fähigkeit, mich gegen jede Ablenkung mit Taubheit zu panzern – ich bin so ziemlich der einzige Mensch in diesem Irrenhaus, der hier mit wirklichem Genuß gute Bücher liest – kann ich mich heute nicht ganz konzentrieren. Auch fehlt mir – unter anderem – die Schreibmaschine.

Wenn alles so weitergeht wie bisher, braucht Ihr Euch um mich keine Sorgen zu machen. Also toi, toi, toi. Alle Leute sind so reizend zu mir, daß ich von meiner Unwiderstehlichkeit einfach überzeugt sein muß. Wie schade, daß ich keine Gelegenheit habe, mich selbst von neuem kennenzulernen. Es muß ein Genuß sein. Nein, mal ernsthaft, wenn ich nicht von Ungeziefer aufgefressen oder auf irgendeine andere ebenso tragische Art und Weise ums Leben komme, dann wirst Du bald wieder in der Lage sein, meine Hose zu bügeln! Übrigens hatte ich, als ich noch im »Bunker« hinter Schloß und Riegel wohnte, eine Zimmergenossin gehabt, die mir selbige Hose endlich genäht hat, was Du schon vor vier Wochen vergeblich vorhattest. Diese Frau beschwört alle Welt, ihr was zum Nähen zu geben. Sie langweilt sich so. Die rosa Wäsche und die Söckchen hat sie laufend in Arbeit.

Fürchte nicht, daß ich etwa in schlechte Gesellschaft geraten bin: außer dem durch nichts zu übertreffenden Ludwig hat mich die Hautevolee in Gestalt der Dir flüchtig vorgestellten Krankenschwester-Dame (fast aristokratisch) und eines von ihr nachgestellten (warum gibt es von »nachstellen« eigentlich keine Passiv-Form?) Chemiker-Offiziers (noch aristokratischer und wirklich ein phantastischer Kerl) in ihre Arme genommen. Auf diese Weise komme ich am Tage oft aus der Atmosphäre des »jüdischen Leids« (zum Kotzen!) heraus. Und Nerven habe ich wie Schiffstaue, das habe ich besonders gestern, als der Ost-Transport ging, gemerkt.

Und einen Schlaf: In unserem Zimmer schnarcht eine Frau wie ein – also es gibt keinen Vergleich. Andere schnarchen dazu die zweite Stimme. Und ich schlafe. Ich schlief bereits, als ich 10 Minuten hier im Haus war. Das war eben bei mir die Reaktion. Und wenn ich nicht schlief, strahlte ich alle Leute an. Mitleid gibt es nämlich hier kaum. Die Leute haben entweder mit sich zu tun oder sie sind abgehärtet. So kann man nur Sympathien erwarten, und die erwirbt man sich eher durch »keep smiling«.

Jedenfalls beneidet mich jeder um meine guten Freunde, die von draußen so eisern für mich sorgen. Ist ja auch mehr als richtig, nicht? Nachdem ich die ersten zwei Tage nichts essen konnte, fresse ich jetzt enorm. Heute Abend bin ich beim »Herrn Ordner« zum Abendbrot eingeladen. Leider kann ich mich nicht anziehen, wie sich das gehören würde. Er wird es verzeihen. Da ich annehme, daß er als taktvoller junger Mann diesen Brief nicht lesen wird, kann ich Dir ja ruhig schreiben, was Du schon weißt, daß er ganz phantastisch ist, lieb und nett und besorgt und – erfolgreich, wie sich zeigt.

Eben bin ich unterbrochen worden: der »Chef« persönlich kam ins Zimmer, um einer Frau zu sagen, daß sie reklamiert ist und hierbleibt. Er übersah drei brennende Zigaretten und zwei fehlende Sterne. Die Sonne seiner Gnade stand im Zenit.

Meine Hände sind vom Kopierstift gefärbt, ich habe schon einen Krampf im Arm, und außerdem ist es Zeit, Kaffee und Marmeladenbrote »zu empfangen«. Der Kaffee schmeckt nach Soda, deshalb kochen wir privaten und essen im Arzt-Zimmer Kekse dazu und sprechen über Dinge, die eigentlich 17 Tage entfernt liegen – und das will in diesem Fall viel heißen.

Also, nun bleibt alle gesund. Ich schreibe, sobald das möglich ist. Gruß an jene, die uns die Wohnung füllten und uns mehr oder weniger ärgerten: unsere guten Freunde.

Küß die Kinder, und haltet die Ohren steif. Ja?

Auf Wiedersehen.

Felice

P. S. »Potty« ist gestern in den Osten gegangen, während ihre Braut tränenüberströmt und außerdem mit Tuberkulose zurückblieb. Trotz allem tut sie mir leid. Sie geht mit meinem Transport mit nach Th. Der Hunderückbringer ist auch weggekommen. Außerdem gibt es kaum einen Berliner, ob Ordner, Beamter oder »Insasse«, in dessen Mund nicht einer meiner Eltern rumgepolkt hätte.

7

Mit Felices Schenkungsurkunde in der Hand bemüht sich Lilly, Felices Eigentum einzusammeln, mit einer Hektik, die Gregor und Felices Freundinnen erschreckt und befremdet. Lillys Mutter und die hochschwangere Lola schwärmen aus, um sich über den Verbleib von Luise Selbach zu erkundigen und um Felices Sachen bei deren Freunden zu suchen. Bis auf die jüngste Tochter Olga, die zum Arbeitsdienst im Osten eingezogen wurde, soll die ganze Familie abgeholt worden sein, bringen sie in Erfahrung. Sechs Kisten seien aus dem Haus geholt worden. Der Pelzmantel von Felices Großmutter soll nicht dabeigewesen sein. »Selbachs sehn Sie nie wieder!« verkündet Muttis Bekannte, die Marktfrau Roese, triumphierend. Mutti und ihr Mann sollen sich die Pulsadern aufgeschnitten haben und im Hirschberger Krankenhaus liegen. Lola wiederum erfährt, daß Mutti nicht gut auf Lilly zu sprechen sei. Felice sei ein nettes Mädchen gewesen und nur durch »die Wusten« so tief gesunken. Alle Bitten von Frau Selbach, auf den Forst zu kommen, hätte Felice in den Wind geschlagen. Dort hätte sie allerdings ihren Lebenswandel erheblich ändern müssen.

»Die Wusten weiß wohl nicht, daß Schenkungsurkunden von Juden ungültig sind«, weist Roese Lolas Ansinnen zurück, den Pelzmantel rauszurücken, den Lola bei ihr vermutet.

»Den Satz werde ich mir gut aufheben für später«, notiert Lilly in ihr Tagebuch.

Die Wahrheit hinter Lillys Tagebucheintragung sieht so aus: Am 14. September 1944 kam die Gestapo auf den Forst und nahm Olgas Schwestern fest. »Halten Sie sich bereit, wir kommen wieder«, sagten sie Herrn und Frau Selbach und führten die beiden Töchter in ihren Sommerkleidern ab.

Mutti und Vater Selbach sperrten den Hund ins Haus und gingen hinauf zur Schonung, wo der Wald am dichtesten ist. Dort nahmen sie Schlafmittel und schnitten sich die Pulsadern auf. Die Nachbarn mußten trotz der erheblichen Entfernung bis zum nächsten Hof den Hund jaulen gehört haben. Als sie die Tür aufbrachen, schoß der Hund wie ein Pfeil heraus und wies ihnen den Weg zum Ehepaar Selbach. Sie wurden in die große Stube gebracht, und der Arzt meinte, sie wären eher an den schweren Schlaftabletten gestorben als an den offenen Pulsadern. Danach kamen sie nach Hirschberg ins Krankenhaus. Als sie halbwegs genesen waren, steckte man den Arier ins Gefängnis, die Jüdin ins Zuchthaus. Kurz nach Weihnachten 1944 kam Herr Selbach frei. Eine der beiden Schwestern und Mutti sollten nach Bergen-Belsen deportiert werden, doch es war bereits zu spät. Die Vernichtungsmaschinerie löste sich auf.

Am 1. Februar 1945 versucht Lilly ähnlich erfolglos, Felices Wäsche von Christine Friedrichs Mutter einzufordern. »Das geht Sie gar nichts an«, wird sie am Telefon angeherrscht. »Wie kommen Sie dazu, zu behaupten, daß es Ihre Wäsche ist. Die Wäsche hat mir Felice Schragenheim damals anvertraut. Sie gehört Fräulein Schragenheim und schon gar nicht Ihnen.« Und Lilly notiert in ihr Tagebuch: »Sie hat mir geradezu ins Gesicht gesagt, daß ich mich an Deinen Sachen nur bereichern will. Liebes, das mir! Ich hätte alles zerschmettern können. Ich war sogar böse auf Dich, auf Deine Menschenkenntnis. Ich wäre diesen Menschen sonst nicht so ausgeliefert. Muß ich mir das gefallen lassen?«

Elenai Pollak

Für Lilly waren Felices Sachen unglaubliche Schätze. Das lag ja gewissermaßen im Trend der Zeit, daß sich die Menschen jüdisches Eigentum angeeignet haben. Sie haben es geklaut, sie haben Leute denunziert, um an ihre Sachen ranzukommen. Diesen Diebstahl hat ja fast jeder begangen, von ganz klein bis ganz groß. Dieser Staat war ein einziger Diebstahlsstaat. Das ist natürlich auch auf solche Nazi-Frauen übergegangen, diese Gier. Bevor das wer anderer kriegt, holen wir noch alles. Und Lilly benutzt Frau Selbach als Projektionsfläche und unterstellt ihr praktisch alles, was sie selber will. Ich erinnere mich noch so genau an diesen Ekel, den Felice mir gegenüber immer wieder durchblicken ließ, weil sie dauernd auf Trab gebracht wurde wegen dieser Sachen, die sie ja gar nicht brauchten. Sie hatten genug Wäsche. Aber sie hatten keinen Pelzmantel. Und Lilly hatte von Felice sowieso schon einen Haufen Sachen bekommen. Sie zog ja auch immer Felices Garderobe an und hatte alles okkupiert, was Felice besaß. Sie hatte ja schon vorher dafür gesorgt, daß einiges ankam. Gleich am Anfang hat sie Druck gemacht, daß Felice das Bücherregal und die Bücher abholt, die Felice bei mir eingestellt hatte.

»Ich habe etwas vor. Großer Gott, hilf!« vertraut Lilly am 25. September nun schon zum zweiten Mal geheimnisvoll ihrem Tagebuch an. Es ist der Tag, an dem der »Deutsche Volkssturm« ausgerufen wird. Alle waffenfähigen Männer zwischen 16 und 60 Jahren werden einberufen.

Lola hat eine Idee.

Am 26. September klappern Lilly und Lola die Ämter ab. Lola gibt an, zur Entbindung zu ihrer Mutter ins Sudetenland fahren zu müssen. Als Trophäe bringen die beiden einen auf Eleonora Sturm ausgestellten blaßgrünen Durchlaßschein für das Protektorat Böhmen und Mähren.

Lilly will nach Theresienstadt fahren.

Elenai Pollak

Ich war ziemlich entsetzt, zunächst einmal, weil ich aus Berichten von Leuten wußte, daß man in dieses Ghetto gar nicht reinkommt. Ich war also höchst besorgt, auch über die Tatsache, daß sie das nicht abwarten und ruhen lassen konnte. Warum muß sie denn jetzt, nachdem alles in Hinblick auf das Fürchterliche zunächst noch so mehr oder weniger glimpflich verlaufen war mit Theresienstadt, warum muß sie denn da noch hin? Daß sie Felice Lebensmittel zukommen lassen wollte, war mir verständlich. Es war mir aber nicht verständlich, daß sie die unbedingt selbst überbringen wollte. Ich habe mich dann mit Gregor unterhalten, und der war genauso entsetzt: »Was macht die denn da, ist die nicht ganz dicht?« Wir haben uns auch gewundert, daß sie so etwas in einer Situation macht, wo wir annahmen, daß sie ja auch selbst gefährdet sein müßte. Es war doch nun bekannt, daß sie eine Jüdin bei sich aufgenommen hatte. Wir konnten es nicht fassen, daß sie mit einer Selbstverständlichkeit ohnegleichen, ohne nach der Gefahr zu fragen, dahin fuhr wie in einen Kurort. Das haben wir ihr zuerst gesagt, und als das nicht wirkte, haben wir sie darauf hingewiesen, daß es Felice schaden könnte. Daß sie unter Umständen etwas Unvorhergesehenes anrichten könnte. Aber das war ihr alles völlig egal. Sie war wie besessen. Sie wollte dahin und hat uns gar nicht zugehört. Wir konnten reden, was wir wollten, es ist bei ihr nicht angekommen. Uns blieb also nichts anderes übrig als abzuziehen und zu sagen, dann soll geschehen, was geschehen muß. Und hoffentlich geschieht nicht das Schlimmste.

Am 27. September steigt Lilly kurz nach 20 Uhr am Anhalter Bahnhof mit Lolas Grenzübergangsschein in der Kostümtasche und einem Koffer voller Eßwaren und warmer Kleidung in ein leeres Abteil des Zugs nach Prag-Brünn-Wien. Am Grenzübergang Lobositz zeigt sie den grünen Schein. Dem sudetendeutschen Grenzbeamten fällt nicht auf, daß Lilly nicht Lola ist. In Lobositz nimmt Lilly einen anderen, späteren Zug, um nicht zu früh in Bauschowitz-Theresienstadt anzukommen. Trotzdem ist es erst fünf Uhr morgens, als sie am Bahnhof Bohušovice aussteigt. Die zweistündige Wartezeit, die sie sich auferlegt, ist alles andere als erfreulich, denn die fremdsprachigen Menschen reagieren mit haßerfüllter Feindseligkeit auf die deutsche Frau. Gegen sieben Uhr trabt Lilly mit ihrem schweren Koffer und der vollen Aktenmappe los in Richtung Theresienstadt. Unfreundlich von Tschechen den Weg gewiesen, trifft sie am Dorfausgang von Bauschowitz auf einen von Militär bewachten Trupp »Arbeitswilliger« mit gelbem Stern.

Am Ortsanfang von Terezín spricht sie einen Mann mit einem Fahrrad an und fragt nach dem Ghetto.

»Was fällt Ihnen ein?« antwortet dieser erregt. »Ja, wenn Sie kennen einen Beamten, dann können machen etwas. Wenn Sie niemand kennen, dann hat keinen Zweck. Was fällt Ihnen ein? Sie lassen Ihnen gar nicht durch. Was fällt Ihnen ein?«

Lilly beschließt, ihren Koffer doch lieber in einem Gasthaus in der Nähe des SS-Lazaretts abzustellen. Dort begegnet sie dem ersten freundlichen Menschen auf dieser Reise, einer Bäuerin, die ihr den Rat gibt, sich nach der deutschen Dienststelle durchzufragen. Andauernd schaut sie sich ängstlich um. Ihr Mann sei Tscheche, erzählt sie, sie selbst Jugoslawin, ihr 17jähriger Sohn wurde zwangsverpflichtet. Ihr Mann bringe die Post nach Theresienstadt, und deshalb wisse sie, daß die Päckchen ihre Empfänger meistens erreichen. Wer nichts bekommt, müsse grausam hungern. Die Frau bittet Lilly flehentlich, niemandem von ihrer Unterhaltung zu erzählen.

Plötzlich teilt ein Schlagbaum die Straße. Lilly weist sich mit ihrem Mutterkreuzausweis aus und verlangt mit fester Stimme die deutsche Dienststelle. Bald sperrt ein zweiter Schlagbaum mit einem Wächterhäuschen die Querstraße ab, die ins eigentliche Lager führt. Auf der schönen Kastanienallee bückt sich Lilly und steckt drei Kastanien als Andenken in die Tasche. Vor ihr taucht der erste Festungsgürtel auf. Drei oder vier Wälle aus warmen roten Ziegeln zählt sie insgesamt, die Kuppen weich und rund mit Gras bewachsen. Sanfte Hügel, in denen Menschen leben. Alle fünfzig Meter passiert sie einen Posten. Sie wolle zur deutschen Dienststelle, wiederholt sie ein ums andere Mal. Nach der letzten Biegung tauchen die ersten Gebäude von Terezín auf, ein- und zweistöckige Häuser im k.u.k.-Gelb mit hohen roten Dächern. Von da an wird sie von einem tschechischen Gendarmen begleitet, einem Četnik in farbenfroher Uniform. Die saubere, aber staubige Straße führt zu einem großen Platz mit Läden. In den Straßen Menschen, viele Menschen, zu viele Menschen, müde schlurfende Schritte, die gelben Sterne Farbtupfer im tristen Grau. Lillys Blick streift einen Mann mit Nickelbrille, der mit einem Reisigbesen die Straße fegt, sein Gesicht ist fahl. Sie sucht seine Augen, doch die sind leer, als lebte er schon gar nicht mehr. Im Vorübergehen schaut sie durch die ebenerdigen Fenster in die überquellenden »Ubikationen«: Betten, Matratzen, Tücher, Kannen, Tassen, Teller, Kleidungsstücke, für die Menschen bleibt wenig Raum. Die Straßen sind schnurgerade und treffen rechtwinkelig aufeinander. An den Häuserkanten sind mit schwarzer Farbe Buchstaben und Zahlen gepinselt.

An der Kreuzung Lange Straße/Neue Gasse erreichen Lilly und ihre Četnik-Begleitung die Kommandantur. Noch ein paar Stufen und sie steht vor dem Allgewaltigen: SS-Oberscharführer Rudolf Heindl sitzt an seinem Schreibtisch und hat Besuch von einem jüngeren Ehepaar.

»Was wollen Sie?« herrscht er sie an. Die kehlige Aussprache seines doppelten L verrät den um Hochdeutsch bemühten Wiener. Lilly überreicht ihren Mutterkreuzausweis.

»Ich bin auf der Durchreise nach Brünn und möchte Sie bitten, mir zu gestatten, meiner Freundin Felice Schragenheim, von der ich weiß, daß sie hier ist, etwas zu übergeben.«

»*Was* wollen Sie?« wiederholt Heindl ungläubig und läuft rotlila an.

»Als meine Freundin noch im Judensammellager in der Schulstraße war, habe ich ihr täglich einige Lebensmittel gebracht. Man hat mir dort keine Schwierigkeiten gemacht. Deshalb habe ich diese zufällige Reise zum Anlaß genommen, um ihr wieder etwas zukommen zu lassen. – Ich bitte Sie darum!«

Heindl verharrt einen Augenblick in sprachlosem Staunen über so viel Dreistigkeit, dann brüllt er los: »Sagen Sie, was denken Sie sich eigentlich? Sowas ist mir noch nie untergekommen. Fährt einfach ins Protektorat! Wo sowieso nicht gereist werden soll. Dringt hier ein und verlangt, Lebensmittel an Juden verteilen zu dürfen. Ich werde das untersuchen lassen! Sagen Sie, wie kommen Sie zu der jüdischen Freundschaft? Haben Sie noch mehrere solche Freundinnen? Und wo haben Sie überhaupt die Lebensmittel her? Geben Sie die lieber Ihren Kindern.«

»Ich habe meine Freundin als Menschen kennen- und liebengelernt«, entgegnet Lilly gefaßt, »daß sie Jüdin ist, habe ich erst später erfahren. Niemand wird es fertigbringen, daß ich sie nun aus meinem Gedächtnis streiche. Meine Kinder hängen voller Liebe an ihr.«

»Ihre Freundin, die Jüdin«, brüllt Heindl und wirft einen beifallheischenden Seitenblick auf seinen Besuch. »Das verbitte ich mir. Sie sind doch eine deutsche Frau? Schämen Sie sich denn gar nicht? Haben Sie denn überhaupt keinen Rassenstolz?«

Lilly beglückwünscht sich innerlich zu ihrem weisen Entschluß, den Koffer im Gasthaus gelassen zu haben.

»Aber Sie brauchen sich nicht wundern, ich melde Sie nach Berlin. Dort müssen ja eigenartige Zustände herrschen. Gehen Sie und lassen Sie sich auf diesem Gelände nicht mehr blicken!«

Eine herrische Geste, und Lilly steht draußen beim Posten und tritt den Rückzug an. Tschechische Dienststelle, Festungsgürtel, Kastanienbäume, Schlagbaum. Ihr Koffer scheint schwerer geworden zu sein. Am Bahnhof laden Juden Post und Pakete für Theresienstadt aus. Lilly hockt auf ihrem Koffer und wartet auf den Zug nach Berlin. Seitab rangiert ein Güterzug. Auf ein anderes Gleis gesetzt, rollt er langsam an Lilly vorbei. Entsetzt sieht sie einen Viehwaggon mit winzigen vergitterten Fenstern vorüberziehen. Und Menschen, die herausschauen, ihr mitten ins Gesicht. Voller Scham senkt Lilly den Blick. Bei dem unvorstellbaren Gedanken, ihr duftendes schwarzes Mädchen könnte schon darunter sein, bricht sie in lautes Schluchzen aus. Befremdete Blicke treffen sie. Vielleicht werde ich beobachtet, schießt es ihr durch den Kopf. Doch Aimée ist alles egal. Sie ist in Theresienstadt gewesen und konnte Jaguar nicht sehen.

Der Zug nach Berlin fährt bis Leuna stundenlang durch eine brennende Hölle.

Zu Hause angekommen, findet Lilly in der Post drei blaß-
braune von Felice unterschriebene Bestätigungen aus Theresienstadt für fünf Päckchen, die sie Felice geschickt hat. Und
Lilly erfährt Jaguars Anschrift: Bahnhofstraße 6. »Hätte ich
diese doch gewußt«, schreibt sie ins Tagebuch. »Aber ich war
selig nach all der Qual. Deine Schrift, Du geliebter Mensch.
Die Karten trage ich immer bei mir.«

Elenai Pollak

> Ich erinnere mich noch, wie sie triumphierend wiederge-
> kommen ist. »Ich hab es geschafft, ich bin da reingekommen!
> Ich hab mit dem Obernazi geredet! Ich bin zwar wieder raus-
> gejagt worden, aber denen hab ich's gezeigt!« Sie hat sich kei-
> ne Gedanken gemacht, was jetzt wohl mit Felice sein mag,
> sie war wieder bei sich. Ich war über diese vielen Wider-
> sprüchlichkeiten permanent beunruhigt und verzweifelt.

Wenige Tage später bringt Ludwig Neustadt Lilly eine Postkarte vorbei, die Felice an seine Adresse geschickt hat:

> 14. 9. 44
> Meine Lieben, vielen, vielen Dank für Brot, Reis und Brot-
> aufstrich! Die Posteinschränkung gilt auch für hier, so daß ich
> nur einmal in 8 Wochen schreiben kann, während jeder
> Adressat mir einmal in 4 Wochen schreiben kann und zwar
> über die Reichsvereinigung. Pakete allerdings sind weiterhin
> unbeschränkt und wie bisher direkt an mich zu richten. Sie
> dürfen keinerlei schriftliche Mitteilungen enthalten und
> werden täglich ausgefolgt. Ich werde sie immer durch eine
> vorgedruckte Karte bestätigen!
> Heute ist Großmuttis zweiter Todestag. Ich bin gesund
> und hoffe, daß es Euch auch gut geht. Viele herzliche Grüße
> und Küsse von Eurer
> Felice Schragenheim

So erfährt Lilly, daß Felices Großmutter Hulda Karewski
am 14. September 1942 in Theresienstadt gestorben ist.

Fast täglich schickt Lilly Felice zwei Päckchen nach Theresienstadt. Sie enthalten Zucker, Wurst, Nudeln, Brot, Mehl, Butter, Kekse, Obst, Kartoffeln, Saccharin, Trockengemüse, Zwiebeln ebenso wie Watte, Kniestrümpfe, Stopfgarn, Gummibänder, Zahnpasta und Zellstoff.

Am 9. Oktober bringt Lilly die hochschwangere Lola zur Bahn. Sie hat sich in den Kopf gesetzt, nach Sommerfeld zu reisen, wo sie in einem Mütterheim entbinden will. Lola hat sich schon den ganzen Tag nicht wohlgefühlt, und Lilly versucht vergebens, sie zum Bleiben zu überreden. Bei der Abreise ist ein gewaltiger Fliegeralarm, und kurz nach Frankfurt/ Oder setzen die Wehen ein. »Eine junge Mutter im Zug vom Storch überrascht«, wird eine Zeitung später berichten.

Lola Sturmova

> Das war im Zug, wie's angefangen hat. Das war ein Fronturlauber- und ein Sanitätszug. Und ich habe nur eine Decke gehabt und einen Polster, und dann haben sie so ein Schiffchen gemacht. Der Arzt hat gesagt, Sie haben noch Zeit, und dann auf einmal ist schon das Fruchtwasser gekommen. Die mußten alle Wasser hergeben, weil er hat das ein bißchen gewaschen. Im Helm über der Kerze haben sie es warm gemacht. Und ich hab gefragt: Was ist es denn? Ein Junge, sagt er. Hab ich gesagt, Sie müssen dort noch was abmontieren, ich will ein Mädchen haben. Geben Sie mir das Kind, sagt er. Das war ein Hauptmann Rockowski aus Radibor, und seine Frau konnte keine Kinder kriegen. Sag ich, nee, geb ich nicht her. Ich wollte das Kind ja haben, aber ich war nur enttäuscht gewesen, daß es ein Junge ist. Und draußen sind die Russen geflogen, die haben fort und fort ... Der letzte Waggon wurde abgehängt, denn der war ganz unter Beschuß von den Russen. Und so bin ich bis nach Sommerfeld gekommen.

Am Tag, als die Sudetendeutsche Lola Sturm in der Eisenbahn ihren Sohn Thomas zur Welt bringt, begibt sich auch die Jüdin Felice Schragenheim auf die Reise: In einem Viehwaggon wird sie mit dem Transport Ep-342 Richtung Auschwitz auf den Weg gebracht.

Am 11. Oktober 1944 schreibt eine Lilly und ihren Freunden unbekannte Frau aus Theresienstadt eine Postkarte an »M. Zivier«:

> L. M.,
> es geht mir danke gut. Hoffe ein Gleiches von Ihnen. Von Felice nichts gehört. Hoffe Sie gesund und munter. Alles Gute und Grüsse an alle.
>
> Beate Mohr

Diese Nachricht erreicht Lilly erst vier Wochen später.

Lillys Tagebuch, 16. Oktober 1944

> Heute sind es nun schon acht Wochen, seit sie Dich fortgeschleppt haben. Liebling, eine Ewigkeit. Ich bin maßlos unglücklich. Ich lebe, aber wie! Die Kinder sind da. Ich fahre in die Stadt. Ich kaufe ein. Ich treffe mich mit Gregor. Ich tue täglich dies und das. Aber der Schmerz nagt ständig an mir. Mein steter Begleiter. Sag mir doch, daß Du mich liebst. Ich liebe Dich. Du wirst wahrscheinlich nie erfahren, wie sehr.

Am 30. Oktober ruft Ludwig Neustadt an. Lilly trifft ihn in einem Lokal in der Nähe des Sammellagers. Er läßt Lilly eine Postkarte von Felice lesen.

Lillys Tagebuch, 30. Oktober 1944

> Mein geliebter Mensch. Zehn Wochen ohne Dich. Ich weine, weine. Starre stundenlang vor mich hin, ausgehöhlt vor Schmerz, Liebe, lichter Erinnerung, beschatteter Hoffnung auf eine Zukunft. Ich stöhne vor Ohnmacht. Früher liebte ich Dich, weil Du mich liebtest. Heute liebe ich Dich ohne Gegenforderung. Und mehr, als ich es je von mir erwartet hätte. Mein Tagebuch ist ein einziger Liebesbrief für Dich. Weißt Du, wo ich sitze? Im Mecklenburger. Nach dem Alarm bin ich wieder hierher gegangen. Weil ich noch nicht bezahlt hatte. Ich habe hier nämlich drei Frauen kennengelernt. Ca. 40 bis 50 Jahre alt. Also es ist an dem, was ich vermu-

tete. Eigentlich hatte ich es nur auf die eine abgesehen. Aber Aimée, höre ich Dich förmlich sagen. Die kleine schwarzhaarige zurückhaltende Person interessiert mich stark. Aber Aimée!

Sie sind absolut geistige Menschen und enorm klug. Eine Unterhaltung mit ihnen ist ein Genuß. Sämtliche ausländische Literatur ist ihnen geläufig. Ich hatte *The Well of Loneliness* bei mir, und sie kannten das Buch genau. Es war ein sehr netter Abend am vorigen Mittwoch, und heute sind sie leider nicht hier. Meine Süße, bist Du nun eifersüchtig?

Morgens hatte mich Ludwig angerufen. Endlich. Und dann, ja dann rief er noch einmal an. Ich traf mich mit ihm in einem Lokal in der Schulstraße gegenüber dem Lager und las. Was soll ich nun schreiben? Ich möchte sterben, ach ich mag nicht mehr leben.

Am 1. November befiehlt Reichsführer-SS Heinrich Himmler, die Vergasungen in Auschwitz zu beenden und die Spuren zu beseitigen.

Am 8. November ruft Ludwig Neustadt an und meldet Lilly, daß Felice nicht mehr in Theresienstadt ist, sondern in ein Lager bei Breslau gebracht wurde.

Am 14. November erhalten Lillys Eltern einen Brief von Felice mit Poststempel Trachenberg, das heutige Żmigród, an der Straße zwischen Breslau und Rawicz:

3. 11. 44
Liebe Eltern, ich habe lange nichts mehr von mir hören lassen, aber ich glaube, ich bin genügend entschuldigt. Auch hege ich insgeheim die Vermutung, Ihr habt mich längst vergessen und seid eifrig bemüht, Eure Tochter, meine Aimée, mit irgendeinem besseren Herren zu verheiraten – für 400 RM. Ja, und beinahe wäre ich auch nie wieder in der Lage gewesen, mich darüber aufzuregen. Beinahe nur, denn die Götter haben es anders gewollt und haben mich mit leichtem Scharlach in ein bezogenes Bett in ein Krankenhaus gelegt, wo ich bis zum 9. 12. zu bleiben hoffe. Außerdem haben sie mir einen guten Menschen gesandt, der hier Hausmeister ist und die feste Absicht hat, mir zu helfen, wo er kann. An ihn habe

ich durch unseren früheren Mittelsmann auch ein Paket von Lilly erbeten. Ich habe nicht an sie selbst geschrieben und tue es auch jetzt nicht, weil ich erstens die Ansteckung der Kinder fürchte (ich schäle mich allerdings nicht, habe auch kein Fieber), und weil ich zweitens überhaupt nicht weiß, wo Lilly ist, von der mir am 9. 10. ein Obersturmführer in Theresienstadt mitteilte, ob ich vielleicht wüßte, warum, etc. Daraus entnahm ich übergroßes Interesse, von dem sie vielleicht selbst nichts weiß. Ich bitte Euch, liebe Eltern, ihr, wenn möglich, beiliegenden Brief zu übergeben oder mir selbst sofort zu schreiben (ohne Absender und mit neutraler Anrede), was los ist. Ich bin begreiflicherweise in großer Sorge um Weib und Kind. Papa, grinse nicht! Ich hoffe, es geht Euch gut. Außer Lilly, sagt bitte niemand etwas von meinem Schreiben.

Mit besten Wünschen und tausend Grüßen!

F.

3. II. 44

Mein heißgeliebtes Katzentier, kaum dreht der Jaguar den Rükken, da machst Du so wilde Sachen, daß der böse Jäger sich schon beim Jaguar nach Dir erkundigt, und der arme Jaguar kann keine Nacht mehr schlafen. Er hat es sehr schlimm gehabt, der edle Jaguar, und viel von seiner Schönheit ist hin. Mußt ihm ein neues Armband anfertigen aus Großmutters Uhrkette und gut aufheben bis er kommt! Wie gut, daß Hose, Jackett und Lokken auf Fotos festgehalten sind. Nun setz Dich hin und schreib dem Jaguar einen langen lieben Katzenbrief. Ohne Absender und auch sonst so, daß man ihn zur Not jemand lesen lassen könnte, ohne auf Dich oder mich zu kommen. Josef liest die Briefe nicht, der Gute, also einen ganz, ganz lieben Brief. Hörst Du! Und erzähle möglichst keinem davon, daß Du Nachricht von mir hast. Liebst Du mich auch noch mit abstehenden Ohren und einer Lungensache? Ich mache mir solche Sorgen um Dich. Das ist das Schlimmste von allem. Schreib ganz ausführlich! Küß die Kinder. Dich umarmt und küßt »hundertneunundneunzigtausendmal«,

Dein Jaguar

Abs. Josef Golombek, Städtisches Krankenhaus, Trachenberg i. Schlesien.

P. S. Wenn auch Du nicht, hoffe ich Dir öfter schreiben zu können. Bitte schick ein paar Briefmarken mit.

Lilly muß lächeln. Felice und ihre abstehenden Ohren!
Große weiße Ohren hat Felice, die sie stets mit ihrem nicht
gerade dichten Haar zu verdecken trachtet. Sehr bald hat Lilly
diesen wunden Punkt entdeckt. Sie mußte nur Felices Haar
hinter die Ohren streifen und fragend »Großmutter?« sagen,
schon war ihr das »Stöckchen« gewiß. Als um die Sylvester-
zeit die Fichtennadeln des Weihnachtsbaums zu rieseln begannen, hatte Lilly die Zweige abgehackt, um sie unter Albrechts begeisterter Anteilnahme im Ofen zu verbrennen.
Nur der Stamm war zu dick, um zerkleinert zu werden, er
blieb hinter dem Ofen stehen als Erinnerung an Weihnachten.

»Albrecht, hol Stöckchen«, rief Felice, wenn sie sich zank-
ten. Unter Geschrei nahm Lilly Reißaus und verbarrikadierte
sich im Schlafzimmer.

Wenige Tage nach diesem ersten Schreiben aus Schlesien
erhält Lilly einen weiteren langen Brief in mehreren Fortsetzungen, geschrieben mit Bleistift auf den karierten Seiten
eines Notizblocks:

7. II. 44
Meine Aimée,
sicher wird heute Dein langer Brief kommen – Josef bringt
die Post immer mittags anscheinend – und dann schicke ich
diesen hier abends weg. Gestern kamen also die Pakete, und
ich habe mich so gefreut – über die Schrift, über den einen
Poststempel und natürlich über den Inhalt. So herrlich hast
Du gebacken! So hübsch hast Du gestickt! So lieb hast Du alles eingepackt. Und auf der blauen Jacke, für die ich, glaube
ich, wie für das eine Paar Strümpfe Lola danken muß, habe
ich ein rotes Haar gefunden! Das wickle ich gleich um den
braunen Kamm, der außer meiner Zahnbürste das einzige ist,
was ich überhaupt gerettet habe. Und das, was drum war, ist
durch das Tragen im Ärmelfutter verloren gegangen. Wenn
man nämlich so arm ist wie wir und nicht mal Manteltaschen

hat, steckt man seine wenigen Habseligkeiten in den Ärmel! – Mein Katzentier, sicher hast Du nachts aufgesessen, um für mich das alles zurechtzumachen. Nun sitze ich hier, im kleinkarierten Bett mit der wunderbar duftenden blauen Jacke an, und sehe aus wie »auf der Alm, da gibt's koa Sünd« und freue mich mit jedem Stück! Das hab ich aber alles schon in dem Brief geschrieben, den Dir Ludwig bringen wird, den Du sicher schon vor diesem haben wirst. Und nun warte ich so sehr auf Post von Dir. Nachher schreibe ich weiter, wenn vielleicht was da war.

8. II. 44

Gestern ist nichts gekommen. Und heute? Heute bestimmt: – Ich möchte Dir so viel schreiben, meine Eva dolorosa. Bist Du das ein bißchen, so ohne mich? Aber ich weiß gar nicht, wo ich anfangen soll. Auch habe ich seit ein paar Tagen immer über 38, und davon ist mir ganz komisch im Kopf. Und immerzu muß ich nachdenken und mir Sorgen machen um Dich. Kommst Du mit dem Geld aus? Passiert Dir auch nichts bei Alarm? Ißt Du ordentlich? Sind die Kinder gesund? Hast Du – das vor allem – sonst keine Unannehmlichkeiten, da man Dich doch anscheinend nicht aus den Augen läßt? – Ich wußte gar nicht, daß man wirklich immer, immer monatelang Tag und Nacht an dasselbe denken kann. Jede Kleinigkeit fällt einem dann wieder ein, nicht wahr? Weißt Du noch, wie schön es damals in Caputh war, zum ersten Mal, und wie herrlich albern wir waren und wie glücklich! Und im Krankenhaus an jenem Abend, an dem Deine Zimmergenossin so fest schlief und wir es nicht wußten. Und, und, und. Sagst Du noch »mein liebes Herzchen«? Wie gerne würde ich ganz ganz scheußliche Kräuter in der Kartoffelsuppe essen! Und manchmal glaube ich, daß es nie wieder möglich sein wird. Die Chancen sind ja so gering. Und ich mache mir in all den schlaflosen Nächten solche Vorwürfe, daß ich es gestattet habe, daß Du Dich an eine so fragwürdige Existenz wie mich gebunden hast. Wenn ich wiederkomme, bringe ich eine ziemlich ausgewachsene Schwindsucht mit. Mein Katzentier, bitte, bitte, wenn einer kommt, der nett ist und der es sich leisten kann, Dich heiraten zu wollen, dann nimm ihn. Das hat mit unserer Liebe gar nichts zu tun. Die bleibt trotzdem. Aber schließlich hängen an Dir vier kleine Menschen und ab und zu wird Dein Mann Dir ja wohl auch gestatten, mit mir zu verreisen. Meine Aimée, sei nicht böse, daß ich das alles schreibe, aber ich kann nicht schlafen, sondern muß immerzu nachdenken. Augenblicklich brauchst Du meinetwegen nicht traurig zu sein. Es geht mir ausgezeichnet hier, alle sind nett, was wir gar nicht mehr gewöhnt waren, und bis zum 9. 12. bleiben wir auch bestimmt hier. Wenn die Temperatur bleibt, vielleicht noch länger. Und nun sehe ich jeden Tag mit Schrecken auf die Fieberkurve, wie die Zeit rast, ohne daß etwas geschieht. – Josef scheint erst abends die Post zu bringen, und dann wird er die Briefe immer gleich mitnehmen. Habe ich eigentlich daran gedacht, Dir zu sagen, daß ich Dich liebe? Ja, und ich habe solche Sehnsucht nach Dir, Du sollst mich ganz fest in Deine Arme nehmen und mich trösten, und dann wäre alles gut. Mein »Schnäuzchen«, möchte ich Dir mal wieder sagen. – Und Albrecht ist nun 3 Jahre. Ist er endlich stubenrein? Du hast auf ein Päckchen an mich mal Bernd als Absender geschrieben. Ich glaubte, das so auffassen zu müssen, daß Du ihn auch wieder zu Hause hast und Lolas Kind dazu. Mein Armes. Aber das wirst Du mir ja alles schreiben: Kümmert sich Gregor um Dich? Hoffentlich nicht zu sehr! Und was macht Elenai? Ich will alles wissen, aber vor allem, wie es Dir geht, und zwar ganz ehrlich, nicht beschönigt, daß ich mir bloß keine Sorgen machen soll. Die mache ich mir ja doch, mein Liebling. Grüße die Kummer schön! Sonst erzähl aber lieber keinem von mir, sollen sie alle ruhig denken, ich bin schon nicht mehr vorhanden. – Nun habe ich mich entschlossen, diesen Brief auf jeden Fall heute Abend gleich mitzugeben und Dir morgen in einem neuen Deinen zu beantworten. Ich umarme Dich und küsse Dich tausendmal.

Dein treuer, edler, verwundeter

Jaguar

Wenn Du meinen nächsten Brief hast, schreibst Du mir auch wieder, ja? Legst Fotos ein von Euch allen. Hast Du die Filme vom 21. August entwickeln lassen? Hoffentlich kommt heute Dein Brief.

9. II.

Kein Brief kam! Vielleicht heute? Ich will diesen erst weg-
geben, wenn ich Deinen habe. Heute geht es mir nicht besonders gut. Vielleicht wird es mich nun auch mal wieder
ereilen; das hat es seit Berlin nicht mehr. Das geht aber allen
so: Hafterscheinung. – Der Büstenhalter sitzt übrigens
wunderbar, nur etwas groß ist er. A. S. [Aimée Schragenheim, Anm. d. A.], mein Geliebtes Du. Ich will heute nicht
viel schreiben, lieber dann Deinen Brief beantworten! Du
verstehst doch, daß ich meiner Kameradin von den Sachen
was abgeben mußte, nicht wahr? Deswegen hast Du sicher
auch welche gezeichnet und welche nicht. Sie ist sehr nett
und hat es viel schwerer als ich, denn sie ist in B bzw. A, das
ist dasselbe, vom Mann getrennt worden und weiß gar
nicht, ob er noch lebt. Und hat kein Zuhause mehr – sie
stammt aus Amsterdam – und sonst keinen Menschen auf
der Welt. – Josef hat mit Mühe und Not 3 Plätzchen und 2
Stück Kuchen angenommen, aber er schleppt ständig etwas
für uns an. Er sagt, es sei seine Pflicht, uns zu helfen, er müsse das tun und dürfe einfach nichts annehmen dafür. Und
nun essen wir den ganzen Tag, und ich bin schrecklich stolz,
wenn die verwöhnte Holländerin Deine Machwerke lobt.
Es schmeckt ja auch sooo gut.

10. II.

Gestern ist keine Post von Dir gekommen. Und der heutige
Tag ist auch bald um. Eben haben wir das Ergebnis des zweiten Abstriches bekommen: negativ. Jetzt machen sie noch
einen, wenn der auch negativ ist, schicken sie uns weg. Es
scheint also nichts zu sein mit den 6 Wochen, und ich habe
richtig Angst vor dem Zurückgehen ins Lager, wie jemand,
der gerade mit dem Kopf aus eisigem Wasser aufgetaucht ist,
und nun soll er wieder runtergestoßen werden. Ich sage das
aber nur Dir allein, denn nur das Katzentier darf es wissen,
daß der mutige Jaguar Angst hat. Bete für ihn, ja?

11. II.

Auch gestern keine Post! Nun weiß ich gar nicht mehr, was
das ist. Haben denn Deine Eltern meinen Brief nicht bekommen? Wenn nicht – ich schicke diesen heute weg – schreib

mir bitte gleich einen langen, langen Brief mit Bildern (und
Absender wieder A. Karsten).

1069389056 Küsse

von Jaguar

Eben kam Dein Brief!!!!

Lillys Antwort auf diesen Brief hat Felice nicht mehr erreicht.
Sie ist mit Felices grüner Tinte geschrieben, auf Felices braunem
Briefpapier mit dem schrägen Schriftzug »F. S.« rechts oben. Lilly
schreibt ihn ab, ehe sie ihn zur Post bringt:

Mein Jaguar – kennst Du das Papier?
Ja, Eva-Dolorosa bin ich ganz und gar ohne Dich; Eva fast gar
nicht mehr, nur noch Dolorosa. Ach Liebling, ohne Dich,
jeden Tag ohne Dich! Wieviele Wochen nun schon! Ohne
Liebe kann ich natürlich nicht leben, sie ist der Inhalt meines
Lebens. Etwas anderes hat überhaupt keinen Raum in meinem Denken. Ich lebe vom Morgen bis zum Abend nur mit
der Hoffnung auf ein Wiedersehen. So kann uns Gott doch
nicht strafen, wir haben doch noch nicht richtig leben können, wir müssen es erst noch. Großer Gott, erhalte mir meinen Menschen! Es ist unerträglich; und das sage ich Dir: ich
überlebe es nicht! Ich kann ohne Dich nicht leben, es geht
nicht. G. kommt wahrscheinlich auch nicht wieder, und ich
soll mich – ich weiß, es ist charakterlos, das auszusprechen –
mühselig durch das Leben quälen! Und darum flehe ich Dich
an: verlier nicht den Mut, ich bitte Dich millionenmal, hoffe
auf ein Wiedersehn. Das ist das Einzige, was uns jetzt das
Leben ertragen läßt. Ich weiß leider zu genau, daß ich fast
Unmögliches von Dir verlange – ich könnte stundenlang
schreien, die Menschheit anklagen – was sie Dir antun, ist
zum Verzweifeln. Und bitte, bitte Du heißgeliebter Mensch,
hoffe, hoffe, hoffe … Ich bete für Dich, wir alle! Ich mit jedem
Atemzug. Mein Herz ist nur noch ein zuckendes Etwas. Liebling, wie habe ich über Deinem Brief geweint, ich kann ihn
nicht ohne Tränen lesen. Könnte ich Dich in meinen Armen
halten, Dich streicheln und küssen! Es ist so irrsinnig schwer
ohne Deine beruhigende Nähe.
    L. ist zu Hause, was sagst Du nun? Ihre Mutter hat sie von
dem Mutterheim – es ging ihr dort gar nicht gut, naja – samt

Baby nach Hause zu sich geholt. Auf einmal! [...] Ich habe mich entschlossen, noch ein Zimmer abzugeben. Ich verdiene ja dabei so gut wie nichts, aber ich muß nicht verhungern und arbeiten gehen kann ich nicht. Man (!) sieht es auch nicht gern, weil ich nicht gesund bin. Ja, mein Liebling, ich bin körperlich sehr sehr elend geworden und würde bestimmt nach zwei Wochen zusammenklappen. Du brauchst Dir keine Sorgen zu machen, so krank wie Du bin ich noch lange nicht, noch lange nicht. Und, nicht wahr, wenn wir es beide überleben, müssen wir uns gegenseitig gesund pflegen?! Es ist dann sehr viel gutzumachen. Liebling, wir wollen hoffen, meine Süße! Du findest Dich unverantwortlich, mich auf dem Gewissen zu haben, Du Dummes Du. Ohne Dich hätte ich niemals gewußt, was Liebe ist, wozu sie fähig ist. Wie glücklich waren wir, wie glücklich! Weißt Du noch, wie ich Dir jedesmal entgegengestürzt bin! Weißt Du noch, daß Dir Dein Arm nie einschlief? Weißt Du noch, wie ich in der ersten Zeit Dir immer Deinen Mund mit dem Finger nachgezeichnet habe? Weißt Du noch, wann und wo ich zum ersten Mal das gelbe Tüchlein auf dem Kopf hatte? Daß ich Dir nachts immer zum Bahnhof entgegenlief und Dir jubelnd in die Arme fiel? Großer Gott, das kann doch nicht alles zu Ende sein, das kann doch nicht sein! Weißt Du noch, wie faul wir am Sonntagmorgen waren? Ach, ich muß Dich lieben, ewig nur Dich lieben, es ist mein Schicksal, mein gern gelebtes Schicksal. Und Du? Nur mich? Du mich? Ich habe es gefühlt, damals im Krankenhaus, als Du zur Tür reinkamst und ich Dir sagte: »Ich bin ja so krank«.

Die Jacke und Strümpfe sind von E., nicht von L. Hast Du eigentlich keine meiner Karten bekommen? L. hat einen Jungen! N. könnte gesünder sein, warum ist sie bloß nicht dort geblieben! E. ist mir jetzt ein großer Trost, ich habe mich eng an sie geschlossen, nun staunst Du sicher. Aber sie ist tatsächlich die einzige, die sich um mich kümmert. Sie ist ein großartiger Kamerad und in meinem Schmerz zuverlässiger als ich es je gedacht hätte. I. ist fast immer in L. in einer Fabrik und noch immer ein gräßliches Jör. E. hat immer einen klaren Kopf, und das brauche ich nötiger als je. [...] Meine Eltern grüßen Dich, Du sollst die Ohren steif halten. Gott, was wissen sie denn, sie haben ja keine Ahnung von Deinem und

Deiner Genossen Leben. Mein Gott, wie soll ich einmal vor Irene stehen? Doch ich bin ja fest entschlossen, es ohne Dich nicht zu tun. Die K. schreibt reizende Karten, aber leider hat sie mich doch nicht richtig verstanden, denn sie schreibt von einem »Weihnachtsfamilienbild«, das sie sich wünscht! Ich dachte, mir spränge das Herz aus dem Leibe, als ich es gestern las. Unser guter Lu. hat mir Deinen Brief gar nicht gegeben, vielmehr hat er behauptet, Du hättest ihn gebeten, ihn gleich zu zerreißen. Er ruft mich ja treu an, aber ich glaube, er ist nicht ganz ehrlich zu mir. Mit Dir meint er es ja tatsächlich gut. Bin ich wirklich schuldig an Deiner jetzigen Lebenslage? Ich kann es nicht glauben, wenn mein Gewissen mich auch stündlich plagt. Wenn ich nicht glaubte, daß Du mich noch brauchst, hätte ich längst Schluß gemacht. Du kannst alle meine Leute fragen, ich war sterbensmüde. Aber Du brauchst mich noch und für Dich bin ich da bis zuletzt. Wir wollen hoffen, um Gottes willen, wir wollen hoffen und – beten. Verlier nicht den Mut, ich verliere ihn mit Dir. Sieh mal, wir haben immer gesagt, daß wir zu den Menschen gehören, die aus allen noch so gräßlichen Dingen irgendwie doch noch herauskommen. Und daran wollen wir festhalten, Du mein geliebter Mensch. Auf Lu.'s Anraten schicke ich Dir heute noch ein Paket. Er tut es auch. Der J. soll nicht böse sein und es verstehen. Bitte tu mir den Gefallen und iß die Sachen sofort auf. Du weißt nie, ob Du morgen noch da bist, und dann hast Du wenigstens etwas im Bauch. Teile es schön und grüße die Ärmste. Den J. könnte ich umarmen, obwohl er ein Mann ist. Ich bin völlig seiner Meinung, es ist eine Pflicht! Ich habe diesmal eine Torte ohne Füllung, aber mit viel Butter gebacken. Laß es Dir schmecken! Bitte iß die Wurst und die Butter so schnell wie möglich, hebe nichts auf und frag den J., ob ich noch einmal etwas schicken darf. Hoffentlich! Mir schmeckt hier nichts, wenn ich weiß, Du hast nichts. Dann ist eine Leibbinde im Paket. Du wirst gleich erkennen, woraus sie ist. Ich habe den grünen Pullover zerschnitten, er ist so herrlich warm, aus dem Unterteil habe ich den Wärmer gemacht und aus den Ärmeln die Handschuhe. Bin ich nicht tüchtig? Ich habe beides sehr zerstopft, damit man nicht sieht, wie schön es war. Du kannst es ja mal auftrennen, dann hast Du Stopfgarn. Wer sich nämlich die Sachen genau ansieht (auch die bunte Jacke!), der sieht, daß sie völlig ganz sind. Ich hatte aber Angst, daß sie Dir unzerstopfte Sachen wegnehmen. Also lauf ruhig so herum, umso wärmer hast Du es. Schreibe bloß, wenn Du noch etwas brauchst. Ach, hoffentlich bist Du noch recht, recht lange dort. Mein Liebling, wenn ich doch helfen könnte! Und bin so ohnmächtig! Bitte, bitte antworte doch so viel Du kannst. Und darf ich noch einmal schreiben? Ach, an meinem Geburtstag möchte ich mich eingraben, wie anders könnte er sein! Ach, bloß nicht denken! Alle Gedanken tun wahnsinnig weh. Darfst Du denn die Bilder behalten? Und welche soll ich Dir denn schicken? Die Filme trage ich, wie die Mappe (mit allen meinen mir so wertvollen Sachen – sie ist so voll wie in Deinen besten Zeiten) immer bei mir. Ich habe sie noch nicht entwickeln lassen, ich habe Angst vorm Ausbomben, und sie sind doch so unendlich kostbar; schadet ihnen das Herumliegen? Gregor ist lieb und Dörthe auch. Er ist manchmal zu lieb und nachher immer böse wegen meiner unanfechtbaren Treue. Nicht wahr, Du Liebes, es muß doch auch treue Menschen geben, mit Leib und Seele!

Ich lebe von Post zu Post, wenn Du nur kannst, schreib bald bald wieder und daß Du mich noch liebst. Umarme mich und ich Dich und ich bleibe

Dein geliebter Mensch

immer Dein Katzentier

Trachenberger Krankenhaus, 12. 11. 44
Liebe Eltern,
habt vielen Dank für Eure freundliche Vermittlung. Ich hoffe, daß mein Bitten Erfolg hat und daß ich nun alles ganz genau erfahre und auch über Euch höre. Mir geht es sehr gut. Ich habe kein Fieber mehr, ziehe mir nur die Haut von den Fingern, und das Essen schmeckt. Es geht mir nur alles zu langsam. Aber ungeduldig darf man nicht sein. Trotzdem war ich so sicher, zum 24. 11. wieder da zu sein. Und das wird wohl nichts. Das ist furchtbar traurig, nicht wahr? Bleibt gesund und seid vielmals gegrüßt und geküßt!

F.

12. II. 44

Meine Aimée,

gestern ist Dein Brief gekommen, er war durch Zensur geöffnet! Da wird der Zensor aber gedacht haben, muß das ein schöner Mann sein, der so geliebt wird! Du, Dein Brief ist ja so schön. Aber bitte, bitte, beantworte mir doch gleich alle meine Fragen. Vorsicht ist ja richtig, aber so vorsichtig! Nein, ich will doch wissen, an wen Du vermietet hast, welches Zimmer, was Du den ganzen Tag machst, ob Gregor oft kommt, wen Du sonst sprichst, was die Kummer schreibt, was die Kinder machen, was Deine Eltern, ob Lola ein Mädchen gekriegt hat, was Du mit Mutti und dem Mantel gemacht hast, und alles, alles andere. Alles will ich wissen, hörst Du! Und auch so ungefähr, warum der böse Wolf Rotkäppchen angefallen hat und mich noch ausfragen wollte.

Wenn Du es nicht anderweitig brauchst, schick doch bitte das blaue Wollkleid von Inge mit, ja? Als 60-Pfennig-Brief geht er doch sicher noch. Und schreib doch von jetzt an immer einen Absender, wie auf dem Paket neulich. Und dann bitte, bitte ein paar Fotos und alle Fragen beantworten.

Übrigens hat Josef die Oberschwester gefragt, und sie sagt, wir blieben noch 6 Wochen hier, also bis zum 9. 12. Galgenfrist. Da schreibe ich noch oft. Da ich mich jetzt schäle, schicke ich die Post lieber nicht an Dich. Es hat ja auch geklappt. Meine Süße, sei schön brav. Dann bekommst Du einen langen Kuß, von dem Du den Kindern was abgeben kannst,

vom Jaguar

Falls es nicht zu schwer wird, und falls Du hast, kannst Du noch ein bißchen Wurst oder Käse schicken? Ich bin unbescheiden, nicht wahr?

Am 14. oder 15. November 1944 findet Felice gerade noch Zeit, hastig ein paar zittrige Worte auf einen Zettel zu kritzeln, ehe sie abgeholt wird:

Mein Liebes,

eben kommt die Schwester und sagt, wir kommen hier weg. Bete und halte die Daumen!

Immer Deine

F.

Lillys Tagebuch, 17. November 1944

> Es sollte nicht sein. Du bist schon wieder im Lager. Armer, armer Liebling. Du kannst doch noch gar nicht gesund sein. Als ich Deinen zweiten langen Brief bekam – 14. 11. 44 – habe ich den ganzen Tag geweint. Eine tiefe riesige Angst liegt mir wie ein Stein auf der Seele. Du darfst nicht mutlos werden, Du geliebter Mensch. Du mußt hoffen, ich bete ja für Dich, Tag und Nacht. [...] Wenn es doch ein Traum wäre. Wo bist Du nun? Was tun sie Dir wieder an? Und wann werde ich mal Nachricht von Dir bekommen? Wie trostlos, daß Du mein zweites Paket nicht mehr erhältst. Ich sehnte mich danach, Dich endlich einmal satt zu wissen. Gibt es einen Gott?

Zwei Briefe, die Lilly am 14. und am 18. November an Josef Golombek schreibt, kommen mit vielen Stempeln versehen nach Berlin zurück. »Annahme verweigert« steht auf einem der beiden Umschläge mit blauem Fettstift geschrieben. Da Lilly als Absender weder ihren eigenen Namen noch ihre Anschrift angegeben hat, werden die Briefe einige Zeit in Berlin hin- und hergeschickt, bis sie schließlich Mitte Dezember postlagernd in Berlin-Wilmersdorf landen, mit dem Vermerk: Empfänger unbekannt verzogen.

8

Felice wurde in das Konzentrationslager Groß-Rosen gebracht. Groß-Rosen war ein gigantischer Komplex von Ar-
beitslagern, der sich über Niederschlesien, das Sudetenland
und den Osten der späteren DDR erstreckte. Das nieder-
schlesische Dorf Rogoźnica selbst liegt 60 km von Wrocław
(Breslau) entfernt. Das Lager im Besitz der Deutschen Erd- und
Steinwerke GmbH (DEST) wurde im Mai 1939 in der Nähe des
Granitsteinbruchs von Groß-Rosen errichtet. Am 2. August
1940 als Kommando des Konzentrationslagers Sachsenhausen
eröffnet, avancierte es am 1. Mai des folgenden Jahres zu einem
selbständigen KZ mit einer Reihe von »Außenkommandos«,
die für große deutsche Industrieunternehmen tätig waren. Entweder wurden die Betriebe in der Nähe der Lager errichtet oder
aber die Außenkommandos siedelten sich gleich bei den Rü-
stungsbetrieben an. Jedes dieser Nebenlager hatte eine »Häft-
lingsstärke« von mindestens fünfhundert, in den meisten Fällen
aber von tausend und weitaus mehr Arbeitssklaven und -skla-
vinnen. In den beiden letzten Kriegsjahren entstanden immer
mehr Nebenlager, so daß insgesamt mindestens 106 Außenkommandos nachgewiesen werden konnten. Sie produzierten für
deutsche Firmen, darunter Rheinmetall-Borsig, IG-Farben, Sie-
mens-Halske, FAMO (Fahrzeug- und Motoren)-Werke, Dynamit Nobel, Vereinigte Deutsche Metallwerke, Krupp, Vereinigte Textilwerke, Flugzeugwerke Aerobau, Spinnerei Concordia
und viele andere. Für Hilfsarbeiter wurden täglich 4 RM, für
Facharbeiter 6 RM bezahlt. Im Dezember 1944 wurde ein Net-
toüberschuß von circa RM 30.000.000,– nach Berlin überwie-
sen. Insgesamt gingen 125.000 Häftlinge durch Groß-Rosen,
40.000 bis 50.000 starben im Lager oder bei der Evakuierung.
Das Konzentrationslager Groß-Rosen war auch Exekutionsstät-

te für die Gestapo Breslau. Sämtliche Akten der verstorbenen Häftlinge wurden Anfang 1945 verbrannt.

Nach der Reorganisation der SS-Methoden zur Ausbeutung der jüdischen Arbeitskraft und durch Evakuierungen aus den Lagern Plaszów und Auschwitz-Birkenau wurden Ende 1943 57.000 Juden nach Groß-Rosen gebracht, darunter 26.000 Frauen. Diese wurden vor allem auf die Außenkommandos verteilt. Zwischen März 1944 und Januar 1945 kam ein ständiger Fluß jüdischer Häftlinge aus Polen und Ungarn, aber auch aus Belgien, Frankreich, Griechenland, Jugoslawien, der Slowakei und Italien. Am 1. Januar 1945 gab es im System des Konzentrationslagers Groß-Rosen ungefähr 80.000 Häftlinge, ein Drittel von ihnen waren Frauen. Nach Ravensbrück und Stutthof war Groß-Rosen das drittgrößte Frauenlager. Die Frauen waren ausschließlich Jüdinnen, hauptsächlich Polinnen und Ungarinnen. Viele Frauenlager bedienten Werke der Textilindustrie, andere wurden für die Aufnahme von Jüdinnen geschaffen, die beim Bau von Befestigungen an der Ostgrenze der Provinz Niederschlesien beschäftigt waren. Bei der Evakuierung Ende Januar wurden die Häftlinge der Frauenlager auf Fußmärschen ins Innere des Reichs geleitet, nach Bergen-Belsen, Buchenwald, Dachau, Flossenbürg, Mauthausen und Mittelbau. Das Schicksal von 36.000 Menschen, die auf die Todesmärsche geschickt wurden, ist ungeklärt. Die Hälfte der Häftlinge der Nebenlager wurde zurückgelassen und am 8. und 9. März von der Roten Armee befreit. Insgesamt überlebten in 13 Zweiglagern 9000 Frauen.

Über Groß-Rosen gibt es wenig Literatur und schon gar nicht über die Frauenlager. »Schicksal der Groß-Rosener Frauen, das ist ein Thema! Kein Buch, keine Bearbeitung darüber«, schreibt mir aus Warschau Mieczysław Mołdawa, der als ehemaliger Häftling ein – nicht ins Deutsche übersetztes – Werk über Groß-Rosen geschrieben hat.

Die heute 75jährige Polin Stella Leibler, damals Stenotypistin, wurde Ende Februar 1944 in das Frauenaußenlager Peterswaldau bei Wałbrzych (Waldenburg) gebracht, wo heute das kleine Archiv des Lagers Groß-Rosen untergebracht ist.

Stella Leibler

Als wir in das Lager Peterswaldau kamen, war es noch kein Konzentrationslager. Es war im Dienstbotentrakt des Schlosses des Grafen von Frick untergebracht. In den Unterkünften befanden sich zweistöckige Pritschen, in den Korridoren standen Spinde. Ein halber Spind pro Person.

Gleich am nächsten Tag wurden wir in eine Munitionsfabrik gebracht. Ich hatte kurz vorher eine Typhuserkrankung überstanden, war sehr geschwächt und hatte Angst, daß man mir eine stehende Arbeit zuteilen würde. Ich kam an eine Maschine zum Stanzen von Zeigern. Ich mußte mit der ganzen Kraft beider Hände einen Hebel drücken, um diese Zeiger aus Aluminium herauszustanzen. Das war jedoch nicht die schwerste Arbeit. Im Saal standen Automaten, die von stehenden Mädchen bedient wurden. Dort wurden Bestandteile für Bomben erzeugt. Noch schwerer war die Arbeit in der Abteilung, wo sogenannte »Bombenkörper« in irgendwelchen Säuren gespült wurden. Diese Arbeit war so gesundheitsschädlich, daß die Mädchen Milch zu trinken bekamen. Manchmal mußten die Kisten mit den fertigen Erzeugnissen zur Palastkapelle getragen werden, wo sie gelagert wurden. Die Kisten waren so schwer, daß wir oft halb ohnmächtig waren, als wir das Ziel erreichten.

Die Lebensmittelportionen waren Hungerrationen. Ein Drittel Schwarzbrot am Tag, ein Stückchen Margarine, ein Stückchen Wurst, Käse oder Marmelade oder ein schwarzer Sirup aus roten Rüben. Zu Mittag gab es eine halbe Schüssel Gemüsesuppe.

Eines Tages kam ein Arzt. Wir mußten uns nackt aufstellen, damit er feststellen konnte, ob wir im Lager bleiben durften. Einige Tage später kam ein Wehrmachtsoffizier, umgeben von Aufseherinnen, um alle Wertgegenstände einzusammeln. Auch unsere Koffer wurden uns weggenommen. Wir erhielten Unterwäsche und Oberbekleidung zum einmaligen Wechseln und bekamen Nummern. Meine Nummer war 26.764. Dann begann die Hölle. Wenn wir unsere Notdurft verrichten wollten, mußten wir Habtacht-Stellung einnehmen und bitten: »Frau Aufseherin, bitte darf ich austreten?« Von ihrem Wohlwollen hing es ab, ob sie es uns erlaubte oder nicht; wiederholt mußte der Meister intervenieren. Die Aufseherinnen schlugen uns.

Eines Tages kehrten wir im strömenden Regen vom Werk zurück. Nach Betreten des Lagers stellten wir uns zum Appell auf und warteten auf das Erscheinen der Aufseherin, die befugt war, uns zu entlassen. Wie lange wir so standen, ist schwer zu sagen, vielleicht eine Stunde oder eineinhalb. Als wir endlich abtreten durften, mußten wir uns gegenseitig helfen, unsere Füße aus dem Schlamm herauszuziehen; es war, als wären wir hineingewachsen. Eine mußte die andere stützen, weil der strömende Regen uns so geschwächt hatte.

Zwei Wochen lang war ein Scharführer von Auschwitz bei uns, da konnten wir nachempfinden, wie dort gelitten wurde. Sonntags, dem einzigen Tag, an dem wir den ganzen Tag im Lager verbrachten, gab es Drill. Wie es uns damals erging, zeigt der Umstand, daß in dieser Zeit zwei Mädchen davonliefen und zweien die Köpfe kahlgeschoren wurden. Die eine hatte sich mit einer Deutschen angefreundet, die neben ihr im Betrieb saß, die andere, eine starke Raucherin, hatte einem freien Arbeiter einen Zettel mit der Bitte um eine Schachtel Zigaretten zugesteckt.

Nach einiger Zeit – es war August 1944 – wurden wir aus dem Schloß in ein Gebäude überstellt, das vorher eine Spinnerei oder Weberei gewesen war. In das Schloß des Grafen wurden an unserer Stelle Bewohner beiderlei Geschlechts aus Warschau gebracht, die nach dem Warschauer Aufstand nach Peterswaldau verschleppt worden waren. Die Weberei hatte früher dem Juden Zwanziger gehört. Es war ein düsteres Gebäude mit einem Hof. Aus Platzmangel waren die Pritschen dreistöckig, und es gab keine Spinde. Unsere Wäsche und Oberbekleidung bewahrten wir zusammen mit einem Stückchen Brot auf der Pritsche unter dem Strohsack. Die Klosetts befanden sich auf dem Hof. Nachts wurden wir in dem Gebäude eingesperrt, so daß wir vom Klosett abgeschnitten waren. Also stellten sie uns einen einzigen Eimer zur Verfügung, was für einen Saal mit zwanzig Frauen natürlich nicht reichte. Es fällt mir schwer zu beschreiben, welche Qualen wir überstehen mußten, um bis zum Morgen durchzuhalten.

Im Betrieb herrschte fieberhafte Aktivität. Es wurde

Nachtschicht eingeführt. Eines Tages, als wir das Werk verließen, um uns zum Appell aufzustellen, stolperte eine Kollegin und verstauchte sich den Fuß. Ich rannte hin und wollte sie stützen. Da stürzte sich die Aufseherin auf mich und traktierte meinen Rücken mit Faustschlägen. Es wurde mir schwarz vor den Augen und ich war halb ohnmächtig vor Schmerz, als ich mich wieder in die Reihe stellte.

In den vierzehn Monaten, die ich im Konzentrationslager verbrachte, gingen drei oder vier Transporte von uns nach Groß-Rosen. Einer von ihnen kam dort nie an. Man hatte die Schwachen, die nicht mehr gehen konnten, aufgefordert, sich für den Transport zu melden, der sie in ein »Sanatorium« bringen sollte. Es meldeten sich also alte Frauen und völlig erschöpfte Mädchen. Die Frauen wurden auf einem Feld ausgesetzt und erschossen.

Bevor wir das Munitionswerk betraten, gingen wir eine steile Steintreppe hinunter zu einer Garderobe, wo wir unsere Mäntel aufhängten. An Frosttagen war diese Treppe vereist. Die Aufseherinnen machten sich einen Spaß daraus, die Mädchen die Treppe hinunterzustoßen.

In den Munitionsbetrieben gab es aus Materialmangel immer weniger Arbeit. Die schweren Maschinen-Automaten waren geölt und transportbereit. In den Sälen wurde gemunkelt, daß wir unter die Erde versetzt werden, wo unmenschliche Arbeitsbedingungen herrschen sollten. Nach zwei Monaten würden die Gefangenen erblinden, dann würde man sie erschießen.

Mittlerweile verschlechterte sich mein Gesundheitszustand. Einmal bekam ich während der Arbeit einen Schwächeanfall, und meine Kapo führte mich hinaus auf den Korridor, wo ich mich auf das Fensterbrett setzen durfte. Die Aufseherin kam die Treppe herunter. »Na, was macht ihr denn hier?« rief sie. Darauf antwortete meine Kapo: »Wenn Sie sich so fühlen würden wie sie, würden Sie auch sitzen.« Die Aufseherin sprang auf und schlug mit ihren Fäusten auf sie ein. Meine Kapo – Jetka Ringer aus Auschwitz – war ein guter Mensch, niemals schrie sie. Im Rahmen ihrer Möglichkeiten bemühte sie sich zu helfen. Die Oberkapo war eine Bestie. Sie schrie, schlug, trat mit Füßen.

Später wurde ich schwerkrank. Ich konnte mich kaum bis

zum Lager schleppen. Nach der Untersuchung schimpfte die Ärztin mit mir: »Sie kommen erst zu mir, wenn Sie schon sterbenskrank sind, wie soll ich Ihnen jetzt noch helfen?« Sie brachte mich ins Krankenrevier. Dort blieb ich einige Tage und fühlte mich besser.

Inzwischen kam die Front immer näher. Man begann mit dem Ausheben von Schützengräben gegen die Panzer. Die Lagerinsassinnen sollten dazu herangezogen werden. Man stellte uns in Viererreihen auf. Die Judenälteste und die Ärztin schritten sie ab und eliminierten die Schwachen. Auch ich war darunter. Als sie uns zählten, stellte sich heraus, daß noch eine von uns mitgehen mußte – wir hatten eine Freigestellte zuviel. Trotz meines geschwächten Zustands meldete ich mich. Wir setzten uns in Marsch: Wir kamen durch irgendeine Stadt, möglicherweise Reichenbach, heute Dzierżoniów. Hier war der Krieg sichtbar. Wir sahen ein Haus, das durch eine Bombe in zwei Hälften gespalten war. Man konnte das Innere der Wohnung sehen. Dieser Fußmarsch war meine letzte Leistung. Wir wurden nicht mehr zur Arbeit im Betrieb herangezogen. Noch einmal hat man uns geholt. Da mußten wir Kisten mit Bomben – unsere Erzeugnisse – in einem Teich versenken, damit sie nicht in die Hände des Feindes gelangten. Das war für uns ein Freudentag.

Leider konnte ich nicht nur keine Kiste heben, ich konnte auch nicht mehr gehen. Wieviele Mädchen sind gestorben? Eines starb während des Appells, sie wurde sofort hinausgetragen. Jetzt, da die Befreiung vor der Tür stand, gab es etliche Anwärterinnen auf einen Sarg. Und nun geschah etwas, was einmalig ist in der Geschichte der Konzentrationslager. Eine völlig erschöpfte Magistra der Germanistik namens Freda Liebermann wurde einige Wochen vor der Befreiung in ein katholisches Frauenkloster überstellt. Wer hatte dies veranlaßt? Es konnte nur der Lagerkommandant gewesen sein.[9]

Felice kam am 9. Oktober 1944 von Theresienstadt nach Auschwitz, zu einer Zeit, da in der Kriegsindustrie dringend jüdische Arbeiterinnen und Arbeiter gebraucht wurden und

9 Aus einem Brief an die Autorin vom 10. 6. 1992

sich deshalb der Vernichtungsprozeß seinem Ende näherte. Am 7. Oktober hatte in Auschwitz ein verzweifeltes Sonderkommando, bewaffnet mit Sprengstoff, drei Handgranaten und isolierten Flachzangen zum Durchschneiden des Stacheldrahts einen Aufstand gewagt. Das Krematorium III wurde in Brand gesteckt, 450 Lagerinsassen und drei SS-Männer kamen ums Leben. Vier Frauen, die in der Union-Fabrik arbeiteten, hatten dem Sonderkommando den Sprengstoff verschafft. Sie wurden öffentlich erhängt.

Wenn überhaupt, blieb Felice nur kurze Zeit in Auschwitz. Vielleicht wurde sie aber gleich an der Rampe als noch unverbrauchte junge Arbeitskraft für den Arbeitseinsatz »selektiert«. In welchem Frauenlager des Komplexes Groß-Rosen sie sich ihre Tuberkulose holte, wissen wir nicht. Den Orten Rawitsch und Trachenberg nächstgelegene Lager sind Hochweiler, heute Wierzowice, Kurzbach oder Birnbäumel. Alle drei wurden Mitte Oktober 1944 eingerichtet und Mitte Januar 1945 evakuiert. Angenommen, es war eines dieser drei von Stacheldraht umzäunten Lager, dann bekam Felice bei ihrer Ankunft eine Häftlingsnummer, die von da an ihren Namen ersetzte. Sie mußte ihre Zivilkleidung gegen einen grauen Arbeitskittel tauschen, und das Haar wurde ihr so kurz geschnitten, daß die großen weißen Ohren zum Vorschein kamen. Vielleicht mußte Felice für die Organisation Todt Unterstände bauen oder Waldarbeiten verrichten.

Die Wiener Jüdin Ruth Klüger berichtet in ihrem Buch *weiter leben*[10] über ihre Zeit im Groß-Rosener Zweiglager Christianstadt, das in der Nähe der ostdeutschen Stadt Guben lag und die Firma Dynamit AG Nobel mit Arbeitssklavinnen versorgte. Dennoch bedeutete das Arbeitslager, in das die Zwölfjährige nur gekommen war, weil sie sich bei der Selektion in Auschwitz als fünfzehn ausgab, den befreienden Übergang vom sicheren Tod in ein mögliches Überleben. In Christian-

---

10   Ruth Klüger: weiter leben, Eine Jugend, Wallstein Verlag, Göttingen 1992.

stadt schlief sie mit ihrer Mutter in einer grünen Baracke, die in Zimmer unterteilt war, in denen je sechs bis zwölf Frauen untergebracht waren. Manchmal wurde einer Gefangenen zur Strafe das Haar geschoren. Doch im allgemeinen, schreibt Ruth Klüger, war das weibliche Lagerpersonal weniger brutal als die SS-Männer.

Der Winter 1944/45 war sehr kalt. Morgens wurde Ruth mit den anderen Frauen durch eine Sirene geweckt und mußte im Dunkeln Appell stehen. Sie bekamen eine schwarze, kaffeeartige Brühe zu trinken, eine Portion Brot zum Mitnehmen und marschierten in Dreierreihen zur Arbeit. Daneben lief die Aufseherin und versuchte, die Frauen mit ihrer Trillerpfeife im Gleichschritt zu halten. Alle Frauen waren so unterernährt, daß keine menstruierte. Auch Felice schreibt davon in einem ihrer Briefe.

Die Frauen von Christianstadt mußten im Wald Rodungsarbeiten verrichten, die Stümpfe gefällter Bäume wurden ausgegraben und weggebracht; die Frauen mußten auch Holz hacken und Schienen schleppen. Manchmal wurden sie an die Zivilbevölkerung ausgeliehen. Dann saßen sie auf Dachböden und reihten Zwiebeln zum Aufhängen auf Schnüre. Die Dorfbewohner starrten sie an, als seien sie Wilde. Manchmal mußte Ruth in den Steinbruch von Groß-Rosen. Dort konnte die dünne Kleidung keinen Schutz gegen die schreckliche Kälte bieten. Um die Füße hatte sie Zeitungspapier gewickelt, das half etwas, ließ aber die Wunden an ihren Füßen eitern. Später bekamen die Frauen wärmere Sachen für den Winter, einen bunten Haufen Kleider, wahrscheinlich aus Auschwitz. Sie mußten aus dem Rücken eines jeden Oberteils ein Stück herausschneiden und statt dessen einen gelben Fleck einnähen.

Als die Russen im Januar näherrückten, hofften die Frauen, die Deutschen würden das Lager einfach dem Feind überlassen. Sie taten es nicht, sondern evakuierten die Häftlinge zu Fuß. Diese Verschickungen bei Kriegsende von einem Lager ins andere, schreibt Ruth Klüger nachsichtig, waren oft nicht als Todesmärsche beabsichtigt, es versagte nur der deutsche Organisationswille. Auch Ruth und ihre Mutter wurden evakuiert. Nach einem erschöpfenden Tagesmarsch beschlagnahmte die SS, die die Aufsicht hatte, am Abend eine Scheune, in der die Frauen unerträglich dicht gedrängt die Nacht verbringen mußten. Am zweiten Abend gelang Ruth und ihrer Mutter die Flucht.

Lilly hofft, daß Felice sich auf ähnliche Weise wird retten können.

9

Am 8. Dezember 1944 bekommt Lilly eine Vorladung mit
dem furchterregenden Rundstempel der Geheimen Staatspolizei. Am Mittwoch, dem 13. Dezember, soll sie sich um 12
Uhr im Judenreferat IV D1 in der Französischen Straße 47 einfinden. Sie beschließt, Bernd aus Thüringen nach Hause zu
holen, die Kinder dürfen nicht voneinander getrennt sein,
sollte man sie nach dem Verhör gleich dortbehalten. Am
Samstagabend tritt Lilly ihre Reise nach Meuselwitz an, wo
sie um 5 Uhr früh eintrifft. Von dort ist es noch eine Dreivier-
telstunde Fußweg bis Zipsendorf.

Bernd Wust

Als sie mich abgeholt hat, hat sie mir gesagt, daß die beiden
andern schon zu Hause sind, die Russen immer näher rücken
und wir deshalb alle beisammen bleiben sollen. Aber gleich
danach hat sie mit der Geschichte von der Felice angefangen.
Nur davon hat sie geredet die halbe Stunde oder Stunde, die
wir durchs Dorf nach Meuselwitz zum Bahnhof gelaufen
sind. Nun kamen uns da auch nicht viele Menschen entgegen, vielleicht drei oder vier Leute. Es war ein kleines Stra-
ßendorf, wie sie im Thüringisch-Sächsischen eben sind. Ich
erinnere mich, wie Mutti laut über Felice erzählte, und ich
dann plötzlich gesagt habe: »Oh Gott, da kommt jemand!«
Und Mutti hat geantwortet: »Ach Quatsch!« Da hat sie mir
von den Juden erzählt, und warum Felice abgeholt worden
ist. Als wir dann zu Hause waren in Schmargendorf, hat sie
mir im Laufe der nächsten Tage alles erzählt, was zu sagen
war: Naja, die Christen taugen eben nichts, das sieht man an
den Nazis. Sie hat sich reingesteigert, daß man eben Jude sein
sollte, und wenn schon nicht von Geburt an, dann eben an-

ders. Das ging für mich alles sehr schnell, und ich war eigentlich erschrocken. Wir hatten in Thüringen Lehrer, die waren 150prozentige Nazis. Wir – die ganze Klasse – sind zum Sportunterricht marschiert mit den deutschen Wehrmachtsliedern, das fand man doll, und wir haben ja auch ein bißchen Militär gespielt. Aber ich hatte dann doch auch gemerkt, daß da irgendwelche Brüche drin sind. Der Führer siegt, und auf uns fielen die Bomben. Daß die Russen näherkamen, das war für mich als Zehnjährigen im Grunde genommen ein Unfall, die große Weisheit des Führers, der eben Leine läßt, und siegen wird er sowieso. Dann hat man uns von den V-Waffen erzählt, also eine ganz dolle Sache. Aber dann fielen die Bomben, das war ja Braunkohlenrevier, Leuna war nicht weit. Naja, und dann haben wir auf den Feldern gestanden: Wo war eigentlich die deutsche Abwehr? Wo war unsere Wunderwaffe? Der ganze Himmel voller amerikanischer Flugzeuge von Horizont zu Horizont, ein bißchen Flak dazwischen, da fiel dann mal einer runter, na schön, da haben wir gejubelt, ganz klar, aber irgendwie … Und wenn man bei den Wirtsleuten und bei den Nachbarn als Zehnjähriger vom Führer schwärmte, dann merkte man als Kind ja doch, daß die Antwort der Erwachsenen nicht ehrlich gemeint war, daß dahinter ein Vorbehalt steckte. Das hab ich vielleicht gespürt. So daß mich dann, als Mutti mit der ganzen Story kam … natürlich war ich erst entsetzt, aber Gott, das war ja auch spannend, ich wußte doch, daß es gefährlich war. Für mich war es auch ein Spiel.

Als Lillys Freunde von der Gestapo-Vorladung erfahren, fühlen sie sich bestätigt, daß Lillys Theresienstädter Abenteuer purer Wahnsinn war, ja vielleicht sogar mit schuld hatte an Felices Deportation in den Osten. Lillys Eltern bereiten sich darauf vor, die vier Kinder zu übernehmen. Alle sind in heller Aufregung, nur Lilly nicht. »Ich weiß nicht, wie es kommt, daß ich in den Augenblicken der Gefahr so sehr meine Nerven bewahren kann«, schreibt sie in ihr Tagebuch. »Ich habe gleichfalls Nerven wie Schiffstaue, nicht nur das Mädchen Felice.«

Am Mittwoch zieht Lilly das blaue Kostüm an, das Felice bei Käthe Herrmanns Vater in Königs Wusterhausen für sie hat machen lassen, und Felices blauen Tuchmantel mit den aufgesetzten falschen Taschen und geht zur Gestapo in die Französische Straße, wo gleich nebenan in der Behrenstraße ihr Vater in der Deutschen Bank seinem Tagwerk nachgeht. Doch vorher übergibt sie die Mappe mit Felices Papieren und ihrem Tagebuch Elenai, die ihr zu Lillys Überraschung in diesen Tagen beisteht wie keine andere. Elenai wird in der schräg gegenüberliegenden Destille auf Lilly warten. Kommt Lilly vom Verhör nicht wieder, wird sie die Dokumente zu Inge nach Lübben bringen. Als Luftalarm ist, kann Elenai aber nicht länger bleiben und harrt in ihrer Wohnung in der Nähe des Nollendorfplatzes mit wachsender Ungeduld aus, bis endlich Lillys befreiender Anruf kommt. Zu Hause wartet, sich seiner Verantwortung bewußt, Bernd mit den jüngeren Brüdern, die alle drei die Windpocken haben. Kreidebleich steht er in der Tür, mit einer Kinderharke bewaffnet, als Lilly endlich heimkommt, erschöpft, aber auch stolz.

Lillys Tagebuch, 18. Dezember 1944

Vier volle Stunden haben sie mich gequält, gemartert mit ihren Fragen. Zwischendurch war eine halbe Stunde Luftwarnung. Man ließ mich nicht aus den Klauen, obwohl diese Unmenschen doch wußten, daß meine Kinder alleine zu Hause waren und krank. Was ich mich geängstigt habe! Mehrmals hat man mir höhnisch gesagt: »Ja, das haben Sie nun davon.« Ach, Du Süße, was ist das gegen Dich. Zunächst haben sie meinen gesamten Lebenslauf abgenommen und dann unsere ganze Geschichte von vorn bis hinten durchgekaut. Fragen, nichts als Fragen. Hinterhältige, gemeine, boshafte, freundliche, gewollt wohlmeinende und niederträchtige Fragen, Fragen, Fragen, Drohungen, Drohungen und Versprechungen. Ich glaube, Du wärest zufrieden mit Deiner Aimée. Sie hat die Probe gut bestanden.

Als Lilly, ihre Vorladung fest umklammert, die schmale Marmortreppe des rostroten Gebäudes im Berliner Bankenviertel hochsteigt, kommt ihr aus der Tür des Büros in der ersten Etage, eine Holzbank schleppend, einer der jüdischen Ordner entgegen, den sie von der Schulstraße her kennt. Er sagt kein Wort, wird nur blaß und wirft ihr einen entsetzten Blick zu. Das Judenreferat IV D1 der Gestapo residiert hinter vergitterten Türen seit März 1943 in der zweiten Etage des noblen vierstöckigen Hauses aus der Jahrhundertwende mit den traubenschleppenden Putten unterm Dach. Es ist mit der Bearbeitung der Akten von untergetauchten Juden oder Volksgenossen betraut, die sich der »Judenbegünstigung« schuldig gemacht haben. Gleich rechts an der Tür des mit braunem Holz getäfelten etwa 30 Quadratmeter großen Verhörzimmers sitzt ein Kommissar, mit dem Auftrag, sie festzunehmen, wie ihr später genüßlich mitgeteilt wird. Im Nebenzimmer kann Lilly durch die halb geöffnete Schiebetür eine größere Ansammlung SS-Uniformierter erkennen. Am Verhör beteiligt sind fünf Männer und eine grobschlächtige Protokolldame an der Schreibmaschine. Die Weste der Blondine mit roten Backen wird sinnigerweise von eisernen Kreuzen zusammengehalten.

Ab und zu steht sie an ihrem Tischchen auf, als könne sie vor lauter Empörung nicht länger an sich halten. »Gott, Ihre armen bedauernswerten Kinder!« seufzt sie mit affektiertem Augenaufschlag.

Lilly muß über ihre Freundschaft mit Felice erzählen. Anfang Dezember 1942 habe sie Felice im Café Berlin kennengelernt, sagt sie wahrheitsgetreu aus und verschweigt Inge. Danach hätten sie sich öfter getroffen und seien zusammen ausgegangen. Später habe Felice Lilly zu Hause besucht, in Felices Wohnung sei Lilly nie gewesen. Bei Bekannten hätte sie gewohnt, wo wüßte Lilly nicht. Nein, keine Juden, soviel sie weiß. Felice habe ihr erzählt, sie arbeite in Babelsberg. Was? Keine Ahnung. Dann sei Felice zu ihr gezogen, erst für ein paar Tage und schließlich ganz, am 2. April. Aus Nachlässigkeit habe Lilly sie nicht angemeldet, in der Meinung, das wäre bei Bekannten nicht nötig. Sie sei ja keine Untermieterin gewesen, sondern ihre Freundin. Mit der Anmeldefrage quälen sie Lilly eine halbe Stunde.

»Sie haben ja gewußt, daß die Schragenheim eine Jüdin ist. Sie haben es doch gewußt. Reden Sie!« brüllen sie. Lilly hat es nicht gewußt.

Lilly ist erstaunt über sich selbst, denn sie hat keine Angst, es ist bloß eine hellwache Anspannung aller Sinne. Dauernd muß sie auf der Hut sein, um die Fallen, die sie ihr stellen, rechtzeitig zu erkennen, darf sich keine Unaufmerksamkeit leisten. Eine unbedachte Antwort, und sie, Felice und ihre Freunde sind geliefert.

»Ich habe meine Freundin als Menschen kennen- und liebengelernt und erst am 21. August erfahren, wer sie ist«, wiederholt Lilly den Satz, den sie schon in Theresienstadt aufgesagt hat.

Zur Arbeit sei Felice unregelmäßig gegangen, selten aber war sie zu Hause. Buttermarken habe Felice Lilly bisweilen gegeben, aber nicht regelmäßig. Woher Felice die Marken hatte, wollen sie wissen. »Vom Blockwalter hat sie sie nicht bekommen«, antwortet Lilly und denkt »nebbich«. Reisemarken habe Felice gehabt und Geld. Woher? Keine Ahnung. Miete habe sie keine gezahlt, aber wenn sie mit Lillys Karten einholen ging, habe sie den Kindern öfter mal Spielsachen mitgebracht. Freunde hatte sie? Jüdische? »Hören Sie, es ist Krieg. Ich habe mit meinen vier Kindern so viel zu tun, daß ich mich nicht auch noch um die Angelegenheiten anderer Leute kümmern kann.«

Und dann geht die Dame mit den eisernen Kreuzen an der Weste von ihrem Schreibmaschinentischchen hinüber zum Schreibtisch des Hauptverhörenden, der sich Burchard oder so ähnlich nennt, und tuschelt mit ihm. Danach beugt sie sich zu Lilly hinüber, während Burchard scheinbar unbeteiligt seine Papiere ordnet.

»Geschlechtliche Beziehungen hatten Sie keine zu der

Jüdin?« fragt sie mit leiser Vertrauen heischender Stimme. Lilly antwortet mit einem verständnislosen Lächeln und einem ungläubigen »Nein«. – »Von lesbischer Liebe kann zwischen uns nicht die Rede sein«, wird ihre Antwort dann im Protokoll festgehalten.

Dann muß Lilly den 21. August schildern.

»Woher haben Sie gewußt, daß die Schragenheim – sagen Sie doch nicht immer Freundin, ich verbitte mir das – in der Schulstraße war?«

»Von Bekannten.« – »Sicher auch Juden.« – »Wie soll man das denn wissen?«

Drohungen wegen der Bekannten, die Felices Aufenthalt ausgeplaudert haben. Von Titze erzählt Lilly und daß sie fünf Mal in der Schulstraße war, um Felice etwas mitzubringen, ein paar Kleidungsstücke und Lebensmittel. Sie scheinen genau im Bilde zu sein, wie oft Lilly Felice besucht hat.

»Was haben Sie sich denn dabei gedacht? Jetzt wußten Sie doch, daß sie eine Jüdin ist. Jetzt wußten Sie es doch?«

»Wer hat Ihnen gesagt, daß die Schragenheim nach Theresienstadt kommt?«

Einer der wachhabenden Polizisten habe während eines Gesprächs erwähnt, sie könne dahin gekommen sein, antwortet Lilly. Ob sie wisse, wo Felice jetzt ist? Nein. Ja, und dann? Ja, und dann sei sie am 28. September nach Theresienstadt gefahren.

»Das ist in unserer ganzen Praxis noch nicht dagewesen. Fährt da so ohne weiteres einer Jüdin ausgerechnet nach Theresienstadt hinterher, bei dem allgemeinen Reiseverbot. Was haben Sie dort gemacht? Los, erzählen Sie.« Das tschechische Militär habe wohl angenommen, daß Lilly den Hauptsturmführer persönlich sprechen wolle und habe sie deshalb durch alle Sperren durchgelassen.

»Und, und?« – »Und nach fünf Minuten Unterredung war ich wieder draußen.« – »Das glauben wir gern.«

Mitten im Verhör ertönt die Sirene, und alle stürzen in den Keller. Lilly muß das Zimmer verlassen und draußen auf einer Bank Platz nehmen.

Nach der Bekannten, mit der sie gereist ist, wird Lilly gefragt. Lilly weiß nicht, ob man in Brünn nach Lola geforscht hat. Bloß einige Lebensmittel und Kleidung hat Lilly ihrer Freundin nach Theresienstadt mitbringen wollen.

»Sagen Sie, wo haben Sie eigentlich die vielen Lebensmittel her?«

Sie wissen genau Bescheid über Lillys tägliche Päckchen an Felice. Geschrieben, erzählt Lilly, habe sie der Schragenheim ungefähr fünf Mal. In dem dicken Aktenordner erblickt Lilly einige ihrer eigenen Postkarten. Jaguars grüne Tinte ist unverkennbar. Also hat Felice ihre Karten nie erhalten.

»Und nun haben Sie doch genau gewußt, daß ...« [»daß Du nämlich ein ganz entzückendes Judenmädchen bist«, ergänzt Lilly in ihrem Tagebuch].

Danach habe sie nichts mehr von Felice gehört. Was Lilly zu ihrer Entschuldigung vorzubringen habe?

»Es ist für mich entsetzlich gewesen, meine beste Freundin –« – »Ich verbitte mir das!« – »auf diese Weise zu verlieren. Auch die Kinder haben sie sehr geliebt.«

Dann kommen sie auf Lillys Scheidung zu sprechen, auf den armen Mann an der Front.

»Glauben Sie ja nicht, daß wir Ihnen Glauben schenken. Die Schragenheim hat uns das alles ganz anders erzählt. Die hat es ja nun nicht mehr nötig, Sie jetzt noch zu decken.«

Lilly hält durch. Zum Schluß geht Burchard hinüber, um sich mit dem Pulk der SS-Uniformen zu beraten. Nach einem geräuschvollen Palaver strömen sie herein, und Lilly muß unterschreiben, daß sie wegen judenfreundlichen Verhaltens eigentlich ins KZ gehöre, aber ihrer vier unmündigen Kinder wegen ... und daß sie bei der geringsten Kleinigkeit auch gleich dahin wandern würde etcetera etcetera. Lilly spürt die Wut der Nazischergen über ihre Gelassenheit, auch noch als sie mit KZ drohen. Und dann darf sie – nach viel zackigem Hin- und Hergerenne von einem Zimmer ins andere – tatsächlich nach Hause.

»– nur aus Rücksicht auf Ihre armen unschuldigen Kinder.«

»Und das Wort Nationalsozialismus haben Sie wohl noch nie gehört«, bellt einer ihr zum Abschied hinterher.

Auch Lillys Eltern werfen ihrer Tochter Verantwortungslosigkeit den Kindern gegenüber vor. Es kommt zu einem Riesenkrach, und die Kapplers verbieten Lilly jeden weiteren Umgang mit ihren Freundinnen und Freunden.

Lilly wird unter Polizeiaufsicht gestellt. »Je nun, es soll mir eine Ehre sein«, kommentiert sie in ihrem Tagebuch. Jeden zweiten Tag muß sie sich bei ihrem Polizeirevier im Rathaus Schmargendorf am Berkaer Platz melden.

»Warum müssen Sie sich denn melden?« fragt sie der wachhabende Polizeibeamte bei ihrem ersten Besuch am 14. Dezember.

»Wissen Sie das nicht?« antwortet Lilly unerschrocken und verweigert die Auskunft. Soll er sich doch selber erkundigen, wenn es ihn interessiert. Vor diesem Kerl mit dem dicken Bauch hat sie keine Angst, er wohnt im Nachbarhaus und ist von Beruf Anstreicher.

Beim fünften Mal kommt sie auf die Idee, sich Datum und genaue Uhrzeit ihrer Meldungen bestätigen zu lassen. Wer weiß, wozu es noch gut sein kann.

»Das ist nicht üblich«, wehrt der Dicke ab.

»Die Gestapo hat es mir aufgetragen«, lügt Lilly.

Zur Polizei läßt sich Lilly von ihrem Ältesten begleiten, der schon erwachsen genug ist, um ihr Schutz zu bieten.

»Heil Hitler!« sagt Bernd und steht artig stramm, wie er es in der Schule gelernt hat.

»Sag doch ruhig ›Guten Tag‹, bei dir zu Hause sagt man doch auch ›Guten Tag‹, oder?« brummt der Mann hinter dem Schreibtisch mißmutig.

Wenn Lilly den Telefonhörer abnimmt, knackt es in der Leitung. Ihren Freunden rät sie, vorerst von Besuchen Abstand zu nehmen.

Am 5. Januar 1945 werden aus Berlin sieben Frauen und sieben Männer nach Auschwitz deportiert. An diesem Tag bekommt

Lilly endlich Post von Felice. Der helle Umschlag mit dem runden Poststempel vom 3. Januar 1945 und dem Text »Rawitsch – Alte deutsche Stadt des Ostens – Einfallstor zum Warthegau« ist mit einer Lilly unbekannten kindlich steilen Schrift an ihre Eltern adressiert und enthält zwei Briefe:

18. 12. 44
Mein Geliebtes,
Dir, Deinen Eltern und den Kindern tausend liebe Weihnachtsgrüße! Ich bin inzwischen auch auf dem kalten Dachboden wieder gesund geworden, nur noch sehr schlapp, aber »feste uff Arbeet«. Leider habe ich Deinen langen Brief nicht mehr bekommen, es hat nicht sollen sein. Aber morgen geht es nach T. zur Entlausung (ich habe aber keine!), da hoffe ich, dies auf den Weg bringen zu können. Immer denken an mich und beten für den tapferen, sehnsuchtsvollen
Jaguar

26. 12. 44
Meine Lieben,
ich gehe – ohne Läuse – noch ein zweites Mal zur Entlausung, um Euch zu sagen, daß ich am 18. ein Weihnachtspäckchen vorfand, das leider so lange hin- und hergeschickt worden ist, daß die Eßwaren schlecht waren. Aber die grünen Handschuhe und die Socken sind wunderbar. Und der Lungenschützer, ebenso der Schal. Und alles »AS«! So habe ich also doch etwas zu Weihnachten bekommen, sonst war nichts davon zu merken – ich danke Dir tausend Mal für alles, und denke immer an mich. Die Sachen kann ich so gut gebrauchen, weil ich doch immer draußen bin, und hier ist schon 15 Grad Kälte. Man kann ja so viel, man glaubt es gar nicht, auch ohne Teddymantel und lange Hose. Ich liebe Dich sehr. Dir, den Eltern und den Jungs alles Liebe.
Küsse, Küsse, Küsse vom
Jaguar
und Neujahrsgrüße

Zwischen ihren Tränen erinnert sich Lilly bei der Passage über die Entlausung mit Wehmut an eine rührende Szene.

»Ich weiß nicht, es juckt mich so wahnsinnig«, hatte Felice einmal geklagt. Und in der Tat – da krabbelten zum allgemeinen Entsetzen lebendige Läuse! Irgendjemand aus ihrem Bekanntenkreis hatte Felice eine Hose geborgt, so Felices Version, und nun hatten sie die Bescherung. Von Lola assistiert hat Lilly Felice rasieren müssen. Es war entzückend, wie Felice sich geschämt hat.

Lillys Tagebuch, 5. Januar 1945

> Dein Brief, Du grausam gefangener Mensch. Jetzt kann ich wieder leben, leben bis zum nächsten Brief. Du kommst wieder. Ich muß das glauben. Ich verliere sonst den Verstand. Meine Sehnsucht läßt mein Blut schneller durch die Adern jagen. Ich meine, Dich fast körperlich zu spüren. Felice, ich liebe Dich. Und Du? Mein schönes kluges Mädchen. Leider sieht die allgemeine Kriegslage wieder bejammernswert aus. Der Krieg nimmt kein Ende, und Geldsorgen habe ich leider auch. Ich möchte die tausend Mark nicht angreifen. Es könnte doch sein, Du brauchst ganz plötzlich Geld. Kommt Zeit, kommt Rat. Ich will dieses Buch abschließen und zu Inge bringen nach Lübben. Ich möchte es in Sicherheit wissen. Inge wird mich an der Bahn abholen. Sie steht den ganzen Tag an der Maschine in einer Fabrik dort. Zuerst war sie maßlos unglücklich. Hoffentlich kommt Elenai nicht mit. Sie hat sich neulich ganz besonders schlecht Frau Wolf gegenüber benommen.

Lilly schließt ihr Tagebuch nicht ab. Die Nachricht über die Auflösung der Lager im Osten macht die Runde. Mit pochenden Schläfen steckt Lilly auf ihrer Europakarte die näherrückende Front ab.

Am 25. Januar um 14 Uhr 45 muß sie sich zum letzten Mal bei der Polizei melden.

Lillys Tagebuch, 25. Januar 1945
> Zu denken, daß Du schon in Sicherheit sein könntest. Mein Gott, diese Hoffnung. Wann bekomme ich wohl wieder

Nachricht von Dir? In der vorigen Woche habe ich Dir ein Päckchen geschickt, das nun wohl leider zum Teufel sein wird. Warme Strümpfe, warme Schlüpfer und Wollhandschuhe. Hin ist hin. Wir sind es ja gewöhnt. Ich wage gar nicht daran zu denken, wie Du wohl getürmt sein magst bei dem vielen Schnee und der Kälte. Sie werden kaum viel Zeit gehabt haben zu überlegen. Ihre eigenen Leute haben sie ja gleichfalls schlecht fortbekommen bei der Hast. Täglich hört man heute die fürchterlichsten Dinge. Erst gestern hat man 32 erfrorene Menschen in Lübben ausgeladen, und so viele Kinder sind dabei. Die Kinder des Führers. An jedem größeren Ort sind jetzt diese Ausladungen an der Tagesordnung. Jede Straße nach Frankfurt/Oder ist von Trecks versperrt. Mit Mann, Roß und Wagen. Weißt Du, was angesichts der Transporte gesagt wird? »Da kommen die Juden.« Sie kommen in Güterwagen, in offenen Loren. Eine ganze Woche dauert nun der Russendurchbruch, und bei uns in Berlin herrscht Panikstimmung. Das Gas wurde völlig abgesperrt. Man soll gemeinschaftlich auf dem Herd kochen. Womit? Bei so wenig Kohlenzuteilung. Ich habe längst nicht alle Kohlen bekommen. Ohne vorhergehende Ankündigung wird das Licht abgedreht. Stundenlang. Briefe können nicht mehr, nur Karten dürfen noch geschrieben werden. Sämtliche Reisen fallen aus. Man kann höchstens 75 km weit fahren. Gott sei dank bis nach Lübben. Kein D-Zug, kein Personenzug fährt mehr, und ich muß sehen, wie ich die Sachen aus Lübben hinauskriege. Lieber soll mich der Russe mit den Sachen holen, als die Sachen alleine. Die Fahrdauer der S- und U-Bahn und der Straßenbahnen sind auf ein Mindestmaß herabgedrückt worden. Jetzt macht das Warten am Bahnhof Schmargendorf erst richtig Spaß, meine Süße! Zwischen 10 und 14 Uhr fährt fast nichts mehr. Jeden Tag beschert nur die Zeitung neue Freuden. Oh, mein Gott, wärst Du schon in Sicherheit und darfst endlich wieder ein Mensch sein.

Lillys Tagebuch, 4. Februar 1945

Gestern wollte ich weiterschreiben, als mich ein Großangriff unterbrach. Keller. Die Innenstadt hat den Rest bekommen. Potsdamer Bahnhof, Anhalter Bahnhof, Alexanderplatz, Jannowitzbrücke, Witzleben, Flugplatz Tempelhof. Zwischen Tempelhof und Hermannplatz ist der Verkehr unterbrochen. Überall sollen Absperrungen sein. Nichts als Trümmerhaufen. In unmittelbarer Nähe ist nichts runtergekommen. Gottlob. Meine Eltern, Nora und Elenai sind übriggeblieben. Von den anderen habe ich keinen blassen Schimmer. Das Telefon schweigt. Man kann sich nicht verständigen. Gregor hat sich seit einer Woche nicht gemeldet. Er schleppt sich mit einer Zahngeschichte herum. Und ich bin noch für Dich übriggeblieben, meine Geliebte. Heute morgen teilte uns der drahtlose Dienst mit, daß infolge der Rückführung der Volksgenossen aus den Ostgebieten und dem Verlust dieser Gebiete notwendige Einschränkungen für die zukünftigen Kartenperioden 72 und 73 zu erwarten sind. Wir sollen in 8 Wochen für 9 Wochen auskommen. Von morgen ab gibt es Trockenkartoffeln. Wenn man schon im Rundfunk von Sparmaßnahmen redet!

Berlin gleicht einem nervös gewordenen Ameisenhaufen. Zeitungen und Radio sprechen von dem unerschütterlichen Abwehrwillen und von dem Volk, das hinter seinem geliebten Führer steht. Goebbels hat gestern eine Rede an die Berliner gehalten. Ruhe ist die erste Bürgerpflicht. Keine absolute Gefahr. Und so weiter. Jeden Tag ist ein anderer Gauleiter Stellvertreter. Es wackelt und kracht. Tatsächlich, unsere Lage ist ernst. Ich will die gesparten Nahrungsmittel, Du bist ja nicht da, nur im Notfall aufbrauchen. Sie sind im Keller. Da ist es noch kalt. Aber endlich, endlich, scheint uns der Friede näher zu sein.

»Ich bin zutiefst erschüttert«, schreibt Lilly am 9. Februar in ihr Tagebuch. Seit Ende Oktober trifft sie im Restaurant Mecklenburger, wohin es sie zieht, wenn sie es abends zu Hause nicht mehr aushält, regelmäßig drei geheimnisvolle gebildete Frauen, die sie faszinieren wie einst Felice im Café Berlin. Nur eine, die Älteste, trägt Kleider, die beiden anderen erscheinen stets in diskret eleganten Kostümen aus englischem Wollstoff, ihr Haar in Herrenmanier straff nach hinten gekämmt. Besonders die schweigsame Jüngste der drei reizt Lilly. Streng sind ihre Züge, und doch strahlt sie eine zarte

Weichheit aus. »Diese möcht ich kennenlernen«, hat Lilly irgendwann im Oktober 1944 Gregor gesagt, mit dem sie sich bei Gemüsesuppe im Mecklenburger die Zeit vertrieb. Unter dem Vorwand, ihren Handschuh vergessen zu haben, ist sie mit Gregor ins Lokal zurückgekehrt, und Lilly hat Petel angesprochen.

Abend für Abend unterhalten sie sich über Weltliteratur und steigen, wenn die Sirene ertönt, hinab in den Luftschutzkeller des Restaurants. Als sie am 7. Februar wieder einmal gemeinsam im Bunker hocken, lädt Lilly die drei Damen zu sich nach Hause ein. Die Reaktion ist mehr als verhalten, was Lilly darauf zurückführt, daß die Ältere und die Jüngere sich nicht zu vertragen scheinen. Doch tags darauf bittet Katja, die kleine Mittlere mit den dicken Brillengläsern, Lilly zu einem Gespräch in ein Café in der Heydenstraße. Über dies und das plaudern die beiden, bis Katja unvermittelt eine sehr direkte Frage stellt.

»Sagen Sie, kleine Pythia, sind Sie auch ganz bestimmt kein Spitzel?«

Lilly fällt aus allen Wolken, hat sie sich doch erst vor einigen Tagen den Frauen gegenüber weiter vorgewagt als ratsam gewesen wäre. Aufgebracht durch einen Streit, den sie mit Christine Friedrichs Mutter am Telefon hatte, die Lilly unterstellte, sie wolle sich an jüdischem Eigentum bereichern, wo es doch verboten sei, jüdisches Eigentum zu besitzen, nur weil Lilly ihre eigene und Felices Wäsche vom Haus der Friedrichs in Brandenburg nach Berlin zurückholen wollte, platzte Lilly heraus: »Sie werden es ja schon gemerkt haben, meine Freundin war nämlich Jüdin.«

Die drei warfen einander bedeutungsvolle Blicke zu, und Lucie, die Älteste, sagte sanft: »Entweder Sie kennen die Menschen nicht oder Sie sind eben noch zu jung, um solche Gemeinheiten zu begreifen.«

Lilly gelingt es, den schrecklichen Verdacht zu entkräften, den ihr ihr rotes Haar eingebracht hat. Die drei Frauen hielten sie für Stella Goldschlag – die jüdische Denunziantin, die

Lilly in der Schulstraße über den Weg gelaufen war. Und Lilly erfährt endlich, wer Katja, Lucie und Petel sind: Dr. Katja Laserstein, 45 Jahre alt, Dr. Rose Ollendorf, Petel von Petrus genannt, 40 Jahre alt, und Lucie Friedlaender, 51 Jahre alt.

Lillys Tagebuch, 9. Februar 1945

> Die Armen. Ihnen geht es nicht anders als Dir, meine Süße. Sie sind noch länger unterwegs als Du. Mein Gott. Ich kann nun wieder helfen. Du siehst also, ich bin in bester Gesellschaft. Das kann auch nur mir passieren. Ausgerechnet! Und Berlin ist doch so groß und so voller Menschen. Aber ich muß diese kennenlernen! Mein Gott, wie leben diese Frauen. Du hattest es trotz allem wie im Himmelreich gegen sie. Sie leben in einer Laube und können nur bei Dunkelheit ein- und ausgehen. Sie waschen sich in den Restaurants und trocknen ihre Wäsche heimlich an den Stühlen, auf denen sie sitzen. Das wird jetzt aufhören. Sie sollen wieder in richtigen Betten schlafen und nicht mehr zwischen Bahnhof, Café und Restaurant hin- und herlaufen, weil sie doch irgendwo bleiben müssen. Sollen nicht mehr auf kalten Parkbänken herumsitzen, um irgendwie den Tag auszufüllen. Es wird schon gehen. Ein Glück, daß jetzt der Krieg endlich fast zu Ende geht. Die Mörder müssen an ihre eigene Sicherheit denken. Es wird schon werden. Ich denke mir, so viel Frechheit auf einmal werden sie mir gar nicht zutrauen. Ich habe schon im ganzen Haus von meinen ausgebombten Cousinen aus Frankfurt herumgetratscht, die ich jetzt leider auch noch auf dem Buckel habe. Es muß gehen.

Den Nachbarn fällt die Anwesenheit neuer Gäste in Lillys Wohnung nicht weiter auf. Sie sind unklare Verhältnisse von ihr gewohnt, und außerdem haben sie andere Sorgen. Das letzte Gefecht wird vorbereitet. Alle an der Heimatfront verbliebenen Männer müssen bei einem Arzt ihre Volkssturmtauglichkeit beweisen. In der ganzen Stadt wimmelt es von Flüchtlingen. Niemand nimmt mehr ein Blatt vor den Mund, und die Polizei schreitet nicht ein. Dennoch meiden Katja,

Petel und Lucie den Luftschutzkeller des Hauses und verbringen auch immer wieder eine Nacht in ihrer Laube an der Wiesbadener Straße.

Lillys Tagebuch, 24. Februar 1945

Wir haben jeden Abend zweimal Alarm, und es passiert immer eine Menge. Es schießt erheblich. Ich liebe Dich ja so sehr, Felice. Ich bin so einsam, obwohl ich jetzt Menschen um mich habe, die meiner Liebe und Fürsorge würdig sind. In ihnen liebe ich Dich um so mehr. Ich bin so mit ihnen beschäftigt. Ich bin nie zu Hause, klagen meine Freunde mit Recht. Und bin doch einsam. Ich vermisse Dich sehnsüchtiger. Sie ahnen am besten, wie sehr ich leide, da sie so sind wie wir. Du verstehst. Sie lieben einander, und ich sehne mich noch qualvoller nach Dir. Du mein einzig geliebter Mensch.

Lillys Tagebuch, 28. Februar 1945

Gregor sagt von ihnen, die Hexen. Weiß Gott, es sind liebenswerte Hexen. Unser Leben wird immer schwieriger. Jeder Komfort verschwindet. Am Tag wird dreimal das Licht abgeschaltet, sogar abends, und es ist schon vorgekommen, daß Alarm war, ohne daß das Licht wieder angeschaltet wurde, und wir uns im Dunkeln in die Keller stürzen mußten. Die Bevölkerung murrt heimlich. Und sogar eine Frau Mory, Tochter von Frau Eichmann, sagte: »Ach, mutlos nicht, aber lustlos.« Findste auch schon?

Meine Vorräte schwinden dahin, siehe Hexen. Trockenkartoffeln habe ich mir schon erstanden. Brot ist schrecklich knapp. Wir leben ja nun auch zu acht von fünf Karten. Ich weiß nicht, was in den nächsten Wochen werden soll, was wir dann essen sollen. Trotz Verbot koche ich feste auf Gas. Bernd und Besuch wollen schließlich was essen. Meine Kohlen brauche ich für den Ofen, nicht wie befohlen für den Gemeinschaftsherd. Ich denke nicht daran, mit den Kindern im April im Kalten zu sitzen.

Lillys Tagebuch, 9. März 1945

Abends, 8 Uhr 45 bei Alarm. Meine drei mußten schon wieder flüchten. Sie müssen sich immer besonders beeilen, denn wir vermeiden, daß man sie bei Alarm im Hause antrifft und sie einer außerordentlichen Musterung unterworfen werden. Deshalb gehen sie sofort nach der Warnung in den nächsten öffentlichen Keller. In einem Bunker muß man Papiere vorweisen können. Meistens gehe ich mit, aber manchmal muß ich den Schein wahren und hierbleiben, um dann über meine lästige Verwandtschaft stöhnen zu können. Kein Mensch glaubt nicht an die Echtheit der Verwandtschaft. Wir haben jeden Abend und manchmal auch nachts Alarm, heute den siebzehnten. Gerade wollten wir Kaffee trinken. Ich habe Dir zu Ehren [Felices Geburtstag, Anm. d. A.] eine Puddingtorte gemacht und einen feinen Kartoffelsalat. Heimlich in der Nacht, weil dann Gasstrom da ist. Meine Hexen sind würdige Vertreterinnen meines edlen, ach so wilden Jaguars. Sie sind ja so lieb zu mir, und alle ihre Wünsche sind mit uns.

Donnerwetter, eben sind ganz in der Nähe wahre Bombenteppiche heruntergekommen. Hat das gekracht! Junge, Junge. Die bleichen Gesichter rings umher. Sag mal, war das ein Gruß von Dir? Ein bißchen laut. Und der Boden wankt und bebt. Vorgestern kam eine Karte von Emmi-Luise Kummer, reizend wie immer. Sie schreibt: Gott lebt und wird helfen. Wird er das? Du Mensch, Du? Die Aussichten für Berlin sind wenig rosig. Wenn Berlin Kampfgebiet wird, und das wird es todsicher, im wahrsten Sinn des Wortes, erleben wir Grauenvolles.

Am 15. März 1945 glaubt Irene Cahn, daß sich ihre Schwester Lice immer noch in Theresienstadt befindet. »Ich weiß nicht, ob ich erwähnt habe, daß sich meine Schwiegereltern Paul und Eva Cahn am selben Ort befinden wie Lice, ja sogar in der Bahnhofstraße 25 leben«, schreibt sie an Emmi-Luise Kummer in die Schweiz. »Ob Lice sie wohl kennt und ob meine Großmutter, die auch dort war, Lice sehen konnte?«

Wo, im Keller natürlich. Es ist kurz nach 20 Uhr 30. Heute
hatten wir einen grauenvollen Tagesangriff, 3000 Bomber
über Berlin. Es war tatsächlich der bisher schlimmste Tagesangriff. Bei uns, Gott sei Dank, war nichts weiter davon zu
merken. Wir standen auf dem Steinplatz, der zu unserem
Haus gehört, und sahen die ganze Bescherung fliegen. Fast
ein schönes Schauspiel. Fliegende Silberfische. Wenn Sie uns
zu nahe schienen, rannten wir schleunigst in den Keller zurück. Aber man täuscht sich immer in der Entfernung. Leider
habe ich auch zwei Abschüsse gesehen. Herr und Frau Rauche sowie Herr Wendt wollten die Abspringenden mit eigenen Händen ermorden. Feine Menschheit das. Gnade Gott
den armen Aussteigern. Ob man die Deutschen in England
auch so empfangen will? Daß man sich das hier nicht überlegt. Hoffentlich sind dort Menschen.

Ich liege im Bett mit leichter Grippe. Ich sehe total ver-
heult aus, und zuweilen heule ich auch, wenn keiner hinsieht.
Mir ist so elend und keine Felice da, mit der ich um Tabletten
kämpfen muß. Heute vor 30 Wochen mußten wir uns trennen. Bald ist der 29. März, an dem ich Dir vor zwei Jahren heftig errötend schrieb: »Wann ist unser Hochzeitstag?« Und
dann bald der 2. April. Ich hatte so gehofft, daß bis dahin Berlin schon ein anderes Gesicht trüge. Weiß der Himmel, warum der Russe sich plötzlich so viel Zeit nimmt, Berlin zu erobern. Der Krieg dauert immer noch an. Die Anzeichen der
baldigen Auflösung des Tausendjährigen Reichs häufen sich
zwar. Die Rationen sind erheblich gekürzt worden. Statt Butter gibt es jetzt manchmal andere Fette. Trotz ständiger An-
griffe bekommen wir keine Sonderrationen. Jeden Abend
spricht ein anderer Verteidiger von Berlin im Radio. Sämtliche Brücken Berlins tragen Barrikaden, auch tausende
Straßen zur Erschwerung des feindlichen Durchbruchs. Seit
Beginn der Offensive in Ost und hauptsächlich in West zer-
schlagen die Alliierten systematisch alle Verkehrswege in
Deutschland, alle Industrie- bzw. Lagerräume. Ein ständiger
Hagel von Bomben jeden Kalibers ergießt sich über die
schon so furchtbar verwüsteten Städte und Länder. Jetzt
rückt uns der Krieg schon so verdammt nah. Aber uns dauert

er zu lange, viel zu lange, bis wir endlich Ruhe haben. In Berlin sind alle Männer aufgerufen worden zum sogenannten Volkssturm. Ausgerüstet mit Panzerfäusten sind sie letzten Sonntag auf den Führer vereidigt worden. Brot gibt es jetzt manchmal nachmittags um 5 Uhr schon nicht mehr, und zum Brötchen stellen sich ungeheuer viele Menschen an. Kuchen gibt es selten und wenig.

Lillys Tagebuch, 4. April 1945

Mein Gott, es kann doch nicht mehr lange dauern. Jeden Tag kann es schon zu Ende sein. Neulich setzte abends das Radio einmal aus, und wir dachten schon, der Frieden wäre plötzlich hereingebrochen. Wir können unsere Ungeduld kaum zügeln.

Liebling, in diesen letzten Tagen will mir, das weißt Du noch? nicht aus dem Kopf. Vor zwei Jahren hatte ich Schonung noch sehr nötig. Und was tatest Du Unmensch? Die arme kranke und noch so schwache Aimée kam fast gar nicht zur Ruhe. Wie wenig haben wir in diesen Nächten geschlafen. Mein Herz schlägt rasend bei meinen Erinnerungen. Ach, Felice, Du weißt ja gar nicht, wie sehr Du Dich verändert hast. Aus dem sehr selbstbewußten und doch innerlich einsamen Mädchen ist ein Mensch geworden, der endlich wußte, wohin er gehörte, ein Heim und eine Familie hatte. Wir sind beide miteinander gewachsen. Wie Magneten hat es uns zusammengezogen. Wir wußten ja beide nicht, daß wir unserem Schicksal nicht mehr entrinnen konnten, als wir am 2. April 1943 für immer beinander bleiben wollten. Verliebt waren wir beide, ich scheu und voller Furcht vor dem Unbekannten, und Du sehnsüchtig fordernd mit der geheimen Angst, daß ich mich vor mir selbst entsetzen könnte. Damals wolltest Du fast gar nicht Deinem Glück trauen. Ach, mein geliebtes schwarzhaariges Mädchen mit den großen Ohren.

Am 10. April dankt Irene Cahn Madame Kummer für ihre Bemühungen, Lice in die Schweiz zu bekommen, damit Käte Schragenheim sie nach Palästina holen kann. Offensichtlich hat Lilly Irene in einem ihrer Briefe an Emmi-Luise Kummer über ihre Schwierigkeiten berichtet, Mutti Hulda Karewskis Pelzmantel zu entlocken. »Die Angelegenheit mit dem Pelzmantel ist mir ein Rätsel«, schreibt Irene, »aber auch das ist nicht wirklich wichtig, soll ihn doch die Person, die ihn hat, behalten.«

Lillys Tagebuch, 10. April 1945

Wir haben seit dem 9. April ein neues Kartensystem. Butter fast gar nicht, es heißt jetzt Fett, Brot pro Woche 2000 Gramm, Fleisch 250 Gramm, Nährmittel 225 Gramm, Käse 65,2 Gramm, Marmelade 800 Gramm oder 335 Gramm Zucker, aber Zucker gibt es in der 74. Periode gar nicht, 100 Gramm Ersatzkaffee, Fett 375 Gramm. Es ist ausdrücklich betont worden, daß der Verteiler gerecht verteilen soll. So ist zu erwarten, daß die zuständigen Rationen nicht immer ganz zu erhalten sind. Aus allem macht man jetzt Marmelade. So riet mir meine Mutter, daß ich das auch aus roten Rüben machen kann, um Brotaufstrich zu bekommen. Furchtbar ist diese Brotzuteilung von 500 Gramm pro Woche für die noch nicht Sechsjährigen. Wie soll ich das nur machen? Ich muß doch noch an meine drei denken. Mir ist ganz flau im Magen. Mein Kartoffelvorrat hat schon mächtig abgenommen und meine Nährmittel ganz. Nur zwei Pfund Mehl und drei Büchsen Sahne habe ich noch. Ich habe in der ersten Zeit mit meinen Hexen zu viel verbraucht, das rächt sich jetzt. Natürlich bereue ich das in keiner Minute. Trotzdem ist mir leicht mies, wenn ich an die nächste Zukunft denke. Wie soll ich meinen ganzen Haufen einigermaßen in den gelobten Frieden hineinlotsen, wenn wir nichts mehr zu essen haben? Die Kinder sagen schon oft genug jetzt: »Mutti, ich habe Hunger.« Dieser Scheißkrieg. Das haben wir nun nach allem auch noch auf dem Buckel. Wer weiß, ob wir hier rauskönnen nach dem Krieg. Wer weiß, ob man dann einen Unterschied machen wird zwischen uns und den Volksgenossen. Mein Gott, wie haben wir das alles satt bis obenhin, und wir glauben auch, daß sich hier die Menschen nie ändern werden. Heldenkampf und Antisemitismus. Widerlich. Ich danke. Ich will mit diesem Deutschland nichts mehr zu tun haben. Mit diesem nicht.

Am 9. April werden alle öffentlichen Verkehrsmittel einge-stellt. Am 11. April wird das KZ Buchenwald den US-Truppen übergeben. Am 13. April erobert die Rote Armee Wien.

Lillys Tagebuch, 13. April 1945

Die Westmächte stehen mit ihrer Spitze vor Magdeburg. Hurra. Wer weiß, wann sie Berlin erreichen. Berlin soll nun, wie alle anderen Städte, bis zum letzten Stein und Mensch verteidigt werden. Der Russe ist bei Küstrin und Frankfurt/ Oder stehengeblieben. Die Amerikaner sind kurz vor Leip-zig und nach gestrigem Bericht 60 km vor der tschechischen Grenze. Lieber Himmel, welch ein Tempo! Nun muß ich auch noch jede Hoffnung auf irgendeine Post aufgeben. Wir sind tatsächlich abgeschnitten von außen, eingekreist von den Feinden. Ich bin so unruhig. Wenn es doch bloß noch schneller ginge, ein Ende hätte. Vielleicht wirst Du uns fast verhungert aus Schutt und Asche heraussuchen müssen. Ach Liebling, komm und hol mich. Ich bin ja so ungeduldig, so auch meine Hexen. Albrecht sagt immer, wenn ich weine: »Mutti, Tante Felice kommt wieder« – er hat es gelernt, Feli-ce auszusprechen. Du lebst auch ganz im Herzen meiner/un-serer Kinder. Mein geliebtes Mädchen, vor mir steht Dein Bild. Ich warte so auf Dich. Ich kann nicht ohne Dich sein.

Lillys Tagebuch, 15. April 1945

Ob Du wohl dieses Tagebuch einmal lesen wirst? Wer weiß es denn, was mit uns wird? Wir stehen dicht vor der Entscheidung. Im Osten rückt jetzt der Russe heran. Im Westen an der Elbe der Angloamerikaner. Beide sind ungefähr gleich weit von Berlin entfernt. Ob Berlin Kampfgebiet wird? Der Amerikaner ist durch Thüringen. Ein Glück, daß ich Bernd von dort weggeholt habe. Auf dem Marsch nach Dresden zu. Nun ist Deutschland in zwei Teile geschnitten. Hamburg und Bremen werden in den nächsten Tagen erobert sein. Von Celle kommt auch der Ameri-kaner auf Berlin zu. Wir sind in der Mausefalle. Lange kann es nun nicht mehr dauern. Selbst die ärgsten Nazis bekommen es mit der Angst. Sollen sie nur. Ich gönne es ihnen freudvoll. Kei-ner der Bonzen soll glauben, daß er vor Strafe sicher ist. Wenn es eine Gerechtigkeit gibt.

Heute hatten wir insgesamt 12 Stunden Stromsperre, auch wie eben im Keller. Für die nächsten Tage bis zur Freiheit werden wir wie Ratten im Keller hausen. Ich habe in meinem Keller Platz gemacht für Bernds Feldbettstelle, in der Bernd und ich schlafen. Die drei Lütten schlafen in einem Kinderbett und meine drei auf Sesseln, Lucie leider vor meiner Kellertür. Es war beim besten Willen kein Platz mehr. Alle Koffer und Kisten sind aufeinandergetürmt. Es ist fast dauernd Alarm, und wir sind froh, nicht mehr aus dem Haus laufen zu müssen und Koffer hin- und herzuschleppen. Geschützt sind wir hier natürlich nur vor Bombensplittern. Aber was tut's. Wir sind wenigstens unter uns, ohne das blödsinnige Gerede der Hausbewohner anhören zu müssen. Es kümmert sich gottlob auch keiner um uns acht sehnsüchtig auf die Freiheit Wartenden. Du mußt nun ganz schnell kommen, wenn Du uns finden willst.

Gestern haben sie in drei Wellen das schöne Potsdam, das bisher wie durch ein Wunder verschont geblieben ist, völlig zerstört. Eben höre ich Frau Mory und Frau Eichmann flüstern: »Das hätte ich nicht gedacht. Es ist schlimm, daß es so gekommen ist. Wie schrecklich.« Sie sprachen von den anrückenden Russen und von dem zu erwartenden Großangriff auf Berlin mit sorgenvollen Gesichtern. Mein Gott, wie gönne ich das diesen Leuten! Haben zu jeder passenden und unpassenden Gelegenheit ihre Schnauzen aufgerissen: »Die Juden sind an allem schuld.« Sie wissen Bescheid, und sie glauben fest an den Führer. Feiner Führer das, der für seine hirnverbrannten Pläne ganz Deutschland in Trümmer gehen läßt. Seine höchsten Parteigenossen türmen so weit und so gut sie können. Das Volk kann sterben, und das Volk stirbt.

Am 16. April beginnt die Rote Armee mit ihrem Großangriff auf Berlin. Im Judensammellager in der Schulstraße prügelt sich Walter Dobberke mit zwei besonders fanatischen Gestapomännern, die den RSHA-Befehl ausführen wollen, alle noch verbliebenen Patienten des Jüdischen Krankenhauses – etwa 800 – zu erschießen. Dobberke kann es verhindern.

Lillys Tagebuch, 20. April 1945

Mein Liebling, ob nun bald die Stunde unseres Wiederfindens schlägt? Seit heute morgen ist der Teufel los. Volkssturm und Soldaten müssen sich in Spandau melden. Ab morgen wird der gesamte Verkehr stillgelegt. Berufsverkehr war sowieso seit zwei Wochen von 5 Uhr 30 bis 9 Uhr und von 16 Uhr bis 18 Uhr. Alle Räder sind beschlagnahmt worden, unsere natürlich nicht. Ich war einfach nicht zu Hause. Eine Viertelstunde habe ich gräßlich hinter der Tür gezittert. Dein liebes Rad, um das wir bei unserer Vernehmung am 23. 8. 44 in der Schulstraße so gekämpft haben, will ich nicht hergeben. Lieber schmeiße ich ihnen mein eigenes in den Rachen. Aber auch erst dann, wenn ich es halb zertrümmert habe.

Lillys Tagebuch, 25. April 1945

Meine Süße, nun sitzen wir mitten drin im Dreck. Es hat sich in den letzten Tagen so viel ereignet, wie es sich hier im Tagebuch für Dich nicht unterbringen läßt. Letzten Freitag schrieb ich, es geht endlich los. Aber nur der Russe erobert Berlin. Wo bleiben die Amerikaner? Am Sonntag sind eiserne Rationen ausgegeben worden. An jedem Laden stand ich ungefähr sechs Stunden an. Es gab alles bis auf Brot und Fett. Was man beim Anstehen alles hören konnte! Die wildesten Parolen und viel Entsetzen, daß es nur die Russen sind, die Berlin erobern. Wo bleiben die Westmächte? Die Kinder habe ich seit Montag ganz bei mir. Der Bunker ist geschlossen. Die Schwestern sind getürmt. Mit Bernd und Eberhard bin ich in den verlassenen Bunker eingedrungen und habe das schöne Hitlerporträt zertreten.

Ich schreibe das hier, während zig feindliche Flieger über uns hinwegbrausen, Granaten einschlagen, die eigene Flak in Dahlem schießt und unzählige Bomben fallen. Nerven haben wir nicht mehr. Auf der Straße drängt man sich beim Heranpfeifen der Artillerie an die Hauswände oder verschwindet in irgendeinem Hausflur. Wie schnell hat man eine gewisse Routine, in Deckung zu gehen. Jetzt kommt es uns vor, als ob wir vor acht Tagen noch im tiefsten Frieden gelebt hätten.

Ich sitze in der Küche, habe den Tisch an die Balkontür gerückt und koche auf dem Herd. Es ist kein Gas und fast kein Strom mehr da. Strom zu benutzen ist sowieso bei Todesstrafe verboten. Nur Radio darf man hören wegen der aufmunternden Reden der Verbrecher von oben. Am Horizont sehe ich nichts als Brandwolken und höre unentwegt Maschinengewehrgeknatter. In Dahlem-Dorf sind schwere Kämpfe. Von dort schießen auch die Stalin-Orgeln Richtung Stadtmitte. Volkssturm mit Panzerfäusten vermischt mit Militär ziehen durch Schmargendorf und machen uns sauer bei ihrem Anblick. Wollen sie uns bis zum letzten Stein verteidigen? Denn wir rechnen stündlich mit, peng, eine Bombe, hurra, wir leben noch, unserer Eroberung. Alle Straßen sind verbarrikadiert. Jedes Eckhaus, auf den Balkons, ist zum Maschinengewehrnest ausgebaut worden. Da kann uns ja allerhand blühen, falls unsere Verteidiger uns verbissen verteidigen.

Von meinen Eltern weiß ich nichts. Sie sind längst schon hinter der russischen Kampflinie und befreit vom Hitler-Wahnsinn. Hoffentlich, bei Gott, haben sie es ohne leiblichen Schaden überstanden. Unsere beiden Ringe trage ich nun an einer Schnur um den Hals zur Sicherheit, mein geliebter Mensch. Den Verlust unserer Ringe könnte ich kaum ertragen. Überall vergraben alle plötzlich ihre Wertsachen. Es geht auf einmal das Gerücht, der Eroberer requiriert alle Wertgegenstände. Alle Wetter! Das kracht und knattert. Immer näher rückt uns die Front. Bernd, blaß wie seine Kellerbrüder, kommt eben aufgeregt: »Mutti, sie rücken vom Schumacherplatz vor.« – Ganz in unserer Nähe, und wir sitzen hier in aller Gemütsruhe! Neben dem Wartehäuschen der Straßenbahn können wir Soldaten unserer stolzen Wehrmacht beobachten, die sich dort eingegraben haben. Die armen Hunde tun uns trotzdem leid. Wußtest Du eigentlich, daß in der Wartehalle an der Wand stand: »Für Juden verboten, auf den Bänken zu sitzen«? Ich habe es nie bemerkt, wenn wir dort saßen. Alle Arbeitsstätten sind geschlossen. Keine Bahn fährt mehr. Keine Straße ist offen. Fast alle Geschäfte sind geschlossen. Na herrlich, dieser Krieg. Der Himmel sei uns gnädig. Und in zwei Wochen werden wir nichts mehr zu essen haben, wenn nicht ein lächerliches Wunder geschieht. Ob wir Eroberung und Hunger überstehen? Bete nun Du für uns, mein einziger Mensch. Vielleicht spricht dann nur noch dieses Tagebuch von meiner großen Liebe. Großer Gott, laß uns uns wiederfinden. Mach Du uns vergessen, gemeinsam, was wir gelitten haben. Großer Gott. Ich liebe Dich, Felice Schragenheim, bis in den Tod.

10

Am 2. Mai erreicht die Rote Armee Berlin. Wegen des großen Steinplatzes neben dem Haus wird die Friedrichshaller Straße 23 von den Sowjets requiriert und als Kommandantur eingerichtet. Auf dem Platz stellen sie Stalinorgeln auf und beschießen das Zentrum. Der Lärm ist unbeschreiblich.

Lilly geht in die Offensive. »Wohin mit kleinen Kindern?« herrscht sie den Offizier an und schlägt den Mantelkragen hoch, unter den sie Felices gelben Stern genäht hat. »Wir nix Nazis, wir Juden. Krieg aus, ihr unsere Befreier.«

Erst der dritte herbeigeholte Offizier begreift, und Lilly bekommt tatsächlich für alle acht Mitglieder ihres Haushalts Schlafplätze zugewiesen, im Keller der Post am Kolberger Platz. Zwei Tage und zwei Nächte verbringen sie in dem Sammellager inmitten von etwa 100 Frauen und Kindern. Viertelstündlich kommen Sowjetsoldaten herein und holen Frauen zur Vergewaltigung nach oben in die Post, wo die Offiziere ihr Quartier aufgeschlagen haben. Viele verrichten ihr Eroberergeschäft aber auch gleich an Ort und Stelle.

Lilly sitzt auf einem Stuhl neben ihrer schlafenden Kinderschar.

»Du Frau, komm!« Ein Gewehrkolben bohrt sich ihr in die Seite. Einer reißt sie hoch. »Matka«, ruft ein anderer und drückt sie mit dem Gewehr so fest in den Stuhl zurück, daß sie noch tagelang später einen Bluterguß hat. Aber nicht immer bieten Kinder Schutz. Viele Mütter werden vor den Augen ihrer Kinder vergewaltigt. Manche Frauen retten sich in derbe Witze oder scheinbare Gleichgültigkeit. »Aua, du zerreißt mir ja mein Höschen«, tönt es aus der Dunkelheit. »Der hat mir gar nichts getan«, meldet eine andere, »wußte wahrscheinlich nicht wie.«

Starr vor Angst machen sich viele Frauen wie Opferlämmer bereit, noch ehe sie überhaupt aufgefordert wurden. Weinend gibt eine junge Frau Albrecht ein Stück Schokolade, das ihr ein Sowjetsoldat geschenkt hat. »Behalten Sie sie doch, ist doch teuer erkauft«, lehnt Lilly ab. Einer reißt die Decke vom Bett, in dem Petel an Katja geschmiegt schläft, und schnauft unwillig, hat sie wohl für einen Mann gehalten.

»Hast du was mitbekommen, weißt du, was passiert ist?« fragt Lilly Bernd. »Nein«, lügt dieser, und Lilly erspart sich die Erklärung.

»Die sollen froh sein«, kommentiert Gregor kaltschnäuzig, »haben doch schon lang keinen abbekommen.«

Bernd Wust

> Vor der Post am Kolberger Platz nahm uns der Offizier mit auf den Hof. Da war typisches Militärleben, für mich als Junge sehr interessant. Ich hab drei Tage später sämtliche Schulterstücke auswendig gewußt. Die haben uns dann im Keller untergebracht, und da waren die Vergewaltigungen. Was physisch passiert ist, hab ich nicht mitgekriegt, aber ich hab das Gebrüll gehört, die Zusammenhänge sind mir nicht klar gewesen. Als ich Mutti dann fragte, weil alle Welt von Vergewaltigung gesprochen hat, hat's ein Riesengelächter gegeben, das weiß ich noch.
>
> Die Russen kamen die eine Treppe runter, und zweimal ist es gelungen, daß ein beherzter älterer Mann die andere Kellertreppe hinauf ist und einen Offizier geholt hat. Und da hab ich erlebt, daß ein Offizier einen Soldaten derartig grün und blau geschlagen hat, daß der praktisch kaum mehr gelebt hat. Da ist dann ein anderer hochgegangen, der ist gleich die Treppe wieder runtergeflogen, weil oben noch einer stand.

Während die meisten Frauen sich in die finsterste Ecke verkriechen und nicht wagen, auch nur einen Schritt vor die Tür zu setzen, zieht es Lilly hinaus ins Freie. Die ängstliche Lucie versucht vergeblich, sie aufzuhalten.

»Mensch, das sind doch unsere Befreier, kapierst du nicht?«

Auf einem ihrer Streifzüge macht Lilly die Bekanntschaft des Kommandanten der Gegend, eines jüdischen Leutnants namens Kurzcinsky, der nur davon träumt, endlich wieder Mathematiker am Kiewer Observatorium zu sein. Als Lilly sich als »Ivrej« ausgibt, verschafft er ihr in der nahgelegenen Reichenhaller Straße ein Zimmer bei einer gebürtigen Russin.

»Aber seien Sie vorsichtig, man mag uns auch hier nicht«, warnt Kurzcinsky.

Zu acht haben sie ein Bett, in dem Lilly und die Kinder schlafen. Katja kriegt den Sessel, Petel den Stuhl, die körperlich geschwächte »Seniorin« Lucie schläft im Liegestuhl. Als Katja diesen unbedingt für sich beanspruchen will, wird Lilly grob.

»Ihr wollt Freundinnen sein, pfui Deibel! Schämt euch, euch so zu benehmen!«

»Lilly, laß doch«, besänftigt Lucie und tastet in der Finsternis nach ihrer Hand. Katja ist in der schweren Zeit der gemeinsamen U-Boot-Existenz von ihrer Geliebten Lucie zu Petel übergewechselt. Jetzt, da die Lebensgefahr vorbei ist, beginnt das labile Dreiecksverhältnis zu bröckeln.

Kurzcinsky versichert den Frauen, daß sie unter seinem Schutz stehen und die Tür nicht abzuschließen brauchen. Einer der sowjetischen Offiziere, die im Haus ein- und ausgehen, spielt manchmal mit den Kindern. Für Lilly zeichnet er vier Tannen. »Du verstehen?« – »Ja«, antwortet Lilly.

Dann zeichnet er noch eine Tanne dazu. »Du verstehen?« – »Nein«, antwortet Lilly.

Er wiederholt sein Angebot, diesmal mit Äpfeln. Als Lilly wieder nicht verstehen will, setzt er an, wütend zu werden, muß aber dann furchtbar lachen und trollt sich. Vorsichtshalber schließt Lilly die Tür nun doch ab. Kurz darauf werden sie von heftigem Klopfen aufgeschreckt. Mit angehaltenem Atem warten sie, bis die Stiefelschritte im Hausflur verhallt sind. Als sie die Tür öffnen, treten sie beinah in drei geöffnete Büchsen Konservenfleisch.

Die Reichenhaller Straße gleicht einem Zeltlager aus dem

Dreißigjährigen Krieg, so voller Pferde, daß es kaum ein Durchkommen gibt. Gegenüber ist die vertraute Eisdiele, der Weg nach Hause so nah, und doch scheint die Distanz unüberwindbar. Erst nach fünf Tagen wagt sich Lilly zur Friedrichshaller Straße hin, um für die Kinder Kleider zu holen, mit Eberhard an der Hand als Schutz. Doch kaum ist sie im Treppenhaus, läuft ihr ein sowjetischer Offizier hinterher.

»Neenee, was du denkst, das issnich«, sagt Lilly mit erhobenem Zeigefinger.

Die Sache endet unentschieden. Er redet auf Russisch auf sie ein, sie redet auf Deutsch auf ihn ein. Jedesmal, wenn Lilly sich anschickt, die Treppe hochzusteigen, folgt er ihr dicht auf den Fersen. Schließlich gibt Lilly auf, aber Eberhard bekommt von ihm ein Stück Brot und eine Dose Ölsardinen.

Eberhard Wust

> Auf dem Kolberger Platz war ein Löschteich, der wurde dann nach dem Krieg vollgeschüttet mit allen möglichen Trümmern, die man abgeräumt hatte. Da haben wir als Kinder gespielt und immer wieder was Interessantes gefunden. Als die Russen kamen, gab es zum ersten Mal wieder Brot. Ich kann mich erinnern, daß wir uns irgendwo mit Mutti angestellt haben, und da wurde Brot verteilt. Da wurde mir ein Stück Brot gegeben, und ich sollte es sofort aufessen, was mir unangenehm war, das trockene Brot. Das wurde mit einem Messer abgeschnitten und als Vierecke verteilt, nicht als Stulle. Hunger? Man mußte alles essen, was auf den Tisch kam. Ich kann mich erinnern, daß Mutti eine Mehlsuppe gekocht hat, ein bißchen Mehl angebrannt und mit Wasser vermengt, viel mehr war's nicht. Aber sie hat es versalzen gehabt, und dann waren wir gezwungen das zu essen.

Nach einer Woche dürfen sie zurück in die ramponierte Wohnung. Beide Grammophone, die Fahrräder, alle ihre Schallplatten sind gestohlen. Einen Teil der Wäsche und des Silbers findet Lilly später im Keller. Als Kurczinsky aus Berlin abgezogen wird, erbittet er sich als Souvenir Felices gelben Stern.

Lilly macht sich einen neuen. Und auf dem Dielenfußboden vor der Wohnungstür zeichnet sie als magisches Auge mit Kreide Nacht für Nacht einen riesigen Davidstern, den sie aus Angst vor den Nachbarn am Morgen wieder wegwischt.

Zehn Tage nach Kriegsende ziehen Katja und Petel zurück in Katjas Wohnung in Steglitz. Sie finden sie genauso vor, wie Katja sie 1939 verlassen mußte, sogar die Bilder hängen noch an den Wänden. Lucie Friedlaender, die mit Felices Mutter zur Schule gegangen ist, zieht zu Lilly. Die wuchtige große Frau redet unentwegt vom Essen.

Lillys Tagebuch, 12. Juni 1945

> Leider klappt es mit den versprochenen Lebensmittelzuteilungen überhaupt nicht. Oft habe ich für die Kinder nur Wassersuppe mit einigen Graupen als Einlage und manchmal etwas Grün drin. Brot ist schlecht und wenig. Ich bin den ganzen Tag mit dem Kochen von irgendwelchen Ersatzaufstrichen aus den unmöglichsten Dingen beschäftigt. Ich koche meine Suppe auf einem umgedrehten Bügeleisen. Strom ist da, Gas noch nicht. Und Holz oder Kohlen für den Herd habe ich auch nicht. Schon manches Möbelstück, das ich nicht unbedingt brauche, habe ich zerhackt. Ruinen werden nach Brennbarem durchsucht, Zäune bei Nacht gestohlen. Jeder hat Holzaugen für seine warme Mahlzeit.
>
> Und nun, meine Geliebte, nun warte ich qualvoll, angstvoll auf Dich. Alle meine Lieben warten mit mir. Ich zittere bei jedem Laut, bei jedem Schritt. Meine Ohren narren mich bei jedem Geräusch. Ich kann nicht mehr Geduld haben. Überall, wo ich bin, ob zu Hause oder auf der Straße, meine ich in meiner überreizten Erwartung Deine Stimme zu hören: »Aimée«. Felice, um Gottes willen, komm. Ich kann es nicht mehr aushalten. Wann bist Du endlich wieder lebend in meinen Armen? Deine Aimée, unsere Kinder, unser Heim warten und warten. Komm, dieses Warten ist furchtbar.

Lilly beginnt, Felice zu suchen. Während Frau Kappler oder Lucie bei den Kindern bleiben, rennt sie unentwegt durch die zerbombten Straßen, in denen der Endzeitstimmung zum Trotz der Flieder blüht, stellt Nachforschungen an, hängt Suchanzeigen aus, läßt Felice im Radio ausrufen, schreibt Briefe an Leute, von denen sie über Hörensagen erfahren hat, sie seien in Groß-Rosen gewesen, läßt Felice über die UNRRA[11] suchen. Auf dem Weg zum Roten Rathaus dringt bestialischer Leichengestank aus der gesprengten S-Bahnstation am Potsdamer Platz. In der Französischen Straße entdeckt sie in einem Laden ein einsames Steckenpferdchen für die Kinder. Mit ihrer Trophäe in der Hand macht sie sich auf den Rückweg. Auf der menschenleeren Straße kommt ihr ein Mann entgegen.

»Mensch, Mädchen, was loofste denn, kannst doch reiten.«

Lilly läuft in die Iranische Straße. Auf dem Weg trifft sie auf Menschen in gestreiften Sträflingsanzügen. Sie tanzen und lachen. Die ganze Straße sperren sie ab. Lilly spricht alle an: Woher kommt ihr? Was wißt ihr über Groß-Rosen? Gegenüber dem Jüdischen Krankenhaus ist ein stattliches Gebäude mit großen Verandafenstern, in dem aus den Lagern zurückgekehrte Menschen in hellen geräumigen Sanatoriumszimmern Aufnahme finden. Lilly hängt eine Suchanzeige aus und klopft an jede Tür, um nach Felice zu fragen. Auch nach der holländischen Jüdin sucht sie, neben der Felice im Trachenberger Krankenhaus gelegen hat.

Nie!

Die Zeit fliegt seltsam schnell dahin,
die Stunden drehen sich gelassen –
es deucht mich ohne Sinn:
das Warten ... hast Du mich verlassen?

Hoffnung ist des grauen Tags Gewinn,
des Nachts muß ich die Träume hassen –
es deucht mich ohne jeden Sinn:
das Warten ... hast Du mich verlassen?

11 United Nations Relief and Rehabilitation Administration. – Organisation der Vereinten Nationen für Hilfe und Wiedergutmachung

Ich gebe mich dem Zweifel hin,
Eifersucht treibt mich durch die Gassen –
es deucht mich ohne jeden Sinn:
das Warten ... hast Du mich verlassen?

Und tief in meinem Herzen drin
bin letzten Endes ich gelassen –
es hat für mich doch einen Sinn:
Du wirst mich lebend nie verlassen!

[Lilly, 3. 8. 1945]

Am 12. August gelingt es Lilly, Irene einen Brief nach London zu schreiben. Überbringer ist Richard Cahn, Irenes
Schwager, der seinen Namen in Collins umgeändert hat und
als britischer Soldat in Deutschland stationiert ist.

Liebe Irene,

wie froh bin ich, wir können uns jetzt endlich richtig verständigen. Es wird Dir schmerzlich sein, daß ich Dir nichts Ge-
naues von Lice berichten kann. Was gäbe ich dafür, wenn ich
es könnte. [...] Als ich nach dem 21. August so viel alleine war,
habe ich immer wieder Eure Bilder vorgeholt. So wart Ihr wenigstens bildlich in meiner Nähe. Alle Eure Bilder sowie
sämtliche Papiere (Stammbuch, Testament usw.) befinden
sich in meinem Besitz, ich habe sie ständig mit mir herumge-
schleppt – wegen zahlreicher Bomben – und eisern gehütet.
Wie gut, daß ich von Haussuchungen – mir zwar unverständlich – verschont geblieben bin. Hat Dir Dein Schwager erzählt, daß ich Euch »an den Wänden« habe? – Es wird Dir
vielleicht etwas merkwürdig vorkommen, denke aber bitte
immer daran, daß Du mir sehr vertraut warst als die Schwester Lices, und ich bitte Dich herzlich, einen kleinen Teil Deiner Neigung zu Deiner Schwester auf mich zu übertragen.
Ich bin für Dich natürlich fremder als Du für mich, aber ich
hoffe sehr, daß sich das sehr schnell gibt, wenn wir uns – und
ach Gott hoffentlich bald – allesamt wiedersehen bzw. kennenlernen. [. . .] Liebe Irene, Deine Schwester war so
unsagbar tapfer, wie ich noch nie einen Menschen gesehen

habe; ich bin fest davon überzeugt, daß sie der Engel aller ihrer Mitleidenden war. Ende Januar, Anfang Februar war der Russe schon in der Gegend. Es ist also mit Sicherheit anzunehmen, daß sie lebt. Wo mag sie sein? Bis jetzt ist nur ein Bruchteil derer zurückgekommen, die alles überlebt haben. Sie weiß ja genau, wie sehr ich auf sie warte, sie will ja auch nichts anderes als nach Hause kommen. Jeden Tag, jede Stunde erwarte ich sie – das Warten ist furchtbar. Ich habe sie schon 3 x durch das Radio rufen lassen, und im Lager in der I. Straße hängt sie mit Lichtbild aus. Ich habe alles getan, was ich konnte; ich gehe jede Woche zur Gemeinde, um etwas zu erfahren. Vielleicht habe ich eines Tages Glück.

Lillys Tagebuch, 15. August 1945

Ich fürchte mich so sehr vor dem kommenden 21. August. Könnte ich doch Irene eine bessere Nachricht geben als die, die ich ihrem Schwager Richard Cahn, der als Besatzungssoldat in Spandau, englischer Sektor wie Wilmersdorf, stationiert ist, mitgab nach England. Von Lice, ihr doch vertrauter, habe ich ihr geschrieben. Ich möchte später, oh mein Gott, hilf uns doch, auch Lice sagen. Es klingt so zärtlich. Du meine tapfere Lice.

Seit wir eine englische Besatzung haben, ist es allmählich besser geworden mit den Rationen. Aber es ist viel zu wenig, und da wir nicht arbeiten – jeder möchte schon –, bekommen wir die niedrigste Karte 5. Auch Lucie.

In der letzten Zeit habe ich nur noch Kummer mit ihr. Nachts kann sie nicht schlafen, und am Tage steht sie erst nachmittags auf. Die einst so überpenible Frau vernachlässigt sich in einer Form, daß man es kaum mitansehen kann. Immer klagt sie. Alles und jedes ist ihr zu viel. Sie war schon nicht mehr gesund, als sie zu mir kam. Sie hat mir einmal gesagt, daß sie fühlt, daß ihr altes Nervenleiden wiedergekommen wäre. Ich habe Bände gesprochen, um ihr diese Stimmung aus dem Kopf zu reden. Manchmal bin ich grob geworden. Mein Himmel, ich hatte doch auch genug Sorgen. Die Kinder sehen erbärmlich aus. Immer sind sie hungrig. Es fehlen ihnen Vitamine und genug Fett. Es gibt doch nichts als das bißchen Ration.

Am 17. August erhält Lilly aus Berlin-Heiligensee eine Postkarte von Ilse Ploog, die ihr Herz höher schlagen läßt:

Lilly,
unser Stift lebt! Arthur hat im Zug nach Eberswalde einen
Mann getroffen, der im April mit dem Stift zusammen in
Groß-Rosen war. Er – der Mann – behauptet, auch hinterher
den Stift noch in der »Freiheit« getroffen zu haben und erin-
nerte sich ganz genau dran. Der Stift hätte irgendwohin –
den Ort hatte er vergessen – für 4-5 Wochen zur Erholung
fahren wollen. Da ich nicht genau weiß, ob ich es schaffe,
morgen oder übermorgen, wenn ich in die Stadt komme, mit
zu Ihnen heraufzukommen (was ich eigentlich wegen der
Brotmarken unbedingt will), schreibe ich diese Karte wenigstens als erste Nachricht. Es ist schließlich wichtig genug, und
früher hätte ich mitten in der Nacht das Telefon ergriffen.
Aber meine Zeit in Berlin ist beschränkt, denn Arthur ist
krank und liegt im Bett. Ich hoffe, daß diese Karte ein Luxus
ist und der Stift bereits wohlbehalten bei Ihnen eintrudelte.
Was das Schönste wäre!

Am 17. August vergiftet sich Lucie mit Veronal.

Lillys Tagebuch, 17. August 1945, nachts 1 Uhr

Ich habe sie um 11 Uhr nachts auf einem Handkarren ins
Martin-Luther-Krankenhaus gebracht. Eineinhalb Stunden
bin ich rumgeirrt nach irgendeinem Transportmittel. Dann
hat mir die Feuerwehr mit diesem zweirädigen Karren ausge-
holfen. Beinahe wollten sie Lucie wegen Überfüllung des
Krankenhauses nicht aufnehmen, bis ich Krach geschlagen
habe.
    Sie muß das Veronal die Nacht zuvor genommen haben.
Da ich wußte, daß sie immer etwas nahm zum Schlafen, habe
ich sie – ich hatte an dem Tag Großwaschtag – schlafen lassen.
Vormittags war ich mal drin bei ihr, weil ich eine Karte von Ilse bekommen hatte, in der stand, daß Arthur in Eberswalde
einen Mann getroffen hätte, der behauptete, Dich zu kennen.
Ich bin laut weinend zu Lucie ins Zimmer gestürzt mit der
Karte, aber sie schlief. Da wollte ich sie nicht wecken.

Nachmittags kam eine Frau und brachte von Petel ein halbes Pfund Graupen für sie. Lucie schlief noch immer. Die Verdunkelung war runter, und ich habe nur das Fenster aufgemacht. Es war heiß und dunkel im Zimmer.

Abends gegen 6 Uhr wollte ich weggehen zu Bekannten, und als ich noch einmal zu Lucie reinging, schlief sie noch immer und genauso wie die ersten Male. Sie war zugedeckt bis zum Hals. Da Schweißtropfen auf ihrer Stirn standen, deckte ich sie etwas auf, und da sah ich, daß sie vollkommen angezogen war. Jetzt ahnte ich, daß sie sich vergiftet haben könnte. Durch Petel wußte ich von gehorteten Tabletten, und ich wußte, wie lebensmüde sie war.

Wäre ich doch nicht so unerfahren gewesen, wie Vergiftete schlafen, hätte ich sie schon nachmittags ins Krankenhaus bringen können. Zwar ahnte ich nun, daß etwas geschehen war, aber glauben konnte ich es doch nicht ganz. So bin ich zu Rosel gegangen, und es ist dann natürlich doch später geworden. Als ich um halb neun nach Hause kam und Lucie unverändert schlief, bin ich im ganzen Haus herumgerannt. Niemand wußte mir zu helfen. Schließlich hat Bernd Dr. Kain, unseren Kinderarzt, geholt. Er gab Lucie eine Spritze und mir wenig Hoffnung.

Lucie wollte nun im Unterbewußtsein fortwährend aufstehen. Solange ich umherirrte, um irgendein Fahrzeug aufzutreiben, über eine Stunde, mußte der arme Bernd die arme Frau immer wieder zurücklegen. Auf mein lautes Anreden reagierte sie nicht.

Mit der mühevoll ergatterten Karre sind wir dann nach der Sperrstunde zum Krankenhaus mehr gerannt als gelaufen, dreimal angehalten vom englischen Militär. Der Nachtarzt gab Lucie eine Spritze und forderte mich auf, Lucie laut anzurufen. Ich rüttelte sie und rief sie immer wieder beim Namen. Sie reagierte undeutlich, aber doch mit Ja. Ich versuchte sie weiter aus ihrer Bewußtlosigkeit zu holen, aber nun wollte sie wohl nicht mehr. Sie wurde nur noch unruhig. Der Arzt gab es auf und schickte mich nach den Formalitäten nach Hause. Arme Lucinde.

Lilly

Lucie hat diese plötzliche Freiheit nicht überstanden. Ich habe Bände gesprochen mit ihr. Sie wird die erste sein, die aus Deutschland rauskommt, und es wäre wirklich so gewesen. Ihre Schwester hat sofort eingereicht, um Lucie nach Australien zu bekommen. Lucies andere Schwester hat man frisch operiert aus dem Sanatorium in der Joachimstaler Straße abgeholt und nach Auschwitz gebracht. Auch nach ihr hab ich geforscht. Sie ist schon auf dem Transport gestorben.

Daß Petel Lucie verlassen hat, war eine Tragödie für Lucie und sicherlich mit ein Grund. Petel hätte sich mehr um sie kümmern müssen. Ich war doch ein total zerrissener Mensch. Ich bin wahnsinnig gewesen die erste Zeit. Bei jedem Klingeln, bei jedem Schritt habe ich unentwegt gedacht, Felice kommt zurück. Und das wußte Lucie genau. Keiner konnte das besser verstehen als sie. Ich sprach vom Sterben, ich wollte nicht leben. Und da hat sie gesagt: »Weißt du, Lilly, es stirbt sich nicht so schnell.« Da hatte sie den Vorsatz längst gefaßt.

Einmal komme ich rein, und sie jammert. Da hab ich ihr übers Haar gestrichen und sie umarmt. Und da hat sie mich so hungrig umarmt, das werde ich nie vergessen. Daß ich das nicht öfter getan habe, habe ich mein Leben lang bereut. Aber ich war ja unentwegt beschäftigt mit den Kindern und mit dem Zubereiten von irgendwelchem undefinierbaren Fressen, Freßchen. Und Lucie wurde immer apathischer und apathischer, konnte nichts mehr essen.

Am 18. August erreicht Lilly eine erste Reaktion auf ihren Aushang im Jüdischen Krankenhaus. Die deutsche Schreibschrift ist zittrig, wie von einem alten Mann.

15. 8. 45
Frl. Schragenheim ist denselben Weg wie meine Tochter gegangen und dürfte deshalb auch in
B e r g e n – B e l s e n
sein. Näheres mündlich. 12-13h, 18-19h.
                    Hochachtungsvoll
                              Dr. Grünberger
Iranische Straße, Zimmer 70.

Am nächsten Tag stürzt Lilly in die Iranische Straße. Der ungefähr vierzigjährige Dr. Grünberger ist eben aus Auschwitz zurückgekehrt. Er spricht mit einer liebenswürdigen leisen Stimme. »Puppe«, seine Tochter Hanne-Lore, sei in Groß-Rosen gewesen. Das Lager sei Ende Januar 1945 aufgelöst worden, und die Frauen seien nach Bergen-Belsen gekommen. Er verspricht, seine Tochter nach Felice zu fragen und Lilly möglichst bald zu besuchen.

Danach eilt Lilly nach Neukölln zu einer Frau Linke, die sich ebenfalls auf ihren Aushang gemeldet hat. Sie war mit Felice zusammen in Theresienstadt. Die Jungen hat man getötet, uns Alte hat man übriggelassen, sagt sie und weint. Felice sei in Theresienstadt ein Engel gewesen, einfach nicht zu beschreiben. Sie habe eine große Ruhe und Zuversicht ausgestrahlt. Felice sei immerzu mit einer Frau in Hosen zusammengewesen, erzählt sie.

Lillys Tagebuch, 21. August 1945

6 Uhr 30. Ein Jahr ohne Felice. Mein Herz ist schwer wie Blei. Jetzt mache ich schnell die Wohnung in Ordnung und dann mich schön. Für Dich, Felice. Vielleicht bringt uns dieser furchtbare Tag der Erinnerung etwas Besseres. Ach Geliebtes, ich zittere vor Schmerz. Gestern war Lilo bei mir. Alle, alle trösten mich und machen mir Hoffnung.

Auch Frau Linke, bei der ich am Sonntag war. Felice, wer war die Frau in Hosen, mit der Du immer in Theresienstadt zusammen warst? Die Sternberg? Ich berste vor Eifersucht, und die Linke lächelte, als sie es leider bemerkte. Mich hat, lächerlich, der Argwohn in den Klauen. Hast Du in diesem Jahr Deine zitternd auf Dich wartende Aimée so schnell vergessen? Ich liebe Dich so sehr. Ich kann nicht ein winziges Stück von Dir abgeben.

Nachts, ungefähr 12 Uhr:
Heute wäre ich so gern allein geblieben. Nur auf Dich wollte ich warten können. Aber kurz nachdem Rosel gegangen war, kam Gregor. Ich begleitete ihn ein Stück und ging zu Lucie ins Krankenhaus. Sie lag festgebunden. Sie war in ihrem

Todes- oder Lebenskampf vorgestern aus dem Bett gefallen und hatte sich den Kopf aufgeschlagen. Ich stand mit unendlicher Trauer an ihrem Bett und strich ihr übers Haar. Was konnte ich noch für sie tun? Vielleicht ist es das Beste für sie, wenn sie stirbt.

Wieder zu Hause, überraschte mich Käthe Herrmann. Das heute! Die Gute sah sehr zerzaust aus. Ich konnte mir manches nicht verkneifen. Ob sie denn nie gemerkt hätte, daß Du Jüdin seist, und Gregor, Ilse, Lilo und so weiter und so weiter. Sie will natürlich nun nichts gewesen sein. Eine Stunde später erschien unerwartet Herr Dr. Grünberger. Käthchen gab ihm artig die Hand. Man denke, einem Juden! Ich hätte vor Bosheit kreischen können. So hysterisch war mir zumute. Es war ihr aber nicht wohl in ihrer Haut, als sie, ohne mit der Wimper zu zucken, mitanhören mußte, was man Euch alles angetan hat. Es hat ihr wahrlich nicht geschadet. Ich mag sie im Grunde ja doch leiden. Du ja auch. Sie ist trotzdem ein netter Kerl.

Denk Dir, Dr. Grünberger, der Gute, hat ein Brot, eine Büchse Leberwurst, ein halbes Pfund Trockenmilch, ein viertel Pfund Margarine und 10 Stückchen Zucker für uns mitgebracht. Die Freude und welch ein Opfer. Ich bin ihm doch ganz fremd. Er war Anwalt in Breslau. Ist Optimist genug zu glauben, daß ihm die lieben Aufbewarier alle seine schönen Sachen wiedergeben werden.

Während ich ihn zur Bahn brachte, war inzwischen Petel gekommen. Sie kam gerade vom Martin-Luther-Krankenhaus, und der Arzt hatte ihr gesagt, daß Lucie wohl kaum diese Nacht überleben würde. Uns war ganz merkwürdig, zu denken, daß wir Lucie nie wieder lebend sehen würden. Petel war traurig und gedrückt. Was sollte ich ihr sagen? Niemand soll jemanden anklagen, aber ich mußte doch an den kleinen Zettel denken, den ich in Lucies Handtasche gefunden hatte, als ich nach ihren Papieren suchte, die ich für das Krankenhaus brauchte. Obwohl ich mein Schulfranzösisch so gut wie ganz vergessen habe, konnte ich doch so viel verstehen, daß die paar französischen Worte ein einziger Hilfeschrei an Petel waren. Hätte sich doch Petel ein bißchen mehr um Lucie gekümmert.

Und ich bin traurig. Wenn ich auch viel Mühe mit Lucie

hatte, aber sie war doch da, und nun bin ich noch mehr alleine. Lucie hat es trotz allem besser. Sie ist ja nicht nur psychisch kaputtgegangen. Die Hungerkarte Nr. 5 tat ein übriges dazu. Es ist ein Skandal, daß die überlebenden Juden ebenso Karte 5 bekommen wie die schlimmsten Nazis. Jetzt erst soll das geändert werden. Inzwischen ist Lucie verhungert. Ich werde mein Leben lang die Alliierten dafür verantwortlich machen.

Ich habe eine wahnsinnige Angst, Du bist ins Ausland gegangen. Ich hörte von dieser Möglichkeit. Bist Du das? Und ich warte hier und denke manchmal blödsinniges Zeug. Weiß Du, daß ich auf mein Leben warte? Komm, egal woher, und nimm mich in Deine Arme. Laß uns die Welt und ihren Wahnsinn vergessen. Großer einziger Gott, gib mir mein Mädchen wieder. Ein Jahr alleine, ein ganzes Jahr lebte ich nur mit meiner Erinnerung und ein ganzes Jahr mit der qualvollen Hoffnung, Dich wiederzusehen. Großer Gott, ich kann fast nicht mehr beten.

In der Nacht vom 21. auf den 22. August 1945 stirbt Lucie Friedlaender im Martin-Luther-Krankenhaus in der Auguste-Viktoria-Straße. Am 26. August wird sie auf dem Jüdischen Friedhof in Weißensee begraben. Es ist dort die zweite Beerdigung seit Kriegsende. Petel und Lilly sind die einzigen Trauergäste. »Wie wir da hinterher gelaufen sind, hatte ich das Gefühl, Millionen gehen hinter uns«, schreibt Lilly in ihr Tagebuch.

Im September erhält Lilly die Antwort auf ihren langen Brief an Irene vom 12. August:

Ich habe an Frau Kummer vorige Woche sofort nach Richards erstem Bericht über Euer Treffen geschrieben. Sie hat natürlich für Lice nichts weiter erreichen können, aber ich hoffe so sehr, daß sie bald bei Dir sein wird. Es kann ihr einfach nichts passiert sein, nicht? Ich habe heute eine Freundin von Mutti gesprochen, die meint, daß Lice ja jede Sprache in 5 Minuten lernt und sich in jedem Land durchsetzen würde. Das glaube ich ja auch, aber ich möchte doch sehr gerne wissen, wo sie ist. [...] Hat Lice wirklich was an der Lunge zurückbehalten vom Scharlach? Mrs. Kummer schrieb was darüber. Diese rührende Seele hat sich ja auch für Lice die Seele aus dem Leib gerannt. Und es ist bestimmt nicht ihre Schuld, daß Lice nicht in der Schweiz ist. Wer weiß, wozu es gut ist.

Erinnerung.

Jeder Atemzug, den ich verhauche,
ist eine Erinnerung an Dich,
in die ich strömend untertauche –
und manchmal weine ich bitterlich.

Dann lebe ich in der Zeit, die einmal war,
versinkt das Heute vor dem Gestern.
Ich wühle in Deinem duftenden Haar
und höre Dich spotten und lästern.

So fest schmiege ich mich in Deinen Arm,
unwiderstehlich ist Dein Lachen –
betört und verzaubert von Deinem Charme
und furchtbar ist dann das Erwachen.

[Lilly, 26. 10. 1945]

Lillys Tagebuch, 9. 12. 1945

Ich muß daran glauben, du mußt leben und wirst eines Tages, vielleicht doch bald schon, großer Gott, barmherziger Gott, vor meiner Tür stehen und nichts anderes als »Aimée« sagen. Dann werde ich in Deine Arme stürzen und die letzten Tränen weinen, die ich dann zu weinen habe. Alles Vergangene will ich Dich vergessen machen und Dir das Beste, was ich habe, geben, mein Leben für Dich bis in den Tod. Felice, mein Liebchen, komm in meine Arme, ich möchte Dich küssen, ich möchte Deinen weichen Mund auf meinem spüren. Diese Erinnerung an Deinen Mund, ich fühlte eine ganze Welt sich drehen und brausend strömte mir das Blut durch den ganzen Körper. Weißt Du es noch, ich trank Deine Küsse willenlos, nicht mehr Herr meiner Sinne. Jedes Bewußtsein war ausgeschaltet in der Glut meines Herzens, und ich war verloren an Dich, verging im Taumel des Gefühls, endlos

Mund an Mund. Und ich genoß diese wilden Küsse und ich war eins mit Dir. Unsere Körper preßten sich aneinander, machtvoll getrieben von unserem gemeinsamen Wollen. Fordernd glitten Deine Hände über meinen Körper, strichen über meine Brüste, über meinen Leib und dann, dann nahmst du mich. Und ich Dich. Ich gab zum ersten Mal in meinem Leben, ich nahm nicht nur, ich forderte auch. Wie heiß liebte ich Deinen Körper, wie sehr liebte ich ihn. Und ich tastete mit meinen Händen über Deinen so geliebten Körper, und du stemmtest Dich dagegen, ergabst dich mir, zuerst angespannt und hart und dann erlöst, befreit gabst du nach, stöhnend aufgewühlt. Dann küßte ich Dich rasend, bar aller irdischen Vernunft. Alles strömte in uns und um uns herum im rauschenden Wirbel des Augenblicks. Ich hätte Dich in diesen Momenten morden können. Ich schrie laut, ich war dem Wahnsinn nahe, so wie Du, so wie Du. Keine Ruhe habend bis zur völligen gedankenlosen Erschöpfung. Wir waren eins, Vollendung unserer Liebe.

Morden im Sinne des Wortes. Wie haben wir uns geliebt. Mein Gott, ich sage schon »haben«.

Kurz danach schreibt Lilly zum Jahreswechsel 1945/46 einen Brief an Irene, den sie, wie alle wichtigen Briefe, abschreibt, ehe sie ihn in den Umschlag steckt:

Meine liebe Irene,
zum neuen Jahr, das Dich hoffentlich recht wohl antreffen wird, sende ich Dir und Derek die besten Wünsche und Grüße. Es ist schön für Dich, Derek gefunden zu haben, so zu wissen, daß man einen geliebten Menschen ganz für sich hat. Und wenn ich jemand von ganzem Herzen das Beste wünsche, so bist Du es: als die Schwester meiner geliebten Felice! Was wir beide uns waren, wirst Du eines Tages aus den Briefen, die wir uns schrieben, lesen können – eines Tages. – Seit Lice am 21. 8. 44 von mir weggenommen wurde, habe ich mich so gefürchtet, Dir das einmal schreiben zu müssen; einmal alleine vor Dir zu stehen – und ich bin jetzt ohne Hoffnung, seitdem ich erfahren habe, daß im Januar-Februar ca. 700 Frauen von Groß-Rosen nach Bergen-Belsen transpor-

tiert wurden und dort – in Belsen – an Hungertyphus fast alle zugrunde gegangen sind. Bis heute steht es zwar noch nicht 100%ig fest, ob sie dabeigewesen ist. Ich habe an eine Hanne-Lore Grünberger geschrieben, die mit Lice in Groß-Rosen gewesen sein soll und die von dort nach Bergen-Belsen gekommen ist, aber leider hat sie mir noch nicht geantwortet; im Augenblick sind die Postverhältnisse trostlos. – Meine liebe Irene, seit gestern weiß ich von dem Frauentransport nach Belsen – es hat mir alles Hoffen geraubt. Seit gestern bin ich ärmer als die Ärmste, und ich frage mich immer wieder: Warum? Warum nahm Gott dieses herrliche, begabte Mädchen von mir, und warum hat er mich diesen grauenvollen Krieg überleben lassen, warum? Wir alle, die wir so Furchtbares in Deutschland durchmachen mußten, haben nur einen einzigen Gedanken: raus aus diesem Land, fort von diesen Menschen. In einem solchen Lande, in dem das alles möglich war, kann man nicht mehr leben. – Für mich wird das nicht so leicht sein, von hier wegzukommen, noch dazu mit vier Kindern, aber ich denke, gute Menschen werden mir das erleichtern. Ich möchte irgendwo in der Welt ein neues Leben anfangen, ganz von vorne, und das wird nicht leicht sein; von hier muß ich aber fortgehen, weil ich nie vergessen kann.

II

Im eiskalten Winter 1945/46 hat Lilly keine Kohlen zum Heizen und zieht zu ihren Eltern. Dort verbringt sie die meiste Zeit damit, ihr »Tränenbüchlein« zu schreiben. Unter Tränen schreibt sie alle Briefe und Gedichte ab, die Jaguar und Aimée einander geschrieben haben. Die 50 Paar Seidenstrümpfe von Felice tauscht sie gegen Brot. Die älteren Kinder werden im Rahmen der britischen »Storchaktion« nach Oldenburg gebracht, um sich satt zu essen und es warm zu haben. Nur der kleine Albrecht bleibt bei ihr. »Mutti, Tante Felice kommt bestimmt wieder«, versucht er Lilly zu trösten. Doch Aimée ist untröstlich.

In den ersten Jahren nach dem Krieg erleben die Söhne ihre Mutter fast nur weinend. Oder sie schwärmt davon, wie es wäre, wenn Felice zurückkäme und sie nach Amerika auswandern würden. Mechanisch verrichtet Lilly den Haushalt und verfällt in eine immer tiefere Depression. Oft liegt sie stundenlang im Wohnzimmer und liest oder schreibt Tagebuch. Nur unwillig läßt sie sich von den Kindern stören. Wenn sie zu ihr ins Zimmer wollen, müssen sie anklopfen. Trost findet sie in der Synagoge.

Bernd Wust

> Mutti hat sich da reingedrängelt, das muß man auch sagen, hat Kontakt in Schmargendorf mit irgendwelchen jüdischen Leuten aufgenommen und hat sich bei der jüdischen Gemeinde angemeldet. Dort hat man sie geduldet. Ernsthaftere Schritte zu konvertieren hat man aber dann abgeblockt.
>
> Wir wurden ja auch nach Kriegsende in der Schule als Juden angemeldet. Mutti hat uns klargemacht, das sei was Besseres, und hat uns in die Joachimstaler Straße in die Synagoge

geschleppt. So hab ich Laubhüttenfest erlebt und allet so 'ne Sachen, das war dann doch auch interessant. Für mich war es eben Kirche, jüdische Kirche, und nannte sich Synagoge. Wir haben an jüdischen Feiertagen in der Schule fehlen müssen, das war auch was wert. Es hat sich ja damals keiner getraut, nachzufragen. »Warum hast du denn gestern gefehlt?« hat mich der Klassenlehrer gefragt. »Ach so, hab ich nicht gewußt«, hat er sich dann tief entschuldigt. Ich wußte, daß er ein Nazi war. Im Klassenbuch stand »mosaisch«. Als Moslem hab ich dann meine Dresche gekriegt.

Eine Beziehung zum Judentum hab ich nicht entwickelt, woher hätte es denn kommen sollen? Ich hatte nur ein bißchen mehr Wissen als die anderen, ich weiß einfach mehr über die Geschichte. Ich hab einen Arbeitskollegen, der ist nach dem Sprachgebrauch in der Nazizeit Halbjude, ja, und wir haben einfach einen Draht zueinander. Das ist, was ich davon habe.

Als ich zur Schule ging, war gerade Krieg in Palästina. Da mußte ich vor der Klasse die Juden vertreten, ganz klar. Und da haben die mich fertig gemacht mit der arabischen Legion, die marschieren würde. Die Lehrer waren ja die alten. Man ist schlagartig in die Außenseiterrolle geraten. Ich bin 1945 auf die Walther-Rathenau-Schule gekommen. Wir kamen zwar aus verschiedenen Grundschulen zusammen, aber man kannte sich, wir wohnten ja im gleichen Kiez. Und dann kriegten die anderen mit: Der ist Jude. Einen Juden gab's ja gar nicht mehr. Wir hatten doch als Kinder gelernt, daß sie Untermenschen und alle auszurotten sind, und jetzt gab's auf einmal doch noch einen, und einen, den man persönlich kannte. Insofern war man doch ziemlich interessant, wurde angeguckt.

Das gab wohl auch beim Eberhard den Ausschlag. Ich deute das bei ihm so: In der Pubertät wollen sich junge Menschen produzieren. Wenn man dann ein Feld findet, wo man anders ist als die andern, baut man das aus. Und Eberhard hat immer sehr Gefallen dran gefunden, anders zu sein. Ich erkläre mir das so, daß von zu Hause der Grundstock durch Mutti gelegt wurde, und als er mit 14, 15, 16 nach einer Orientierung suchte, kam ihm das sehr gelegen. Als er Abitur machte, war alles schon gebongt.

Eberhard Wust

Ich war begeistert von alten Sprachen, das war für mich ro-
mantisch. Im humanistischen Gymnasium, das ich besuchte,
hat man in der fünften Klasse, also mit neun Jahren, mit Latein angefangen, drei Jahre später kam Griechisch dazu. Und
dann habe ich mir gesagt, es gibt noch andere alte Sprachen,
zum Beispiel Hebräisch. Es muß 1951/52 gewesen sein, da hat
meine Mutti gesagt, Geld haben wir sowieso keins, geh doch
zum Rabbiner. Da bin ich aufs Polizeirevier gegangen und
hab gefragt, wo der Rabbiner Levinson wohnt. Die haben ge-
staunt! Der hat mich zu einem alten Herrn geschickt, der Re-
ligions- und Hebräischunterricht gab. Bei ihm hab ich angefangen, aber der hatte keine Unterrichtsmethode, und so viel
Hebräisch konnte der auch nicht. Aber er hat mich immer in
die Synagoge mitgenommen und wurde für mich so eine Art
Vaterersatz. Nu, bei dem hab ich gelernt, und über die Synagoge kam ich in die jüdische Jugendgruppe und dann in die
jüdische Studentengruppe. 1958 hatte die World Union of Jewish Students einen Kongreß in Jerusalem, und weil ich
schon so gut Hebräisch sprach, wurde ich der Abgesandte für
Deutschland. Es war meine erste Reise nach Israel. Und hier
in Deutschland hab ich mich an jeden angehängt, der Hebräisch sprach. Man kann ja eine Sprache nicht lernen, ohne mit
Leuten zu sprechen. In der Schule hab ich mir Notizen auf
Hebräisch gemacht, was den Lehrer geärgert hat, weil er das
nicht lesen konnte. – Ich hatte hier zwei Freundinnen, die
waren etwas älter als ich, und wir drei sind immer zusammen
gesessen und haben Hebräisch gelernt, haben den Wochen-
abschnitt des Pentateuchs und mehrere Abschnitte aus der
Mischna gelesen.
    Mutti war natürlich sehr erfreut, daß mich sowas interes-
siert und hat das unterstützt. Und insofern … Aber mit der
deutschen Vergangenheit hat das wenig zu tun, ich könnte
keine direkte Verbindung dazu herstellen. Bis heute bestehe
ich zu 90 Prozent aus diesem Interesse für alte Sprachen. Ich
bin ein ziemlicher Spätentwickler in politischer Hinsicht.
Mit 14 Jahren war ich ein ganz verträumtes Kind und im
Grunde genommen mit 18 genauso. Zu Hause wurden wir allerdings so erzogen, daß alles Deutsche schlecht ist. In dem

Sinne haben wir wirklich eine antideutsche Erziehung genossen. Meine Mutter fluchte andauernd über die verdammten Nazis, und alle Deutschen wären Nazis. Was meinen älteren Bruder gestört hat, denn der ist in gewisser Hinsicht stolz auf seinen Vater, nicht weil er im Militär gewesen ist, aber die einzigen Bilder, die es aus der damaligen Zeit gibt, waren in Uniform. Die sind beim Bernd. Ich selber habe kein Bild von meinem Vater. Es interessiert mich nicht, ich habe keine Verbindung zu ihm.

Am 26. Januar 1946 schreibt Dr. Louis Grünberger Lilly aus Berlin, daß seine Tochter »Puppe« ihm immer noch nicht geschrieben hat, ob sie Felice in Bergen-Belsen begegnet ist. Er rät ihr, die Hoffnung nicht zu verlieren: »Bei jungen Menschen kann man immer etwas Hoffnung haben. Zwei Breslauer junge Damen, die im KZ waren, sind vor 6 bzw. 2 Wochen hier angelangt. Eine war fast in Asien, die andere im Kaukasus.«

Erst am 5. Juni meldet sich Hanne-Lore Grünberger aus Neustadt-Aisch: »... und bedaure ich, Ihnen nur *nochmals* mitteilen zu müssen, daß ich Ihre Freundin niemals unterwegs getroffen habe. Auch meine Erkundungen bei anderen KZ-Kameraden führten zu keinem Erfolg. Sie wird wohl das Schicksal von Millionen KZ-Kameraden leider geteilt haben.«

Aimée hofft und sucht weiter, 1946, 1947. Am 14. Februar 1948 wird Jaguar vom Amtsgericht Berlin-Charlottenburg per Beschluß für tot erklärt. Der Zeitpunkt ihres Todes wird mit dem 31. Dezember 1944 festgelegt. Die Freundinnen von damals ziehen sich von Lilly zurück. Die materielle Unterstützung, die sie sich erwartet, bleibt aus.

12

Während Aimée damit beschäftigt ist, auf Jaguar zu warten, verpaßt Elisabeth Wust den Termin für die Annullierung ihres Scheidungsurteils. Mitschuldig von Günther Wust geschieden, verliert sie den Anspruch auf eine Kriegerwitwenrente. Ihre Pläne, nach Australien auszuwandern, scheitern. Die immer gereizter werdende Korrespondenz mit Irene über Felices Erbe versandet ergebnislos.

Im März 1947 erhält Lilly von Madame Kummer aus Aarau in der Schweiz einen Teil von Irenes Originalbriefen an Putz. Offenbar ist die erste Sendung verloren gegangen, denn diesmal hat die Absenderin eine Warnung auf den Umschlag geschrieben:

> An den Dieb der vorhergehenden Briefe: dieser Umschlag enthält Briefe der Schwester eines im K. Z. umgekommenen ganz jungen Mädchens, die ich in der Hitlerzeit nur auszugsweise übermitteln konnte. Ist Ihnen auch diese Sendung nicht heilig?

Es ist das letzte Lebenszeichen der Emmi-Luise Kummer.

Im Frühjahr 1949 schluckt Lilly alle ihre gehorteten Tabletten auf einmal. Helene, eine Freundin, die seit einem Jahr mit ihrem Baby in der Friedrichshaller Straße wohnt und in Lilly verliebt ist, rettet sie im letzten Augenblick.

Doch bald muß die untröstliche Helene ausziehen, um Willi Beimling Platz zu machen. Er ist der Sohn von Frau Beimling aus dem Gartenhaus, die Felice hinter der Couch versteckte, als die Gestapo kam. Willi Beimling hat einen Bierbauch, trägt eine Schiebermütze und betreibt ein Elektrogeschäft gleich um die Ecke.

Lilly muß nun den ganzen Tag im Laden arbeiten und abends für die Familie kochen. Zu Mittag kommen die Kinder aus der Schule direkt ins Geschäft. Dann läuft sie mit ihnen zur Wohnung hoch und bereitet hastig ein Mittagessen.

Lillys Tagebuch, 6. Mai 1949

Aimée war ich einmal, Lilly ebenfalls, jetzt bin ich Elisabeth und nicht froh. Nun darf ich alles für ihn machen und habe für nichts anderes mehr Zeit und Muße. Er denkt nur an sich und sein Geschäft, der Egoist. Und heiraten und sich zu mir bekennen, das tut er nicht. Seine Frau hat er auf Händen getragen, und das wird er auch mich, das weiß ich. Aber die Kinder. Die Leute könnten ihn für verrückt halten. Ach, ich habe schon alle Lust verloren. Die Kinder sind doch liebesbegabte Menschenkinder. Trotzdem glaube ich noch, daß er sich gewöhnen wird. Ich habe versucht, so anständig wie nur möglich mit dem Leben fertig zu werden. Du weißt, daß ich meinen ganzen Menschen einsetze für den Menschen, für den ich mich entschlossen habe zu leben, aber um welchen Preis tue ich das jetzt? Ich bin damit in eine qualvolle, zwangsmäßige, fast hörige Schablone gepreßt. Ich könnte lachen über meinen Glauben an ihn. Seit Januar arbeite ich im Laden. Was das heißt, das müßtest Du Dir ansehen. Ich bin einfach kein Normalmensch mehr. Ohne einen Pfennig. Ich bin ein Kamel. Beim letzten Krach forderte ich wenigstens 50 Mark Taschengeld. Ich arbeite von morgens halb neun bis abends um sechs Uhr ohne Mittagspause, gehe dann nach Hause, koche, wasche, stopfe bis in die Nacht für ihn, neben meinen Pflichten für die Kinder. Es ist eine Affenschande, ich weiß es. Wenn er doch wenigstens mal ein nettes Wort der Anerkennung hätte, aber das liegt ihm einfach nicht. Ach, Du geliebtes Mädchen, ich hielte das ja auch alles gar nicht aus, wenn ich nicht so eine riesengroße Angst vor dem Alleinsein hätte. Ohne einen Menschen, der mal nett zu mir ist, und Willi kann sehr nett sein, wenn es nach seinem Kopf geht. Er kann es nie wieder gut machen, daß ich Tränen weinen mußte, die kein Mensch sehen sollte. Um Dich habe ich geweint, maßlos, ohne mich zu schämen. Warum muß ich mich bloß so durch das Leben quälen. Ich will ja gerne sogar Dinge tun, die mir gar nicht liegen, aber ich muß doch wissen wozu. So kann es einfach nicht mehr weitergehen. Wie oft habe ich mir das schon selbst gesagt, und es ging weiter. Es geht weiter. Weil ich noch nicht für den Rest meines Lebens allein sein kann. Und morgen werde ich wieder ins Geschäft gehen und mich krank ärgern und meinen Verstand begraben. Nicht einmal genug Ruhe hatte ich für Dich, die ich mehr liebe als mich selbst. Du warst und bleibst der Inbegriff des wahren Lebens. Mit Dir ging alles Lebenswerte verloren. Warum zerstört Gott nicht auch endlich mich oder nimmt meine wahnsinnige Liebe zu Dir von mir. Ich schreie doch so laut zu Dir, oh Gott, Du mußt es doch hören. Ich schreie seit dem 21. August.

Am 3. April 1950 heiraten Lilly und Willi Beimling. Die erste Zeit wird sie von ihm regelrecht eingesperrt. Sie, die früher immer ein volles Haus hatte, darf weder Besuch empfangen noch ausgehen. Willi duldet keine fremden Leute im Haus und hat auch keine Freunde, sein ganzes Leben kreist um das Geschäft, er will es zu was bringen. Sehnsucht nach ein bißchen Liebe ist es und der Wunsch nach finanzieller Sicherheit, die ihm Lilly in die Arme treibt. Heute bezeichnet sie diese Heirat als Torschlußpanik.

Willi merkt das. »Du brauchst doch gar keinen Mann«, sagt er.

Im Frühjahr 1953 versucht Lilly noch einmal, sich das Leben zu nehmen. Nach einem Streit mit Willi, der seine Frau trotz ihrer fieberhaften Grippe im Laden arbeiten lassen will, schneidet sie sich die Pulsadern auf. Quer und nicht längs, wie es richtig gewesen wäre. Willi liefert einen furchtbaren Auftritt, und als Lilly blutend auf den Gang läuft, quetscht er ihr auch noch die andere Hand in der Tür ein. Bernd holt die Polizei.

Lillys Tagebuch, im August 1953

Kurz, trocken und schlecht, in Stichworten: April 1950 Willi geheiratet, Februar 1951 von Willi schuldlos geschieden, 1952

Willi wieder zu mir gezogen, alter Stiefel, Tauziehen um erneute Heirat, alter Trott von vorne, gegen alle Vernunft. Geschäft, Haushalt, Willi und Kinder. Anfang 1953 nach viertem Bruch seines Versprechens ihm klar gemacht, daß ich endgültig genug habe. Läßt sich Zeit zu gehen, trotz Aufforderung. Einen Langmut habe ich, es ist zum K...

Im Dezember zieht Willi endlich aus. »Ich bin ihn los, endlich, den größten Schuft, der mir je über den Weg gelaufen ist«, schreibt Lilly in ihr Tagebuch.

Danach zieht sich Aimée immer weiter in sich selbst zurück. Die Familie verbringt die Wirtschaftswunderzeit unter ärmlichen Verhältnissen, nie ist Geld im Haus. Während es ihnen in den ersten Nachkriegsjahren nichts ausmacht, barfuß zur Schule zu gehen, beginnen Lillys vier Söhne nun unter den abgetragenen Mänteln, die von Bruder zu Bruder hinuntergereicht werden, zu leiden. Während Lillys Freundinnen und Freunde von damals allmählich etwas werden, lebt sie von der Halbwaisenrente der Kinder. Gelegentlich geht sie putzen und hilft zu Weihnachten in einem Papierwarengeschäft aus. Diese Arbeit gefällt ihr, doch sie hat zu wenig Lebensmut, um Entscheidungen zu treffen. Als sie gefragt wird, ob sie bereit wäre, im Papierwarengeschäft eine Stelle anzunehmen, überlegt sie es sich so lange, bis es zu spät ist. Trotzdem ermöglicht sie Bernd, Eberhard und Reinhard ein Studium. Als sie sich endlich aufrafft, aufs Amt zu gehen, um eine Unterstützung zu beantragen, wird sie gefragt, wieso ihre Kinder eigentlich studieren müssen.

»Soll ich meine Kinder unter unserem Niveau erziehen?«

Als der Beamte nicht locker läßt, droht Lilly, ihre Söhne zu holen und sie ihm vor die Tür zu setzen.

»Oder geben Sie mir den Vater der Kinder wieder?«

»Naja, vielleicht wollte der gar nicht zurückkommen zu Ihnen.«

Im September 1961 wandert Eberhard Wust nach Israel aus.

1963 – Lilly ist 50 Jahre alt – beginnt sie endlich mit einer versicherungspflichtigen Arbeit. In der Spinnstoffabrik Zehlendorf, einer Hoechst-Tochter, bekommt sie eine Stelle als Putzfrau und guter Hausgeist der Personalabteilung. Um fünf Uhr früh steht sie auf und fällt abends todmüde ins Bett. Für die Seele und das Vergnügen bleibt keine Zeit. Die Wochenenden verbringt Lilly bei den Eltern.

Mitte 1970 – alle vier Söhne sind außer Haus – zieht Lilly um, aus Angst vor einer drohenden Mieterhöhung, und um in der Nähe ihrer alten Eltern zu sein, von der schönen Wohnung in der Friedrichshaller Straße in eine bescheidene Einzimmerwohnung in Lichterfelde, mit Blickkontakt auf die Wohnung ihrer Eltern. Am 1. Oktober stirbt die Mutter, wenige Jahre später der Vater.

Im Herbst 1974 wird Günther Wust amtlich für tot erklärt, dreißig Jahre nach seinem Heldentod in Jassy, Rumänien.

Am 21. September 1981 erhält Lilly auf Betreiben ihres Sohnes Bernd das Bundesverdienstkreuz am Bande.

Lilly

Als sie mir den Orden verleihen wollten, war mein erster Gedanke: ablehnen, davon kommt Felice nicht wieder. Aber dann dachte ich, vielleicht ist's in Felices Sinn. Am Tag der Verleihung hab ich es in der Firma gar nicht gesagt, hab nur einfach gefehlt an dem Montag. Ich wollte dieses Aufsehen nicht haben, aber es stand ja dann in allen Zeitungen! Die Medien haben mich bald verrückt gemacht. Ich hab alles abgelehnt damals, ich wollte keine Sensation sein, Gott behüte. Wie die Leute sich dann verhalten haben, das war schon eigenartig. Die Leitung, die war ganz prima. Diese Vase hier voller Rosen haben sie mir geschenkt. Aber bei Menschen, mit denen ich regelrecht befreundet war in der Spinne, da hab ich eine Reaktion gespürt, die ich nie erwartet hätte. Die meisten haben sich innerlich von mir abgewendet. Auch hier in meiner Wohngegend, nicht wahr. Nicht, daß sie mich nicht mehr grüßten, aber man merkte es doch. Ich war gezeichnet, und ich kann mich davon nicht erholen. Damit sterbe ich auch. Das war der Grund, warum ich mich so vollständig zurückgezogen habe. Ich habe niemandem mehr getraut, niemandem. Es will heute doch keiner gewesen sein! Die Menschen haben sich nicht geändert, die jedenfalls nicht. Auch meine vielen Telefongespräche mit Dörthe bestätigen uns immer wieder – wir sind sehr allein auf weiter Flur. Wenn man die Prozesse verfolgt hat, das war doch grauenhaft, die Leute, denen man nicht glauben wollte, das macht doch wahnsinnig. Ich bin überempfindlich. Aber auch die, denen ich geholfen habe, haben mich im Stich gelassen. Man hat mir goldene Berge versprochen, man hat es nicht gehalten. Im Gegenteil. Die Schwester von Lucie hat mir eines Tages geschrieben – da kann man sehen, wie wenig das Ausland wußte: Konnten Sie es nicht verhindern? Das hab ich ihr sehr übel genommen. Schließlich habe ich Lucie begraben. Und selbst die Gräfin Malzahn, die unheimlich viele Leute versteckt hat, hat einmal in einem Interview im SFB etwas gesagt, das mir in die Seele gerutscht ist. Sie wurde gefragt, ob die Menschen, die sie geschützt hat und für die sie ewig ihr Leben aufs Spiel gesetzt hat, es ihr gedankt haben, und da hat sie geantwortet: Ich spreche es ungern aus, aber es waren sehr wenige. Die wollten mit all dem nichts mehr zu tun haben. Weggegangen und alles vergessen. Ich hatte ja auch den Plan, nach Amerika zu gehen, zu Felices Onkel, dem Bruder der Mutter. Ich wollte nicht in Deutschland bleiben. Auch nach Schweden hätte ich gehen können, nur hat man mir gesagt, es wird für Sie wahnsinnig schwer werden wegen der vier Kinder. Ich war immer wieder gehandicapt durch die Kinder. Ich hasse die Deutschen immer noch. Immer wieder kommt irgend etwas zum Vorschein. Ganz kennzeichnend: Da drüben fahren unsere beiden Busse, der 85er und der 96er, mit denen bin ich zur Arbeit gefahren. Jetzt ist hier eine Berufsschule. Ich stehe an der Haltestelle, und die Kinder machen Lärm. Auf einmal sagt eine Frau zu einer anderen: »Da geht's ja zu wie auf der Judenschule!« Manchmal bin ich froh, daß ich bald weg bin vom Fenster, ehrlich.

Zwei Wochen nach Erscheinen der Berichte über die Ordensverleihung in den Zeitungen wäre Lilly beim Verlassen der Wohnung beinah über einen großen Stein gestürzt, den jemand ins Treppenhaus gelegt hat. Ihre Wohnungstür ist mit Jauche beschmiert.

Nunmehr 70 Jahre alt kippt Lilly 1983 während der Arbeit um und sieht ein, daß es endlich Zeit ist, ihre Rente anzutreten. Weil sie nur zwanzig Jahre sozialversicherungspflichtig gearbeitet hat, fällt diese karg aus. Lillys Armut ist ihr wunder Punkt. Alle zwei Jahre hat sie Anspruch auf einen Mantel und ein Paar Schuhe. Lilly verzichtet. »Da habe ich meinen Stolz, ich geh doch nicht betteln zu denen«, sagt sie.

Lilly läßt sich gehen, liest, lebt in den Tag hinein, geht nicht mehr zum Friseur, schafft sich nichts an, was ihr Freude bereiten könnte. Die paar Jahre auf Rente kriegst du auch noch über die Runden und dann legst du den Löffel hin, sagt sie sich.

Lilly ist eine erfahrene Patientin. Mindestens zweimal jährlich muß sie ins Krankenhaus. Herz, Kreislauf, Diabetes. Nur wenn sie Eberhard in Israel besucht, kehrt die Lebenslust wieder. In Israel fühlt sie sich wohl, in Israel ist sie unter ihresgleichen. Auch in Berlin zündet sie zum Sabbat die Kerzen an und denkt an ihren Sohn, den Juden Eberhard, und an die Jüdin Felice Schragenheim, immer wieder an Felice. Wenn der 21. August naht, kehrt jedes Jahr von neuem die Trauer wieder. Die Negative der Aufnahmen von Aimée und Jaguar an der Havel bewahrt Lilly in dem weißen Kunststofftäschchen auf, in dem sie in Israel ihr Tüchlein für die Klagemauer mit sich trug.

Einen ihrer beiden Kühlschränke zur getrennten Aufbewahrung von Milchigem und Fleischigem muß sie, um Strom zu sparen, ausschalten. Nun hebt sie dort ihre Medikamente auf. Jeden Sabbat telefoniert sie mit Dörthe Zivier. Über 30 Jahre haben sich die beiden Frauen nicht gesehen. »Wir wollen uns so in Erinnerung behalten wie wir waren«, sagt Lilly zu Dörthe.

Dörthe Zivier ist im Juli 1992 gestorben.

Ihre Tagebücher, Felices Dokumente und Familienfotos, alle Briefe und Gedichte, die Aimée und Jaguar einander geschrieben haben, hat Lilly in zwei randvoll gepackten Koffern verstaut, die griffbereit auf dem schwarzen verglasten

Schränkchen liegen. An jedem 2. April, ihrem »Hochzeitstag«, kramt Aimée das Tränenbüchlein hervor und liest sich zurück ins Damals. Wenn ihr etwas zustoßen sollte, sollen die Dokumente zu Eberhard nach Israel gebracht werden. Die Koffer sind Eberhards Idee: »Dann braucht die Polizei erst gar nicht zu wühlen.« Die Schlüssel zu den Koffern trägt Lilly um den Hals. Am kleinen Finger und am Mittelfinger der rechten Hand trägt sie den goldenen Ehering, mit dem eingravierten F. S. und dem Datum 2. 4. 43, und ihr Geschenk an Felice, den Silberring mit dem ovalen grünen Stein, den Jaguar ihr am Tag ihrer Festnahme zurückgegeben hat.

1985, vier Jahre nach der Ordensverleihung, meldet sich ein amerikanischer Journalist. Der Berliner Senat hat ihm Elisabeth Wusts Namen genannt, er plant ein Buch über »The Good Germans«. Er entreißt Lilly ihr Geheimnis. Zum ersten Mal sagt Lilly die Wahrheit über Aimée und Jaguar. Daß die Jüdin Schragenheim nicht nur ihre Freundin war, sondern ihr Leben.

»Manchmal bin ich traurig«, sagt Lilly, »jetzt ist es nicht mehr meine Geschichte.«

Nachtrag

Zu den Dreharbeiten des BBC-Fernsehens für einen Film über Aimée und Jaguar kam Felices Freundin Hilli Frenkel aus den USA nach Berlin. Sie brachte zwei Briefe mit, die Felice im Sommer 1943 an ihre Schwester Irene geschrieben und die diese an Hilli weitergeschickt hatte. Darin finden sich einige Passagen, die der Liebesgeschichte von Aimée und Jaguar weitere Facetten hinzufügen:

14.–26. Juli 1943

Deinen Fritz finde ich natürlich reizend, weil er Dich gern hat und weil Du dadurch glücklich bist. Hoffentlich lerne ich ihn bald kennen. Grüß Ludwig tausendmal von mir, ich habe manchmal Sehnsucht, aber ich glaube, es wäre gut, wenn es dabei bliebe, ohne die notgedrungen aus einem Wiedersehen erwachsende Enttäuschung. Oder glaubt er nicht? Ich verstehe so gar nichts mehr von schlanken, brünetten jungen Männern. Und mit siebzehn glaubte ich doch soviel davon zu verstehen! Wo die Liebe hinfällt – pflegten wir früher zu sagen, und fändest Du es sehr schlimm, wenn die meine eben woanders hinfiele? Verstehst Du nicht ganz, wie? Macht aber auch nichts, wir sprechen noch darüber … Lilly ist überhaupt reizend, Du mußt sie kennenlernen. Gar keine überragende Persönlichkeit, gar nicht intellektuell, durchschnittlich intelligent, bemüht sie sich in reizender Weise, in meine Welt, meine Bücher, meine Interessen einzudringen und mit mir zu leben, wie ich es will. Natürlich habe ich da eine große Verantwortung, aber die will ich gerne dafür auf mich nehmen, daß ich einen Menschen habe, der unbedingt zu mir gehört und zu mir hält. Unser Zusammenleben ist einfach großartig. Jeder bemüht sich, dem anderen hundert kleine Freuden zu bereiten, Rücksicht zu nehmen. Manchmal reden wir einen ganzen Abend kein Wort miteinander, aber der andere ist doch da, und das ist ein hübsches Gefühl. Unser erster Grundsatz ist es, dem anderen nicht auf die Nerven zu fallen, ihn auch nie zu langweilen. Für letzteres sorge ganz besonders ich, denn ich halte sie ständig in Atem, wie sie immer versichert. Die Kinder sind reizend und sehr gut erzogen, besonders die Kleinen, »unsere«, die wir nämlich nach der Scheidung behalten werden, die zwei und vier Jahre sind, sind goldig. Gerade – Lilly ist weg, um einen Besuch zu machen – kommt der geschiedene Gatte. Er ist ein netter Kerl, bloß die beiden kommen eben nicht miteinander aus. Mit mir versteht er sich sehr gut.

Etwas später: Also es war reizend. Denn fünf Minuten nach dem Mann kam Lillys reizender Vater, zu dem ich Papa sagen muß und der so schrecklich gern kleine Mädchen küßt. Und als dritter erschien Gregor, das ist ein Schriftsteller, für den ich bisweilen tippe, der sehr oft bei uns ist oder mit uns essen geht. Er ist Mitte 40 und hat außer Weib und Kind vollstes Verständnis für Lilly und mich. Zwei Meter ist er groß und wird stets »der gute Gregor« genannt.

Und ich als Hausfrau zwischen diesen drei Welten. Jeder machte mir Komplimente nachher, wie gut ich es verstanden hätte, alle Klippen zu vermeiden.

Bei Mutti bin ich noch. Aber sie merkt natürlich, daß ich es nicht besonders gerne tue. Aussprache, Krach, Versöhnung – so geht das immer. Trotzdem hat sie noch immer eine eigenartige Macht über mich. Wenn ich doch bloß nicht das Gefühl hätte, daß sie die reichlich ausnützt. Nächste Woche fährt sie auf den Forst, und ich werde wahrscheinlich übers Weekend rauffahren. Leider darf das Lilly nicht wissen – schwierig mit Frauen.

10. August 1943

Wie sieht Fritz aus? Wenn ich den Namen lese, muß ich an meinen Fritz, den besten Freund, den ich hatte, denken, und dann bin ich sehr, sehr traurig. Und trotzdem ist es einem möglich, alles zu vergessen und zu behaupten, ich sei restlos glücklich. Wie lange das dauern wird – ich fürchte erfahrungsgemäß, es bleibt nicht so, aber das kann vielleicht daran liegen, daß wir heute, nach einem ganz herrlichen sehr häuslichen Sonntag, unangenehme Nachrichten bekommen haben. Augenblicklich sitze ich in fast blütenweißen Shorts mit fast einwandfreier Bügelfalte (auf Lillys sorgende Hand zurückzuführen) auf unserem Balkon, von dem aus man über die Kolonie sehen kann, und sie sitzt mir gegenüber und feilt nachdenklich an ihren Nägeln herum. Ich müßte Dir nun einmal beschreiben, wie sie aussieht, damit Du sie erkennst, wenn das einmal akut werden wird. Jetzt ist sie zu Kreuzworträtseln übergegangen und verlangt ab und zu gebildete Wörter von mir. Also: Charlotte-Elisabeth, 29 Jahre alt (aber die Zigaretten, die sie daraufhin zu beziehen berechtigt ist, rauche ich alle), mit einer Figur wie ich sie mit 17 hatte, woraufhin sie meine sämtlichen Sommerkleider trägt, die mir wegen meiner breiten Schultern und sonstigen athletischen Figur nicht mehr passen; sie ist ein Stückchen kleiner als ich und sieht auch sonst aus wie 18, so daß ihr kein Mensch die 4 Kinder glaubt und den Mann auch nicht, da sie keinen Ring trägt. Dann hat sie aufgrund französischer Einflüsse in ihrer Familie laut Aussage meines Freundes Gregor keltische vorspringende Backenknochen in einem schmalen Gesicht, eine sehr hohe gewölbte Stirn, einen schmalen feingezogenen Mund und dunkelbraune Augen, was sehr erstaunlich ist zu kupferroten Haaren. Auf diese Haare ist sie teils mit Recht stolz, teils hat sie aber auch einen Komplex ihretwegen, ebensosehr wie wegen einer randlosen Brille, die sie tragen muß und mit der sie mir – und das ist ja ausschlaggebend – besser gefällt als ohne. Michael Arlen hat einen Roman »Lilly-Christine« geschrieben – also das ist sie! Ihren schmalen Händen steht meine kleine Uhr von Käthe ausgezeichnet. Es macht mir einen geradezu verwerflichen Spaß, sie zum Rotwerden zu bringen, und wenn sie die Augen etwas zusammenkneift, bin ich bereit, ihr bedenklos mein Vermögen zu geben – nein, ich muß einen anderen Vergleich finden, denn das ist ja mal gewesen. Mit dem Rotwerden verbindet sich dann noch ein vorwurfsvoller Ausruf meines Namens, den sie prinzipiell nie abkürzt. All das sind Äußerlichkeiten, Du wirst sie übertrieben finden und vielleicht von mir unbegreiflich, Tatsachen sind aber auch da! Wenn ich sie nicht hätte – also Du kannst es Dir kaum vorstellen. Du mußt aber, und Du mußt mir versprechen, das alles einmal gutzumachen, wenn ich es nicht können sollte. Sie wird sich scheiden lassen, nun bin ich verantwortlich. Du darfst das nicht für unüberlegt halten, ich nehme das alles in vollem Bewußtsein auf mich, denn das alles ist ja nichts gegen das, was sie zu tun immer bereit ist. Dies soll kein »letzter Wille« sein, aber Du mußt es verstehen, daß ich dafür gesorgt wissen möchte. Meine Sachen, was ich an Wäsche und Besteck besitze, sind zum großen Teil bei Mutti so verstaut, daß ich nicht rankomme jetzt; so wie es geht, soll Lilly das haben, es ist immerhin etwas. Du ahnst ja gar nicht, wie schwer es ein Junggeselle hat, aus seinen diversen mehr oder weniger möblierten Behausungen seine Sachen alle wiederzubekommen. Die sonst anständigen Leute haben dann plötzlich entweder ein kurzes Gedächtnis oder die Kellerschlüssel gerade verlegt.

Mutti ist auf dem Forst. Dafür, daß ich ihr einen phantastischen Sitzplatz im Zug besorgt habe und bis jetzt ihren Mann und ihre Älteste jeden 2. Tag bekocht und bestaubsaugt habe, hat sie mir noch nicht einmal geschrieben, läßt mich auch nicht grüßen. Was mit ihr ist, weiß ich nicht. Sie nimmt es mir eben auch übel, daß ich meine Sachen wiederhaben will. Daß ich auch wenig Lust habe, weiterhin umsonst Aufwartefrau zu spielen. Übrigens hindert sie das nicht, bei ihrer Tochter anzufragen, ob ich dies oder das erledigt hätte oder besorgt habe für sie. Ich verstehe Bahnhof und tue nichts für sie. Daß sie mich vollkommen in Anspruch nahm, ohne auch nur im geringsten zu mir zu halten, als ich sie sehr liebte, berechtigt sie doch eigentlich nicht dazu, mich absolut auszunützen, wo das längst vorbei ist und ich einen anderen Menschen habe, der zu mir hält. Vielleicht klingt das jetzt undankbar, aber auch als es herrlich war, Mutti anzubeten, war ich mir klar darüber, daß dies eine Illusion sei, die mich viel Zeit, Geld und Nerven kostete. ...

Inzwischen hat Lilly das Rätsel zur allgemeinen Zufriedenheit gelöst, sogar eine Stadt in Arabien hat sie gefunden, was ich sehr bewundert habe. Wenn es aber das letzte fehlende Wort war, war es ja auch wieder nicht so schwer. Es wird Zeit, ins Bett zu gehen, noch ein bißchen Dostojewskis »Schuld und Sühne« zu lesen und zu schlafen. ... Morgen fängt Lilly an, sich an einer Handelsschule auf einen Beruf vorzubereiten. In der letzten Zeit sind wir häufig rausgefahren, um an den alten Gefilden des Kanus »Zicke-Zacke« zu schwimmen, aber im allgemeinen finden wir es am schönsten zu Hause. Ich habe auch viel zu retouchieren etc. Kino ab und zu – das ist alles.

H. G. Adler: Die verheimlichte Wahrheit, Theresienstädter Dokumente, Tübingen 1958.

H. G. Adler: Theresienstadt 1941-45, Das Antlitz einer Zwangsgemeinschaft, Tübingen 1960.

Martin Broszat, Norbert Frei (Hrsg.): Das Dritte Reich im Überblick, Piper, München 1989.

Inge Deutschkron: Ich trug den gelben Stern, dtv, München 1985.

Gerd W. Ehrlich: Mein Leben in Nazideutschland, unveröffentlichtes Manuskript, aufgezeichnet im Winter 1945 in Genf.

Ruth Andreas-Friedrich: Der Schattenmann, Tagebuchaufzeichnungen 1938-45, Suhrkamp, Berlin 1983.

Harald Focke/Uwe Reimer: Alltag unterm Hakenkreuz, Rowohlt, Reinbek 1979.

Norbert Guggenbichler: Zahnmedizin unter dem Hakenkreuz, Mabuse, Frankfurt/Main 1988.

Israel Gutman (Hrsg.): Enzyklopädie des Holocaust, Die Verfolgung und Ermordung der europäischen Juden, Argon, Berlin 1993.

Raul Hilberg: Die Vernichtung der europäischen Juden, Fischer TB Verlag, Frankfurt/Main 1990.

80 Jahre Hildegard-Wegscheider-Oberschule, Berlin-Grunewald 1909-1989.

Ingeborg Hecht: Als unsichtbare Mauern wuchsen, dtv, München 1987.

Gernot Jochheim: Frauenprotest in der Rosenstraße, Edition Hentrich, Berlin 1993.

Juden in Berlin 1671-1945, Ein Lesebuch, Nicolai, Berlin 1988.

Marion Kaplan: Der Alltag jüdischer Frauen im NS-Deutschland, in: Journal für Geschichte 1/86, Weinheim.

Ursula von Kardorff: Berliner Aufzeichnungen 1942 bis 1945, C. H. Beck, München 1992.

Heinz Knobloch: Der beherzte Reviervorsteher, Morgenbuch Verlag, Berlin 1990.

Heinz Knobloch: Meine liebste Mathilde, Buchverlag der Morgen, Berlin 1985.

Claudia Koonz: Mütter im Vaterland, Frauen im Dritten Reich, Kore Verlag, Freiburg i. Br. 1991.

Ruth Klüger: weiter leben, Eine Jugend, Wallstein Verlag, Göttingen 1992.

»Machtergreifung«, Berlin 1933, Edition Hentrich, Berlin 1984.

Mieczysław Mołdawa: Gross-Rosen, Obòz koncentracyjny na śląsku, Warschau 1980.

Stefanie Poley (Hrsg.): Rollenbilder im Nationalsozialismus – Umgang mit dem Erbe, Verlag K. H. Bock, Bad Honnef 1991.

Marcel Reich-Ranicki (Hrsg.): Meine Schulzeit im Dritten Reich, Kiepenheuer & Witsch, Köln 1982.

Reinhard Rürup (Hrsg.): Topographie des Terrors, Gestapo, SS und Reichssicherheitshauptamt auf dem »Prinz-Albrecht-Gelände«, Eine Dokumentation, Verlag Willmuth Arenhövel, Berlin 1987.

Hans Dieter Schäfer (Hrsg.): Berlin im Zweiten Weltkrieg, Piper, München 1991.

Regina Scheer in »Die Andere« Nr. 6, Berlin, 1. März 1990.

Klaus Scheurenberg: Ich will leben, Oberbaumverlag, Berlin 1982.

Claudia Schoppmann: Nationalsozialistische Sexualpolitik und weibliche Homosexualität, Centaurus, Pfaffenweiler 1991.

Jizchak Schwersenz: Die versteckte Gruppe, Wichern-Verlag, Berlin 1990.

Nathan Stoltzfus in »Die Zeit« Nr.30, 21. Juli 1989.

Vorläufiges Verzeichnis der Konzentrationslager und deren Außenkommandos sowie anderer Haftstätten unter dem Reichsführer SS in Deutschland und deutsch besetzten Gebieten (1933-45), Arolsen, Februar 1969, Comité International de la Croix Rouge, Internationaler Suchdienst.

Wolf H. Wagner: Der Hölle entronnen, Stationen eines Lebens, Eine Biographie des Malers und Graphikers Leo Haas, Henschelverlag, Berlin 1987.

Peter Wyden: Stella, Steidl, Göttingen 1993.

David S. Wyman: Paper Walls, America and the Refugee Crisis 1938-1941, The University of Massachusetts Press 1968.

David S. Wyman: Das unerwünschte Volk, Amerika und die Vernichtung der europäischen Juden, Hueber, Ismaning bei München 1986.

Zerstört, besiegt, befreit, Der Kampf um Berlin bis zur Kapitulation 1945, Edition Hentrich, Berlin 1985.

Zerstörte Fortschritte, Zur Geschichte des Jüdischen Krankenhauses zu Berlin, Edition Hentrich, Berlin 1989.

Georg Zivier: Deutschland und seine Juden, Hoffmann und Campe, Hamburg 1971.

»Aimée & Jaguar«, Lilly Wust (rechts) und Felice Schragenheim,
aufgenommen mit dem Selbstauslöser am 21. August 1944 an der Havel.

Felice, aufgenommen von Lilly
am 21. August 1944 an der Havel.

Lilly, aufgenommen von Felice im Sommer 1944 auf dem Balkon von Lillys Wohnung in der Friedrichshaller Straße 23.

Lillys Eltern, Margarethe und Günther Kappler, Lillys Halbbruder Bob und Lilly, ca. 1919.

Lillys Eltern, Günther Wust, Lillys Mann, Lilly mit Sohn Bernd im Sommer 1937.

Lilly mit ihren Söhnen Bernd, Eberhard, Reinhard und Albrecht
im Februar 1943, aufgenommen von Felices Freundin Ilse Ploog.

Felice (links) und Irene Schragenheim 1926
im Alter von vier und sechs Jahren.

Felices Eltern, Dr. Albert Schragenheim und Erna Schragenheim,
geborene Karewski, 1921 in Berchtesgaden.

Käthe Schragenheim, geborene Hammerschlag,
Felices Stiefmutter.

FEE.—£1 (One Pound.) 38/27490 Form No. 41.

COMMONWEALTH OF AUSTRALIA.

Permit № 32796

DEPARTMENT OF THE INTERIOR,
CANBERRA, A.C.T.,

13th June, 19₃9

LANDING PERMIT.

𝕿𝖔 𝖜𝖍𝖔𝖒 𝖎𝖙 𝖒𝖆𝖞 𝖈𝖔𝖓𝖈𝖊𝖗𝖓:

THIS IS TO CERTIFY that permission has been granted for the admission to Australia of the undermentioned person or persons (one in number), said to be of German nationality, at present residing in Germany ~~whose maintenance in~~ ~~in Australia has been guaranteed by Mr.~~ of

This authority has been granted subject to the conditions that such person or persons shall be in sound health, of good character, and in possession of a German Passport or Certificate of Identity, bearing photograph of the holder, and duly visaed (if not issued) by a British Consular or Passport Officer, and subject to any further conditions which may be stated below.

This Permit is valid until 13th June, 1940.

NAME.	AGE.	RELATIONSHIP (if any) TO GUARANTOR.
SCHRAGENHEIM, Felice	17 years	—

NOTE:- This authority is also subject to the condition that bearer will be accompanied to Australia by her step-mother, Mrs. K. Schragenheim, holder of Landing Permit No. 32795.

Transmitted per The General Secretary,
Australian Jewish Welfare
Society,
SYDNEY.

PWJohnston
*By authority of the
Minister for the Interior.*

NOTE.—This Permit should be forwarded to the person in whose favour it has been issued (or to the chief member of the party if more than one person is included in the Permit) for production when applying for passport facilities or steamer passage tickets, and for production and surrender to the Examining Officer of Customs at the Australian port of disembarkation.

If an extension of this Permit is desired, application should be addressed to the Department of the Interior. A fee of 10/- (ten shillings) is payable for each year's extension authorized.

Felices Schulklasse in Berlin-Grunewald
mit Studienrat Walther Gerhardt im Juni 1936.
2. Reihe links: Felice, 3. Reihe, 3. von rechts: Liesl Ptok,
4. Reihe links: Hilli Frenkel.

Johanna von Putkamer=Schule

Oberschule für Mädchen, Berlin-Grunewald

Abgangszeugnis

Felie Schrageaheim

Tochter des † Zahnarztes Dr. Albert Schrageaheim zu Charlottenburg,

geboren den 9. März 1922 zu Berlin jüdisch, Bekenntnisses

hat der Anstalt 6½ Jahre, seit Ostern 1938 der Klasse Muteprima angehört.

Sie ist am 19 nach Klasse versetzt worden und verläßt die Anstalt,

um auf Anordnung des Herrn Reichserziehungsministers.

Allgemeine Beurteilung: Felie war eine ruhige und freundliche, begabte und fleißige Schülerin.

Religion	/	Chemie	gut
Deutsch	gut	Biologie	befriedigend
Französisch	befriedigend	Nadelarbeit	/
Englisch	sehr gut	Zeichnen und Kunstunterricht	befriedigend
Lateinisch	befriedigend	Musik	befriedigend
Geschichte	befriedigend	Leibesübungen	ausreichend
Erdkunde	gut	Kurzschrift	/
Rechnen, Mathematik	befriedigend		
Physik	gut	Handschrift	ausreichend

Bemerkungen:

befriedigend   ausreichend

Urteile für die Leistungen: 1 = sehr gut; 2 = gut; 3 = genügend; 4 = nicht genügend; 5 = mangelhaft;
6 = ungenügend.

Berlin= Grunewald , den 15. November 1938

Ober-Studiendirektor

Gerhardt, Studienrat.
Klassenleiter

Schm. H. 37.
Mat. 11087. ● Din A 4. — 5000. 8. 38.

Vordruck für Oberschulen für Mädchen.

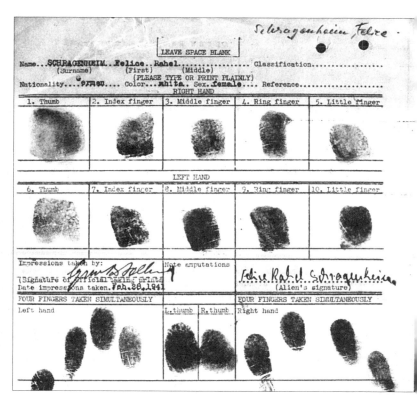

Eine Seite aus Felices Visum für die
Vereinigten Staaten.

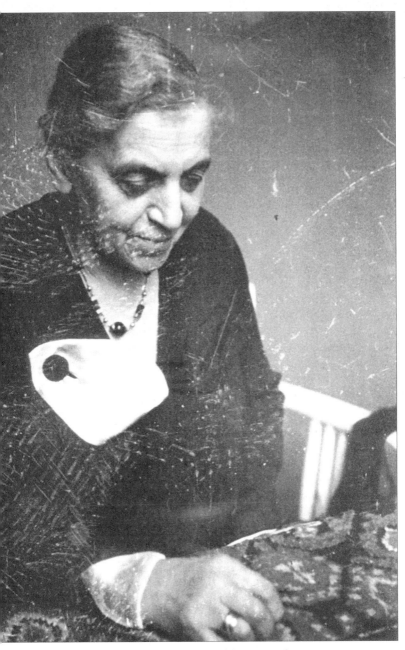

Felices Großmutter Hulda Karewski,
ermordet in Theresienstadt.

Dr. Jsrael Ernst Jacoby
Berlin O 2, Prenzlauer Str. 16
Eingang Hirtenstr.
Telefon: 52 44 85

Zur ärztlichen Behandlung
ausschließlich von Juden
berechtigt

Medical Certificate of Health

Miss Felice Schragenheim, born on 9.3.1920, residing
in Berlin-Charlottenburg, 27, Sybelstr., has this day been
medically examined by me. I found her not to be mentally or
physically defective in any way. I found exaspecially that
Miss Schragenheim is fre e from any infections disease.

Berlin, den 16. März 1939

Reichsvereinigung der Juden in Deutschland Abt. Wanderung
(HILFSVEREIN)

Vom Herrn Reichsminister des Innern durch Verfügung vom 31.10.1924 Nr. II 7781 als gemeinnützige Auswanderungsberatungsstelle für jüdische Auswanderer anerkannt

Berlin N 4, den 22. August 1941
Artilleriestr. 31

Fräulein
Felice Sara SCHRAGENHEIM

Berlin W.

Kurfürstendamm 102
bei Hammerschlag

Betrifft: Sä/Ko.
(Bei Beantwortung unbedingt anzugeben)

Wir bedauern, Ihnen mitteilen zu müssen, dass Ihre geplante
Ausreise nicht durchgeführt werden kann, weil die Auswanderung
von Frauen und Männern im Alter vom 18. bis zum 46. Lebensjahr
verboten ist.
Wir stellen Ihnen anheim, dieserhalb bei uns vorzusprechen.

Mit vorzüglicher Hochachtung
REICHSVEREINIGUNG DER JUDEN IN DEUTSCHLAND
ABT. WANDERUNG (HILFSVEREIN)
i. A. :

Joel Sänger

FERNSPRECHER: Sammelnummer 41 67 21 — TELEGRAMM-ADRESSE: „ZEDAKAH" Berlin — Rudolf Mosse-Code Suppl
BANK-KONTEN: Deutsche Bank, Dep.-Kasse P, Berlin W 35, Potsdamerstr. 131 / A. E. Wassermann, Berlin W 8, Wilhelmplatz 7
Bankhaus M. M. Warburg & Co., K.-G., Hamburg / Seiler & Co., München. — POSTSCHECKKONTO: Nr. Berlin 331 26

Inh.: Reinhardt Preiss

RFNr. o/o25o/5279.

FLASCHENVERSCHLUSS-FABRIK

GEGRÜNDET 1901

BERLIN NW 21   STROMSTRASSE 47

FERNSPRECHER: 35 02 47
TELEGR.-ADR.:   SOMMERVERSCHLUSS
            BERLIN
POSTSCH.-KTO.: BERLIN Nr. 116202
BANK-KONTO: DRESDNER BANK,
            DEPOSITENKASSE 77,
            BERLIN NW 21, TURMSTR. 27
BAHNSTATION: BLN.-HBG.-LEHRTER-BHF.

B e s c h e i n i g u n g

Abschrift.

IHR ZEICHEN: UNSER ZEICHEN: DATUM: 25.August 1942.

BETRIFFT:

Wir bescheinigen hiermit, daß

Fräulein Felice Sara Schragenheim, Berlin NW 87, Claudiusstr. 14,

bei uns als Drahtarbeiterin beschäftigt ist.

Unser Artikel "Flaschenverschlüsse" ist aufgrund der Ziffer F 5
der Ausführungsbestimmungen vom 21.12.4o zu dem Erlaß des Vorsitzenden des Reichsverteidigungsrates über Dringlichkeit der Fertigungsprogramme (ADFW) als kriegswichtig anerkannt. Ein Entzug von
Arbeitskräften, die für die Herstellung des gesicherten Erzeugnisses benötigt werden, soll möglichst nicht erfolgen.

Ausserdem haben wir neben mittelbarem Heeresbedarf und Exportauftrag für Wehrmachtsteile nach Griechenland z.Zt. eine Sonderauflage des OKH erhalten.

Die obengenannte Facharbeiterin ist an der Herstellung der Flaschenverschlüsse maßgeblich beschäftigt.

C. Sommerfeld u. Co.
gez. R.Preiß.

Aufgrund von Verhandlungen am 25.8.42 mit dem Arbeitsamt Berlin,
Einsatzstelle für Juden, Berlin SW 29, Fontanepromenade 15, wurden
obige Gründe anerkannt, und sollen die bei uns beschäftigten jüdischen Arbeitskräfte von der Evakuierung vorläufig burückgestellt
werden.

C. Sommerfeld u. Co.
gez. R.Preiß.

Günther Wust,
Lillys Ehemann, 1930.

Felice, aufgenommen von Ilse Ploog
im Januar 1944.

Heute abend!! Ach, Felice, Du
weißt ja nicht wie sehr ich
Dich liebe. Ich habe jetzt eine
schwere Zeit vor mir. Du mußt
mir helfen sie zu überwinden.
Und dann .. dann werden
wir erst völlig glücklich sein,
dann werde ich mich für Dich

Ich liebe Dich!

Im übrigen bin ich im Keller.

Dein
hungriger

Jaguar

Lilly mit Bunkerschwester Herta, Reinhard und Albrecht vor Lillys Haus
in der Friedrichshaller Straße, aufgenommen von Felice im Herbst 1943.

Lilly, Felice und Käthe Herrmann, Lillys beste Freundin, in Eichwalde,
aufgenommen von Käthes Mann Ewald.

Z 6488

X ~~Reisegepäck~~ **Liste**
(Nichtzutreffendes ist zu durchstreichen.)

Blatt 1

Zum Antrag vom ...... 11. Mai ......
Name des Auswanderers ...... Felice Sara S c h r a g e n h e i m

lfd. Nr.	Stück	Gegenstand genaue Bezeichnung	Zeitpunkt der Anschaffung	
1	2	Handtücher	vor 1933	
2	1	Doubléarmband	" "	
3	1	Plätteisen	" "	
4	1	kl. Plätteisen	1936-1938	
5	2	Badetücher	" "	
6	1	Hut	" "	
7	1	Regenmantel	" "	
8	1	Wollweste	" "	
9	5	Kleiderbügel	" "	
10.	1	Kleid	" "	
11	4	Blusen	" "	
12	1 dtz	Taschentücher	" "	
13	4	Pyjamas	" "	
14	1	Regenschirm	" "	
15	2	Kostüme	" "	
16	2	Büstenhalter	" "	
17	2	Höschen	" "	
18	2	Hemdchen	" "	
19	2 P.	Schuhe	" "	
20	1 "	Hausschuhe	" "	
21	1	Mantel	" "	
22	1	Kleiderbürste	" "	
23	1	Nagelnecessaire	" "	Geprüft
24	1	Weckeruhr	" "	Berlin, den .. Mai 193..
25	1	lg. Hose	" "	
26	1 P.	Handschuhe	" "	Sachverständiger der Devisenstelle
27	1 "	Kappe	" "	
28	2	Blusenbinder	" "	
29	1	Handspiegel	" "	
30	2	Strumpfhaltergürtel	" "	

Vor Aufstellung Rückseite durchlesen

Meine Aimée!

Ich liebe Dich so sehr, dass ich Dir gar nichts schreiben kann. Und ich brauche Dir ja eigentlich auch gar nicht zu schreiben, denn alles so enorm wichtige, werde ich Dir - wenn es Dir recht ist - nachher im Bett - sagen.

Und wenn Du einmal davon sprichst, dass ich Dir einen Mann suchen soll, oder dass Du heiraten willst, dann verhau' ich Dich nach Strich und Faden

      Dein

          treuer, mutiger, edler, wilder

               Jaguar

Mein geliebtes Mädchen —

ich habe ja solche grosse
Sehnsucht nach Deinem
weichen, warmen Mund,
nach Deinen Küssen!

Du hingegen scheinst
~~mich doch nicht zu lieben~~
denn Du ... mich
ja gar nicht ... mich
Ich arme geschlagene
... muss dies vor
... vergehn

Das wollte ich Dir nur
mitgeteilt haben.

Felice 1941 auf dem Balkon der Familie Selbach in Berlin-Friedenau.
Dieses Foto hatte die Gestapo dabei, als sie Felice abholte.

Lilly kurz nach der »Hochzeitsnacht« im April 1943 im Grunewald.
Es ist das erste Foto, das Felice von ihr aufnahm.

7,5 g Butter ~~Erledigt~~ .5. – 16. 5. 43	187,5 g Butter ~~Bipeug~~ 17. 5. – 23. 5. 43	25 g Butter ~~Erledigt~~ 24. 5. – 30. 5. 43	125 g Margarine ~~Erledigt~~ K 3. 5. –

Butter bestellt bei:

Adolf Hoch
Kolonialwaren, Konserven
Butter, Obst und Gemüse
Berlin - Schmargendorf
...str. 25, Ruf: 89 30 59

Margarine bestellt bei:

Quark bestellt bei:

Adolf Hoch
Kolonialwaren, Konserven
und Gemüse, Butter, Obst
Berlin - Schmargendorf
...str. 25, Ruf: 89 30 59

Käse bestellt bei:

Adolf Hoch
Kolonialwaren, Konserven
Butter, Obst und Gemüse
Berlin - Schmargendorf
...str. 25, Ruf: 89 30 59

Gültig vom 3. 5. bis 30. 5. 1943

Reichsfettkarte
für Kinder von 6 bis 14 Jahren

Auf Wunsch des Verbrauchers kann, soweit verfügbar, auf die Käseabschnitte Quark in der doppelten Menge abgegeben werden.

K

49 **F**

von **6** bis zu **14** Jahren

№ 031559

Ernährungsamt Berlin

Name: *Ernst*

Wohnort: *Schmargendorf*

Straße: *Friedrichshaller 23*

Ohne Namenseintragung ungültig! – Nicht übertragbar!

F K 49 3. 5. – 30. 5. 43	g Käse K 3. 5. – 30. 5. 43	62,5 g Käse ~~Erledigt~~ 3. 5. – 30. 5. 43	125 g Käse ~~Erledigt~~ 3. 5. – 30. 5. ...

Donnerstag **25**

Freitag **26**

Sonnabend · Samstag **27**

Notizen

Eine Seite aus Lillys Kalender in der Zeit, als Lilly im Krankenhaus lag.
Der 25. März 1943 war »Verlobungstag«.

Lillys Tränenbüchlein, eine Abschrift von Lillys Tagebuch
und aller Briefe und Gedichte, die Aimée und Jaguar einander
geschrieben haben, abgeschrieben im Winter 1945.

Am 21. August 1944 an der Havel, mit dem Selbstauslöser aufgenommen und nach Kriegsende entwickelt.

5. VIII. 44

Mein l. Aimée,

ich kann Dir hier nicht viel schreiben, nur vielen
Dank für Deinen Brief und für alles andere. Und
sei schön brav. Ich schreibe sehr bald, dann schickst
Du mir wieder was, nicht wahr? Daß es mir hier
so gut ging — es ist unmöglich, von mir nicht — et
und alle, besonders "dieser", so weit zu mir sind,
wird es auch weiter so gehen. Halte die Daumen,
und grüße alle, die sich um Dich kümmern.
An die Kinder und "Schnäuzchen", das Katzentier alles
Liebe!

Auf Wiedersehen!

Euer im too befindlicher
Jaguar

Brief von Felice aus dem »Judensammellager«
in der Schulstraße 78 in Berlin-Wedding.

DEUTSCHES REICH

J

9. Juni 1939

REISEPASS

Nr. *14/1371/39.*

Gebühr 3- RM
Geb. Buch Nr. *1704/39*

NAME DES PASSINHABERS

Felix Rahel Sara Schragenheim

~~BEGLEITET VON SEINER EHEFRAU~~

....

~~UND VON   KINDERN~~

STAATSANGEHÖRIGKEIT:

DEUTSCHES REICH

Dieser Paß enthält 32 Seiten

Lola Sturm mit Albrecht im Frühjahr 1944.

Fahrkarte Nr. **M** 1852
Jízdenka čís.

Tag der Ausg.
Den výdeje

A M 1852 2. Klasse / třída

A M 1852 3. Klasse / třída

für / pro

Personen voller Preis
osob plná cena

Personen halber Preis
osob poloviční cena

Personenzug — Osobní vlak **B**

von / ze stanice THERESIENSTADT-BAUSCHOWITZ

nach / do stanice

über / přes *Lobositz Dresden*

294 km

Gültig · platí 4 Tage · dní

RM Rpf

Kom 15-a-dč (20)06926-aa) — G P 807 · IX 43

Lillys Rückfahrkarte von Theresienstadt.

Der auf Lola Sturm ausgestellte Durchlaßschein, mit dem Lilly
nach Theresienstadt fuhr.

Postkarten von Felice aus dem KZ Theresienstadt.

Dr. Rose Ollendorf, genannt Petel, eine der »drei Hexen«.

Der Journalist Fritz Sternberg, einer von Felices Freunden, in Auschwitz ermordet.

Lucie Friedlaenders Kennkarte aus dem Jahre 1939.

Mein Liebes –
eben kommt die Schwester
und sagt, wir müssen
hier weg.
Ach und halte die Daumen!
Immer Deine

F.

Felices letzter Brief aus dem Trachenberger Krankenhaus, in das sie,
an Scharlach erkrankt, aus dem KZ Groß-Rosen gebracht wurde,
geschrieben am 14. oder 15. November 1944.

Felices letzter Brief aus dem KZ Groß-Rosen,
geschrieben am 26. Dezember 1944.

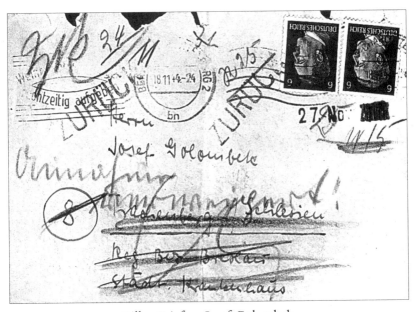

Lillys Brief an Josef Golombek,
Hausmeister im Trachenberger Krankenhaus: »Annahme verweigert!«

Lilly im Frühjahr 1947.

15/8.45.

Frl. Schragenheim
ist denselben Weg wie meine
Tochter gegangen u. dürften
deshalb auch in

Bergen–Belsen

sein.   [...]

Dr. Grünbergers Brief an Lilly:
»Frl. Schragenheim ist denselben Weg wie meine Tochter gegangen ...«

5.6.46.

Sehr geehrte Frau Wust !

Gestern erhielt ich Ihre w. Zeilen v. 2.2., abgestempelt am 16.5. u. bedaure ich Ihnen nur
nochmals mitteilen zu müssen, dass ich Ihre Freu
din niemals unterwegs getroffen habe. Auch mei
ne Erkundigungen bei anderen KZ Kameraden führten zu keinen Erfolg. Sie wird wohl das Schiksal
von Millionen KZ Kameraden leider geteilt haben.
Mit bseten Güssen

                              Hanne-Lore Grünberger

SUCHDIENST FÜR VERMISSTE DEUTSCHE
IN DER SOWJETISCHEN BESATZUNGSZONE DEUTSCHLANDS

Frau
Elisabeth W u s t

(1) Berlin-Schmargendorf
Friedrichshaller Str. 23

BERLIN W8
KANONIERSTRASSE 35

Ihre Zeichen	Ihre Nachricht vom	Unsere Nachricht vom	Unser Zeichen O.d.F. Ga/Kö.	Datum 1.10.47

Betreff

Felicitas S c h r a g e n h e i m
geb. 9. 3. 1922 in Berlin

Die Kartei des Magistrats von Groß-Berlin ist von uns übernommen
worden. Auf Grund unserer Nachforschungen können wir Ihnen die Mitteilung machen, daß die Obengenannte am 8. 9. 1944 mit dem Transport 14890 - I/116 von Berlin nach Theresienstadt und von dort am
9.10.1944 mit dem Transport Ep - 342 nach Auschwitz deportiert wurde.

Die Suchaktion wird fortgesetzt und bei weiteren Ermittlungsergeb-
nissen werden Sie erneut benachrichtigt.

                              Suchdienst für vermißte Deutsche
                              in der sowjetischen Besatzungszone
                                         Deutschlands
                              i.V. M. Galland

Um unnötige Rückfragen zu vermeiden, bitte bei Beantwortung unser Aktenzeichen angeben

Form 46/13   Telegrammadresse: Suchdienst Berlin   Fernruf: 42 56 71   Postscheckkto.: Berlin 1850 00, Hamburg 222 44   Bankkto.: Berliner Stadtkontor, C 2, Kurstr. 36-51

Jüdische Gemeinde   Berlin N 4, den   11.3.1948 /Hau.'
zu Berlin   Oranienburger Str.28

  Reg.:/_____

         Frau
             Elisabeth W u s t
                    Berlin-Schmargendorf
                    Friedrichshallerstr.23

Betr.: **Felice S c h r a g e n h e i m, geb. 9.3.1922 in Berlin**

Jm Besitze Jhres gefl. Schreibens vom   müssen wir
Jhnen leider mitteilen, daß der/die Obengenannte (n) mit dem
14890- I/116   Transport am 8.9.1944 nach Theresienstadt und v.dort am
am 9.10.1944 mit dem Transport Ep '-342 nach Auschwitz
deportiert worden ist/~~sind~~

Der/die Betreffende (n) ist/~~sind~~ nicht zurückgekehrt und
daher in unseren Listen nicht verzeichnet.

Wir bedauern, Jhnen keinen günstigeren Bescheid übermit-
teln zu können und zeichnen

                     mit vorzüglicher Hochachtung
                     Jüdische Gemeinde zu Berlin

                Jüdische Gemeinde zu Berlin
                Abteilung Kataster und Registratur
                Sabatsky

Felice, aufgenommmem von Ilse Ploog im Januar 1944.

Lilly Wust im Frühjahr 1993.

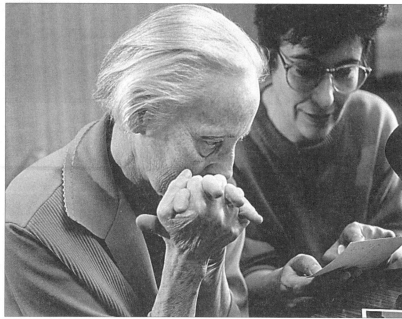

Lilly Wust und die Autorin im Februar 1991.

Lilly Wust im Februar 1991.

Erica Fischer
Am Anfang war die Wut

Monika Hauser und Medica mondiale
Ein Frauenprojekt im Krieg
Broschur

Noch nie ist Vergewaltigung so gezielt als Kriegswaffe
eingesetzt worden. Noch nie haben Frauen so schnell gehandelt. »Ich wußte, ich würde es schaffen«, sagte Monika Hauser und behielt recht. Mitten im Krieg errichtete
sie in Zentralbosnien ein multiethnisches Zentrum zur
Behandlung extrem traumatisierter Frauen.

VERLAG
KIEPENHEUER
&WITSCH

Bücher gegen das Vergessen

Inge Deutschkron
Ich trug den gelben Stern
dtv 30000

Inge Deutschkron
Mein Leben nach dem Überleben
dtv 30460

Eva Fogelman
»Wir waren keine Helden«
Lebensretter im Angesicht des Holocaust
dtv 30641

Ich kam allein
Der rettende Transport jüdischer Kinder nach England 1938/39
Hrsg. von Rebekka Göpfert
dtv 30439

Jizchak Katzenelson / Wolf Biermann
Großer Gesang vom ausgerotteten jüdischen Volk
dtv 12233

Ruth Klüger
weiter leben
Eine Jugend
dtv 11950 und
dtv großdruck 25106

Christian Graf von Krockow
Die Stunde der Frauen
Bericht aus Pommern
1944 bis 1947
dtv 30014

Arno Lustiger
Zum Kampf auf Leben und Tod!
Vom Widerstand der Juden
1933–1945
dtv 30097

Helmuth James von Moltke
Briefe an Freya
1939–1945
Herausgegeben von
Beate Ruhm von Oppen
dtv 2970

Stella Müller-Madej
Das Mädchen von der Schindler-Liste
Aufzeichnungen einer KZ-Überlebenden
dtv 30664

Marion Yorck von Wartenburg
Die Stärke der Stille
Erzählung eines Lebens aus dem Widerstand
dtv 30090

dtv

Arno Lustiger
Zum Kampf auf Leben und Tod!
Vom Widerstand der Juden 1933-1945
dtv 30097

Die erste umfassende Darstellung des von Juden in ganz
Europa geleisteten Widerstandes gegen den nationalsozialistischen Terror. Damit wird das weit verbreitete Bild von der
Passivität der Opfer gründlich revidiert. In den zwölf
Kapiteln des Buches werden Gruppen und Einzelkämpfer in
Deutschland, in Polen, in den Vernichtungslagern, im Balti-
kum und in der Sowjetunion, in Süd- und Südosteuropa, in
Frankreich, Holland und Belgien geschildert. Aus den zahlreichen Zeugenberichten, Kurzbiographien und Dokumenten wird die Vielfalt des jüdischen Widerstandes beein-
druckend deutlich.

»Lustigers Buch kommt das unzweifelhafte Verdienst zu, den
tatsächlichen Umfang des verzweifelten, meist aussichtslosen
Widerstands europäischer Juden gegen ihre Auslöschung
dokumentiert und darüber hinaus zahlreiche Gruppen und
Einzelkämpfer der Namenlosigkeit entrissen zu haben.«
(Eva-Elisabeth Fischer, Süddeutsche Zeitung)

»Zu sagen, es wäre ein wichtiges Buch, ein gelungener Versuch, Versäumnisse hauptamtlicher Forscher nachzuholen,
wäre zwar richtig, aber eine freche Untertreibung. Es ist eine
gigantische Fleißarbeit von höchstem Gebrauchswert.«
(Henryk M. Broder, Die Woche)

dtv

Coco Schumann
Der Ghetto-Swinger

Eine Jazzlegende erzählt

Aufgezeichnet von
Max Christian Graeff und Michaela Haas
dtv premium 24107

»Ich bin Musiker. Ein Musiker, der im KZ gesessen hat,
kein KZler, der Musik macht. Ich habe viel zu sagen.
Die Richtung ist klar: Back to the roots, in jene Welt,
in der meine Seele zu Hause ist, in den Swing.
Wer den Swing in sich hat kann nicht mehr
im Gleichschritt marschieren.«

Coco Schumann, 1924 in Berlin geboren, entdeckt mit dreizehn Swing und Jazz für sich. Bis 1943 gelingt es ihm, dem
»Halbjuden«, dank einer gehörigen Portion Chuzpe und seiner zahlreichen öffentlichen Auftritte der Deportation durch
die Nationalsozialisten zu entgehen. Bis auch für ihn der Vorhang fällt. Seine Reise durch die Lager beginnt. Aber auch
dort ist und bleibt er Musiker. In der Scheinwelt Theresienstadt wird er Mitglied einer der hochkarätigsten Jazz-Com-
bos des Dritten Reichs, der »Ghetto-Swingers«. In Auschwitz spielt er zur Unterhaltung der Lagerältesten und der SS
um sein Leben, in Dachau begleitet er mit letzter Kraft den
Abgesang auf das Regime. Danach treibt es den Entwurzel-
ten durch die Welt, die ihm einzig verbliebene Heimat ist der
Jazz und der Swing. Heute lebt Coco Schumann wieder in
Berlin.

»Er hat sein Leben auf Kassetten gesprochen und dieses liebenswerte, sehr dichte Buch verlegen lassen. Über sich, die
Stadt, ihren Rhythmus und ihre Musik.« (Der Tagesspiegel)

dtv

Frauen, die Geschichte machten

dtv

Frauenleben

Oskar Maria Graf
Das Leben meiner Mutter
dtv 10044

Angelika Schrobsdorff
„Du bist nicht so wie andre Mütter"
Die Geschichte einer leidenschaftlichen Frau
dtv 11916

Ruth Klüger
weiter leben
Eine Jugend
dtv 11950 und
dtv großdruck 25106

Christian Graf von Krockow
Die Stunde der Frauen
Bericht aus Pommern 1944 bis 1947
dtv 30014

Marion Yorck von Wartenburg
Die Stärke der Stille
Erzählung eines Lebens aus dem deutschen Widerstand
dtv 30090

Inge Deutschkron
Mein Leben nach dem Überleben
dtv 30460

Verena Kast
Die beste Freundin
Was Frauen aneinander haben · dtv 35091

Claudia Schreiner
Wenn Frauen zu viel arbeiten
Alles erreicht und nicht angekommen?
dtv 36116

dtv

Inge Deutschkron im dtv

Das Lebensschicksal einer engagierten Journalistin – ihre
Kindheit als jüdisches Mädchen in der Nazizeit und ihr Leben nach dem Überleben.

Ich trug den gelben Stern
dtv 30000

Ein unprätentiöser Bericht über das verzweifelte Leben und
Überlebenwollen eines jüdischen Mädchens in Berlin. Ent-
rechtet und verfolgt, befürchtet die Familie jeden Moment
Deportation und Tod. Ein Leben in der Illegalität beginnt,
unter fremder Identität, lebensbedrohend auch für die
Freunde, die ihnen Beistand gewähren. Nach Jahren quälender Angst vor der Entdeckung haben Inge Deutschkron und
ihre Mutter den bürokratisierten Sadismus des nationalsozialistischen Systems überlebt: zwei unter den 1200 Juden in
Berlin, die dem tödlichen Automatismus entronnen sind.

Mein Leben nach dem Überleben
Die Fortsetzung von ›Ich trug den gelben Stern‹
dtv 30460

Wie richtet sich Inge Deutschkron ihr Leben nach 1945 ein?
Wie geht ihre Geschichte weiter? „Ich malte mir ein Idealbild
vom neuen Deutschland aus – ein Deutschland, in dem es
einen neuen Geist geben würde. Erfahrung hatte ich zwar im
Kampf ums Überleben, aber, wie sich bald zeigen sollte, war
ich sehr naiv, was des Lebens Wirklichkeit betraf." Die streit-
bare Journalistin gibt in diesen Aufzeichnungen ein spannen-
des Zeitzeugnis der fünf Jahrzehnte vom Kriegsende bis in die
Gegenwart, die gerade auch in ihren persönlichen Erlebnis-
sen und durch ihre unbestechliche, ungewöhnliche Sicht-
weise begreifbar werden.

dtv